이동원 목사 복음서 강해 전집 3

쉽게 풀어 쓴 마가의 복음 이야기(하)

이동원 목사 복음서 강해 전집 3
쉽게 풀어 쓴 마가의 복음 이야기(하)

지은이 | 이동원
초판 발행 | 2001. 4. 9
개정판 발행(전집) | 2025. 11. 26
등록번호 | 제1988-000080호
등록된 곳 | 서울특별시 용산구 서빙고로 65길 38
발행처 | 사단법인 두란노서원
영업부 | 2078-3333   FAX | 080-749-3705
출판부 | 2078-3331

책값은 뒤표지에 있습니다.
ISBN 978-89-531-5085-0 04230
SET 978-89-531-5082-9 04230

독자의 의견을 기다립니다.
tpress@duranno.com   www.duranno.com

* 이 책은 《쉽게 풀어 쓴 이동원 목사의 마가복음 이야기 하》의 개정판입니다.

두란노서원은 바울 사도가 3차 전도여행 때 에베소에서 성령 받은 제자들을 따로 세워 하나님의 말씀으로 양육
하던 장소입니다. 사도행전 19장 8-20절의 정신에 따라 첫째 목회자를 돕는 사역과 평신도를 훈련시키는 사역,
둘째 세계선교(TIM)와 문서선교(단행본·잡지)사역, 셋째 예수문화 및 경배와 찬양 사역, 그리고 가정·상담 사역 등을
감당하고 있습니다. 1980년 12월 22일에 창립된 두란노서원은 주님 오실 때까지 이 사역들을 계속할 것입니다.

이동원 목사 복음서 강해 전집 3

쉽게 풀어 쓴
마가의 복음 이야기(하)

이동원 지음

두란노

목차

사복음서와 사도행전 강해가 시리즈로 함께 출간되어 기쁩니다. 본래 사복음서 중에 제일 먼저 세상에 나온 것은 마가복음입니다. 마가복음과 누가복음은 예수님의 생애를 비교적 연대기적으로 소개합니다. 마태복음은 예수님의 천국(하나님 나라) 사상을 중심으로 전개됩니다. 그리고 요한복음은 예수님의 영성적 가르침을 주제별로 모아 소개합니다. 그냥 마태, 마가, 누가, 요한식으로 설교하다 보면 많은 중복을 피할 수 없습니다. 그래서 저는 설교할 때 이런 중복을 피하고자 노력했습니다. 그래도 사복음서의 중요한 부분들을 놓치지 않고 설교하고자 했습니다.

오늘 우리 시대는 점점 더 강해 설교를 피해 가는 경향을 보이고 있습니다. 그러면 자연스럽게 제목 설교 중심으로 설교할 수밖에 없습니다. 저는 제목 설교, 특히 주제별 설교도 필요하다고 믿는 사람입니다. 그러나 한 강단에서 오래 설교하려면 제목 설교는 곧 한계에 부딪히게 됩니다. 저도 담임 목회 기간에 종종 제목 설교를 시도했습니다. 그러나 곧 다시 강해 설교로 돌아오곤 했습니다.

이제 사복음서와 사도행전을 한데 묶어 출간하게 됨을 진심으로 감사하게 생각합니다. 사복음서와 사도행전의 유일한 주제인 우리 주님이 높이 드러나기만을 소원합니다. 그분만이 우리 시대와 다가오는 시대의 유일한 소망이심을 믿기 때문입니다.

한국 교회 강단에 복음의 생수가 넘쳤으면 좋겠습니다. 한 분, 예수 그리스도만이 우리의 구주요, 주님이심이 선포되기를 기도합니다. 이 사복음서와 사도행전이 한데 묶여 함께 한 주인이신 예수님을 영화롭게 하기를 바랍니다.

성역 55주년, 나이 80세를 맞이하며 신약을 여는 사복음서와 사도행전을 주께 올립니다. 이 시리즈가 출간되도록 도움을 준 분들에게도 감사를 드립니다.

지구촌 목회리더십센터 섬김이

이동원 목사

우리는 디지털 세상에 진입했습니다. 어떤 이는 설렘으로, 어떤 이는 당혹감으로 새 시대를 맞고 있습니다. 이러한 시대에서 가장 커다란 당혹감은 커뮤니케이션의 혼선이 아닐까 합니다. 우리는 너무 많은 정보에 노출된 채 선택의 길에 서 있는 것입니다. 또다시 우리는 심각한 가치관의 갈등을 맞게 된 것입니다.

이런 세상에서 우리는 해묵은 성경의 의미를 다시 묻습니다. 과연 성경의 이야기가 새 시대에도 복음일 수 있는가를 묻습니다. 과연 예수 그리스도 그분이 어제도, 이제도 동일하신 주님이라고 고백된다면, 그분의 이야기는 이제도, 내일도 복음이어야 할 것입니다.

신약성경은 그분의 이야기를 복음의 이야기로 선언합니다. 그리고 네 명의 기자를 동원하여 그분의 이야기를 우리에게 전달합니다. 이 네 개의 이야기 중 마가의 이야기는, 다른 세 명의 기자에 비해 이야기 전달 방식이 쉽고 명확합니다. 또한 대부분의 신학자는 마가복음의 이야기가 역사적으로 우선한다고 봅니다.

마가에게는 현대를 느끼게 하는 디지털적인 그 무엇이 있습니다. 그는 매우 직설적인 언어로 빠르게 예수님의 이야기를 전개합니다. 그를 통해 우리는 진부하지 않은 복음의 이야기를 듣습니다.

마가의 복음 이야기는 본래 설교로 전달된 것입니다. 설교와 논문은 형식상 적지 않은 차별성이 있습니다. 현장감 있고 역동적인 반응의 체계 안에서 스피커는 청중을 만나야 합니다. 따라서 이 책의 구성에 영향을 끼친 많은 인용의 출처가 생략되어 있습니다.

저는 이 설교의 모든 내용에 독창성을 주장하지 않습니다. 따라서 이 설교에 영향을 끼친 모든 믿음의 선진들께 감사를 표하는 바입니다.

세상은 급변하지만 변하지 않는 복음, 이 복음의 이야기 안에서 당신을 만나는 것, 이 한 가지 소망으로 이 책은 태어나게 되었습니다. 복음이 희망이고, 복음이 능력이라고 믿기 때문입니다.

오늘의 세상이 굶주려 하며 듣고 싶어 하는 이야기, 바로 그 구원의 이야기를 위해 우리는 이제 마가의 안내를 받고자 합니다. 그리고 그의 눈과 귀에 각인된 그분의 이야기를 듣고자 합니다.

처음 이 이야기에 귀를 기울여 준
지구촌 가족들에게 사랑을 보내면서
이동원 드림

"그들을 떠나 다시 배에 올라 건너편으로 가시니라 제자들이 떡 가져 오기를 잊었으매 배에 떡 한 개밖에 그들에게 없더라 예수께서 경고 하여 이르시되 삼가 바리새인들의 누룩과 헤롯의 누룩을 주의하라 하 시니 제자들이 서로 수군거리기를 이는 우리에게 떡이 없음이로다 하 거늘 예수께서 아시고 이르시되 너희가 어찌 떡이 없음으로 수군거리 느냐 아직도 알지 못하며 깨닫지 못하느냐 너희 마음이 둔하냐 너희가 눈이 있어도 보지 못하며 귀가 있어도 듣지 못하느냐 또 기억하지 못 하느냐 내가 떡 다섯 개를 오천 명에게 떼어 줄 때에 조각 몇 바구니를 거두었더냐 이르되 열둘이니이다 또 일곱 개를 사천 명에게 떼어 줄 때에 조각 몇 광주리를 거두었더냐 이르되 일곱이니이다 이르시되 아 직도 깨닫지 못하느냐 하시니라"(막 8:13-21).

1

아직
깨닫지 못하느냐

믿음의 시선을
주님께 고정하라

《탈무드》에 이런 이야기가 있습니다.

"사람의 머릿속에는 두 개의 방이 있다. 하나는 기억의 방이고, 하나는 망각의 방이다. 우리는 기억하고 싶은 것은 기억의 방에 집어넣고, 또 잊어버리고 싶은 것은 망각의 방에 집어넣는다. 그래서 우리는 어떤 일들을 기억하기도 하고, 또 어떤 일들은 망각하기도 한다."

이 말은 일반적으로 볼 때 진리라고 할 수 있습니다. 그러나 이것이 항상 진리는 아닙니다. 인간의 기억과 망각의 기능에도 때로는 혼란이 일어날 수 있기 때문입니다. 혼란의 역기능이 일어날 수 있습니다. 어떤 것은 잊어버리는 것이 좋은데, 그 망각해야 할 것

을 기억하고 계속 괴로워하는 사람들이 있습니다. 반대로 어떤 것
은 꼭 기억하고 살아야 하는데, 기억해야 할 것을 쉽게 잊어버리는
일들이 종종 일어납니다.

오병이어와 칠병이어

마가복음 8장 1-10절을 피상적으로 읽으면 '오병이어의 기적'과 거
의 비슷한 사건이 기록되어 있습니다. 그러나 똑같은 사건은 아닙
니다. 신학자들은 이것을 '칠병이어의 기적'의 사건이라고 말합니
다. 언뜻 보면 아주 비슷한 사건 같지만, 안을 자세히 들여다보면 이
두 사건에는 여러 가지 차이점이 있습니다.

우선, 날이 저물어 가는데 굶고 앉아 있는 많은 사람에게 먹을 것
을 주어야 하지 않겠느냐는 문제 제기에 있어서의 차이점입니다. '오
병이어의 기적'의 경우에는 제자들이 먼저 이에 대한 문제 제기를
합니다.

"선생님, 큰일 났습니다. 날이 저물어 가는데 이 많은 사람의 식
사를 어떻게 하면 좋습니까? 차라리 집에 보내서 먹는 문제를 해결
하고, 그다음에 와서 선생님의 말씀을 듣게 하면 어떻겠습니까?"

반면에 마가복음 8장에 보면, "내가 무리를 불쌍히 여기노라 그들
이 나와 함께 있은 지 이미 사흘이 지났으나 먹을 것이 없도다"(막 8:2)
라고 주님이 먼저 문제를 제기하신 것으로 되어 있습니다.

장소도 다릅니다 '오병이어의 기적'이 일어난 곳은 갈릴리 지역의 '벳새다'입니다. 그러나 '칠병이어의 기적'은 갈릴리의 동북편이라고 할 수 있는, 이방인들이 주로 사는 '데가볼리' 지역에서 일어났습니다.

시간적으로도 좀 차이가 있는데, '오병이어의 기적'은 예수님이 제자들과 하루 종일 함께 다니면서 하루 동안에 일어난 사건임에 반하여, '칠병이어의 기적'은 그들이 예수님과 함께 있은 지 사흘이 지났다고 되어 있습니다(막 8:2 참조).

그런가 하면 '오병이어의 기적'은 잔디 위에서 일어났다고 했지만, '칠병이어의 기적'의 경우에는 예수님께서 무리를 땅에 앉게 하셨다고 기록되어 있습니다(막 8:6 참조). 또 수적으로도 훨씬 차이가 있습니다. '오병이어의 기적'의 경우에는 알다시피 보리떡 다섯 개와 물고기 두 마리를 가지고 주님이 기적을 행하셨습니다. 그러나 이번에는 다섯 개가 아니라 일곱 개를 가지고 기적을 행하신 것으로 되어 있고, 또 사건을 본 사람의 수도 '오병이어의 기적'의 경우에는 남자만 5천 명, '칠병이어의 기적' 경우에는 4천 명이었습니다.

그렇다면 기적이 일어난 다음에 그 나머지를 거두는 과정에서는 어떠했을까요? '오병이어의 기적'에서는 열두 광주리를 거두었습니다. 그러나 '칠병이어의 기적'의 경우에는 일곱 광주리를 거둔 것으로 기록되어 있습니다.

기적이 일어난 후의 반응도 달랐습니다. '오병이어의 기적'이 일어난 후에 사람들은 예수님을 유대인의 왕으로 삼고자 했습니다. '이런 놀라운 분을 우리 왕으로 삼으면 적어도 식량 문제는 해결되겠다'라고 생각해서 억지로 임금을 삼으려 하는 임금 추대 운동이 벌어집니다. 그러나 '칠병이어의 기적'의 사건 이후에는 그런 반응이 전혀 없었습니다. 이것은 아마도 유대의 왕이라는 개념이 이방인들에게는 전혀 의미가 없는 것이었기 때문이라고 생각할 수 있습니다.

두 번씩이나 보고도

이러한 차이에도 불구하고 예수님은 거의 비슷한 기적을 두 차례 연속해서 행하셨습니다. 그런데 놀라운 사실은, 예수님이 기적을 두 차례에 걸쳐서 행하심에도 불구하고 그 현장에 있던 제자들은 조금도 달라지지 않았다는 것입니다.

본문 13절을 보면, 이 사건 이후에 주님이 "그들을 떠나 다시 배에 올라 건너편으로 가시니라"(막 8:13)라고 기록되어 있는데, 이번에는 데가볼리에서 다시 갈릴리 방향으로 항해하신 것으로 되어있습니다. 그런데 문제가 발생합니다.

> "제자들이 떡 가져오기를 잊었으매 배에 떡 한 개밖에 그들에게 없더라"(막 8:14).

짤막한 항해지만 그래도 항해는 항해인데 도시락 챙기는 것을 잊어버렸습니다. 그때 제자들은 또 걱정하기 시작합니다.

> "제자들이 서로 수군거리기를 이는 우리에게 떡이 없음이로다"
>
> (막 8:16).

'오병이어'와 '칠병이어'라는 두 차례의 기적의 현장 속에 있었던 제자들이 다시 떡 때문에 걱정하는 모습을 보십시오.

이 두 기적의 공통되는 명백한 교훈은 이것입니다. 주님이 계셨기 때문에 우리가 문제를 극복할 수 있었다는 것입니다. 그렇습니다. 예수님은 문제의 해결자이십니다. 예수님이 계시면 그분이 우리의 필요를 공급하십니다. 이 기적의 사역을 통해서 예수님은 문제를 해결해 주셨습니다. 우리의 모든 필요에 대한 공급자인 것을 기적을 통해서 증명해 주신 것입니다. 그런데도 제자들은 또 걱정하고 있습니다.

제자들의 모습만 그렇습니까? 5년 전, 10년 전, 우리가 역경에 처해 있을 때 부르짖었더니 우리의 기도에 응답하고 우리를 고통에서 건져내셨던 놀라운 주님이십니다. 우리는 주님을 찬양했습니다. 주님은 우리에게 와서 우리를 구출해 주셨습니다. 주님은 우리의 소망이고 구원이셨습니다. 우리는 주님 앞에 흥분하며 감사했습니다. 그러나 오늘의 역경, 오늘 처한 환경 속에서 우리는 또다시 걱정하고 있습니다. 제자들의 모습을 통해서 우리 자신의 모습을 발견할 필요가 있습니다.

예수님은 이런 제자들에게 어떻게 말씀하십니까?

> "예수께서 아시고 이르시되 너희가 어찌 떡이 없음으로 수군거
> 리느냐 아직도 알지 못하며 깨닫지 못하느냐 너희 마음이 둔하
> 냐"(막 8:17).

"너희가 떡 때문에 걱정하는구나. 아직도 깨닫지 못하느냐? 내
가 두 번이나 기적을 행하여 너희의 필요를 공급했는데도 아직 나
를 신뢰하지 못하느냐? 내가 너희의 문제에 대한 진정한 해결자
요, 구세주요, 주님이라는 사실을 아직도 깨닫지 못하느냐?" 그러
면서 "너희 마음이 둔하냐?"라고 말씀하십니다. 요즘 식으로 말하
면 "그렇게 돌머리냐?"라고 말씀하신 것입니다.

그러나 깨닫지 못하느냐는 말씀이 단순히 제자들의 기억력의 문
제를 말씀한 것이라고 생각되지는 않습니다. "너희의 기억력이 모
자라 이런 어려움에 처해 있구나"라고 말씀하시는 것이 아니라, 제
자들이 깨닫지 못하는 이유, 두 번이나 기적을 경험하고도 아직 주
님을 온전히 신뢰하지 못하는 이유, 그들의 환경 속에 살아 계신 주
님의 능력을 신뢰하지 못하는 더 본질적이고 근본적인 이유가 있다
는 것을 지적하고자 하신 것입니다. 그 이유가 무엇일까요? 15절에
서 발견할 수 있습니다.

> "예수께서 경고하여 이르시되 삼가 바리새인들의 누룩과 헤롯의

누룩을 주의하라 하시니"(막 8:15).

무슨 말씀입니까? 왜 누룩 이야기를 하시는 걸까요? 여기서 누룩은 영향력에 대한 상징이라고 할 수 있습니다. '빠른 속도로 퍼지는 것', 예수님은 이것을 누룩으로 상징하고자 하셨다고 볼 수 있습니다. 옛날에는 술이나 빵을 만들 때 주로 이 누룩을 사용했습니다. 누룩은 발효를 시킵니다. 빨리 퍼지게 합니다. 누룩은 주로 나쁜 영향력의 상징으로 많이 인용됩니다. 성경에 좋은 영향력의 상징으로 쓰인 경우도 있지만, 일반적으로 나쁜 영향력의 확산을 의미할 때 상징적으로 쓰이고 있습니다.

"너희가 자랑하는 것이 옳지 아니하도다 적은 누룩이 온 덩어리에 퍼지는 것을 알지 못하느냐"(고전 5:6).

그래서 누룩을 영향력의 확산에 비유하셨습니다. 제자들이 지금 염려하고 걱정하고 있는 이유, 주님을 신뢰하지 못하는 이유, 두 번이나 기적을 체험하고도 그들의 신앙이 제대로 정착하지 못한 이유가 무엇입니까? 그것은 나쁜 영향을 받고 있기 때문입니다. 두 가지 영향이 있는데, 하나는 바리새인의 영향이고, 또 하나는 헤롯의 영향 때문입니다.

우리는 세상을 바꾸어야 할 사람들입니다. 세상에 영향을 주어야 할 사람들입니다. 그러나 거꾸로 얼마나 자주 우리는 세상에 의해 영향을 받고 있습니까? 어떤 영향을 받았기에 믿음이 자라지 못하고 있습니까? 주님을 신뢰하지 못하고 있습니까?

바리새주의, 외식주의

첫째는, 바리새인의 영향입니다. 누가복음 12장 1절에 보면 바리새적 누룩의 정체, 그 영향의 정체를 알 수 있습니다.

> "그동안에 무리 수만 명이 모여 서로 밟힐 만큼 되었더니 예수께서 먼저 제자들에게 말씀하여 이르시되 바리새인들의 누룩 곧 외식을 주의하라."

바리새인의 누룩은 곧 뭐라고 말씀하십니까? '외식'입니다. 어떤 사람은 성경을 읽다가 '외식하지 말라'는 말씀을 보고 '외식'(外食)을 안 한다고 하는데, 여기서 말하는 외식은 그런 외식이 아닙니다. 바리새인의 외식이라는 것은 '겉만 꾸미는 것, 안으로 내용을 갖추거나 채우지 못한 채 바깥으로만 관심을 갖는 것'입니다. 한마디로 말하면, '바리새주의'는 '외식주의' 혹은 '형식주의'라고 정의할 수 있을 것입니다.

우리가 잘 아는 대로 바리새인들은 전통을 중요시했습니다. 어떤 종교의 형식과 틀을 수호하고 그 틀을 지키는 데 아주 민감했던 사람들이었습니다. 그러나 그들의 결정적인 오류, 그들의 삶에 있어서 주님을 실망시키고 있었던 오류 가운데 하나는, 그들이 종교적인 형식을 갖추는 데는 열심이었지만, 내용을 갖추는 데는 그렇지 못했다는 것이었습니다. 그래서 예수님이 바리새인들을 책망할 때 뭐라고 하셨습니까?

"회칠한 무덤이여! 회칠한 무덤이여!"

열심히 무덤의 겉을 꾸며야 무슨 소용이 있습니까? 그 안은 썩고 있습니다. 죽어 있는 뼈다귀들이, 냄새와 부패함이 가득 차 있습니다. 그런데도 겉만 꾸밉니다.

주님이 이런 바리새적인 종교, 바리새인들의 신앙생활의 특성을 아주 예리하게 지적하신 한 대목을 복음서에서 볼 수 있습니다.

> "화 있을진저 외식하는 서기관들과 바리새인들이여 너희가 박하와 회향과 근채의 십일조는 드리되 율법의 더 중한 바 정의와 긍휼과 믿음은 버렸도다 그러나 이것도 행하고 저것도 버리지 말아야 할지니라"(마 23:23).

저는 오늘 이 시대를 살아가는 그리스도인들의 신앙생활이 바리새인의 신앙 수준에도 미치지 못하는 것을 부끄러워해야 한다고 느낄 때가 많이 있습니다. 바리새인들이 우리보다 훨씬 나을 수도 있습니다. 그럼에도 불구하고 예수님이 바리새인들을 책망하고 그들을 고발하신 가장 중요한 이유가 어디에 있습니까?

그들이 열심이었던 십일조는 당시 종교인들의 대표적인 특성이었습니다. 그 당시 하나님을 열심히 믿는 사람이라고 하면 십일조를 하는 사람처럼 종교의 틀을 만드는 사람 등을 가리켰습니다. 요즘 식으로 하면 주일에 꼬박꼬박 나오고, 예배에 열심히 참여하고, 찬송하고, 기도하고, 때로는 성경 공부도 하고, 헌금하고, 봉사하는 등의 모습일 것입니다. 다 중요한 것입니다. 나쁘지 않습니다. 그러나 예수님은 종교인의 틀을 만드는 이런 삶에 대한 열중보다 더 중요한 '의와 인과 신', 즉 의롭게 살고, 사랑하며 살고, 믿음직스럽게, 곧 신실하게 살아가는 삶의 태도를 강조하셨습니다. 진정한 삶에 대한 관심이 없었던 것이 바리새인들의 문제점이었습니다.

신앙생활을 하는 가장 중요한 목적이 있다면 구원이라고 생각합니다. 구원받는 것이 가장 중요합니다. 구원을 받았다는 확신은 예수님을 믿고, 예수님의 보혈로 죄 사함 받음을 통해 얻게 됩니다. 그런데 구원받았다는 것은 끝이 아닌 시작입니다. 신앙생활의 출발인 것입니다. 그러면 구원받은 사람들에게 가장 중요한 것이 무엇입니까? 예수님의 인격을 닮아 가는 것, 예수님께서 기뻐하시는 삶을 살아가는 것, 예수님의 발자취를 따라가는 것이 목적입니다. 이것이 바로 구원받은 자로서 주님이 기뻐하시는 삶을 사는 모습입니다.

우리는 교회에 와서 예배도 드리고 설교도 듣습니다. 그러나 이후에 어떻게 사느냐가 중요합니다. 우리의 신앙이 증명되는 순간은 예배 시간이 아니라, 예배가 끝나고 나서부터이기 때문입니다.

예배 시간에 받은 은혜가 불과 몇 미터밖에 안 되는 교회 마당에서의 질서 있는 차량 운전으로 연장될 수 없다면, 가정에서는 어떻게 살아갈까요? 우리의 직장에서는 어떻게 살아갈까요? 우리가 과연 이런 모습으로 세상의 소금이고 빛일 수 있을까요?

한국 교인들의 최대의 문제는 예배드리는 것만을 신앙생활로 여기는 데 있습니다. 예배드리는 것과 마찬가지로 질서를 지키는 것, 이웃을 생각하고 배려하는 것, 장애인을 아끼고 그들을 위해 앞장서는 것, 장애인 주차장에는 주차하지 않는 것도 다 신앙생활입니다. 이웃을 구체적으로 돌보는 것, 빛을 드러내는 것, 이웃에게 자상하고 친절한 모습으로 다가서서 손을 벌려 그들에게 예수 그리스도의 사랑을 나타내는 것, 이 모든 것이 신앙생활의 모습입니다. 만약 우리에게 변화의 의지가 없다면, 교회에 나오고 예배드리는 것조차도 주님 앞에 오히려 송구한 일일 수 있습니다.

바리새인들의 문제가 무엇입니까? 그들은 변화의 의지 없이 종교 형식을 수호하는 데만 열심이었습니다. 이 바리새인들은 과연 누구일까요? 우리가 바리새인들을 비판할 자격이 있을까요? 어쩌면 바리새인들의 모습이 우리 자신의 모습일 수도 있다는 사실에 부끄러워할 필요가 있습니다.

제자들의 신앙이 자라나지 못한 이유는, 그들이 오히려 바리새적인 영향을 받고 있었기 때문입니다. 찬송과 기도에는 익숙해졌지만, 아직도 주님이 기뻐하시는 삶을 살아가는 일에는 관심이 없었던 것입니다. 그래서 주님은 "바리새인들의 누룩을 주의하라. 너희가 바리새인들의 영향을 받고 있다. 신앙의 형식과 틀에만 관심이 있을 뿐 신앙의 삶을 형성하는 진지한 삶의 변화에 대한 의지가 없는 자들아, 바리새인들의 누룩을 주의하라"라고 말씀하신 것입니다.

헤롯주의, 물질주의

두 번째는, 헤롯의 누룩을 주의하라고 말씀하십니다. 본문을 마태복음 16장과 비교해 보면, 마태복음 16장에는 "바리새인과 사두개인들의 누룩을 주의하라"(마 16:11)라고 되어 있지만, 본문에는 "바리새인들의 누룩과 헤롯의 누룩을 주의하라"(막 8:15)라고 되어 있습니다. 바리새인과 헤롯, 왜 이런 차이가 났을까요? 사실상 헤롯과 바리새인은 한통속이라고 말할 수 있습니다. 헤롯은 로마로부터 임명을 받아 팔레스타인 땅을 다스리고 있던 왕이었습니다. 성경에 보면 '분봉왕'이라고 되어 있습니다. 로마 정부의 임명을 받아서 팔레스타인 땅을 몇 개의 부분으로 나누어서 그것을 통치하던 자가 바로 헤롯이었습니다.

이 헤롯 가문의 수많은 헤롯에게는 공통점이 있었습니다. 그것은 다 욕심이 많았다는 것입니다. 특별히 돈에 대한 욕심이 많던 것이 헤롯 왕가의 대표적인 모습이었습니다. 그래서 그들은 백성에게 부당한 세금을 부과했습니다. 물론 이 세금의 상당 부분은 헤롯 왕가가 중간에서 가로챘습니다. 그들은 뇌물을 즐겼습니다. 헤롯 왕가가 대표하는 삶은 철저하게 세속주의와 물질주의적인 삶이었습니다.

그런데 그 당시 바리새인과 함께 쌍벽을 이루고 있던 또 하나의 종교 계층이 있었는데, 바로 사두개인입니다. 사두개인들은 주로 제사장 출신이었습니다. 그들은 정치적으로 로마와 결탁해서 친로마적인 삶을 살고 있었습니다. 자연스럽게 그들은 헤롯 왕가와 어울렸습니다. 그들은 종교인이면서도 종교 자체에 관심이 있었던 것이 아니라, 돈에 관심이 있었습니다. 바리새주의가 형식주의, 외식주의를 대표한다면, 헤롯주의 혹은 사두개주의는 세속주의, 물질주의를 대표한다고 할 수 있습니다.

예수님은 제자들이 이 헤롯주의의 영향을 받고 있으며, 세상에 영향을 주기는커녕 그들이 오히려 물질주의의 영향을 받고 있다고 말씀하셨습니다. 그래서 그들의 신앙이 자라거나 그들이 주님을 온전히 신뢰하지 못하고 있다고 말씀하셨습니다. 그들의 눈이 멀어 버린 원인, 그들의 신앙이 맹목적이고 성장하지 못하는 가장 중요한 원인이 바로 물질주의 때문이라는 것을 지적하고자 하신 것입니다. 본문에서 그 증거를 찾아볼 수 있습니다.

"삼가 바리새인들의 누룩과 헤롯의 누룩을 주의하라"(막 8:15).

이 경고는 아주 의미심장한 말씀이었습니다. 그런데 이 말씀에 대한 제자들의 반응은 어떨까요? 사뭇 흥미롭습니다.

> "제자들이 서로 수군거리기를 이는 우리에게 떡이 없음이로다 하
> 거늘"(막 8:16).

동문서답입니다. 예수님이 바리새인과 헤롯의 누룩을 주의하라
는 아주 의미심장한 말씀을 하셨는데, 누룩 소리가 나오니까 제자
들은 얼른 무엇을 떠올렸습니까? 떡만 생각하고 있었습니다. 예수
님이 말씀하신 의도를 깊이 생각하지 못하고 당장에 '아! 예수님
도 떡 이야기를 하시는구나'라고 생각한 것입니다. 자신들이 그러
니까 다른 사람들도 떡을 생각하고 있는 것으로 착각하고 있습니
다. 제자들을 지배하고 있는 것은 물질에 대한 관심뿐이었습니다.

물질은 이 시대 최대의 우상입니다. 심지어 그리스도인들조차도
황금 앞에 무릎을 꿇고 있는 모습을 볼 수 있지 않습니까? 옛날에는
위기에 처하거나 어려움이 닥치면 하나님을 믿는 사람들이야 하나
님을 찾지만, 하나님을 안 믿는 사람들은 '어머니'를 찾았습니다.
그런데 요즘은 '어머니'를 찾는 것이 아니라 '오, 머니'(Oh, money!)
를 찾는다고 합니다. 돈 앞에, 황금 앞에 무릎 꿇는 현대인들의 모
습을 풍자한 이야기입니다.

주머니의 회개

물질은 필요합니다. 성경은 물질의 필요를 부정하지 않습니다. 그러나 물질은 숭배의 대상이 아닙니다. 어떻게 우리가 이 시대의 물질주의를 극복할 수 있을까요? 저는 물질주의를 극복하지 못하는 모습을 다음 두 가지에서 볼 수 있다고 생각합니다.

첫째는 교회 안에서 볼 수 있는 현상인데, 우리가 정말 물질주의를 극복한다면 그것이 우리의 헌금 생활에 나타나야 합니다. 물질적으로 헌신하지 못하는 것이 바로 우리가 물질주의를 극복하지 못하고 있다는 증거라 할 수 있습니다. 다른 것은 다 헌신하는데 물질은 드릴 수 없다는 것은 아직도 우리가 물질의 노예로 살고 있다는 증거입니다. 유명한 존 웨슬리(John Wesley)는 이런 말을 남겼습니다.

"나는 주머니가 회개하지 않은 사람의 회개는 신용하지 않는다."
한 사람이 정말 변했다, 회개했다는 것은 그가 돈을 사용하는 용도를 보면 알 수 있습니다. 자신을 위해서, 자신의 욕심만을 위해서 쓰이던 돈이 하나님 나라를 위해서 그리고 이웃들을 위해서 사용될 수 있는가가 우리의 물질관을 시험하는 척도입니다.

미국의 한 침례교회에서 목사님이 침례(세례)를 주고 있는데, 한 성도가 들어오지 않고 있었습니다. 왜 안 들어오느냐고 하니까 "목사님, 제가 지금 지갑을 갖고 있어서요"라고 대답하더랍니다. 그때 목사님이 말씀하셨습니다.

"형제여, 당신의 지갑도 침례(세례)를 받아야 합니다."

세례(침례)는 무엇을 의미합니까? 물속에 들어갈 때 '내가 죽었다, 내가 예수님과 함께 죽었다', 물에서 나올 때는 '나는 주님과 함께 부활했다, 새로운 사람이 되었다'는 것을 의미합니다. 전에는 나를 위해서만 사용하던 물질을 이제는 하나님 나라와 사역을 위해서 사용하겠다는 구체적 헌신이야말로 내가 변했고, 내가 회개했고, 내가 새로운 사람이 되었다는 증거라고 할 수 있습니다. 당신에게는 그 증거가 있습니까?

라이스 크리스천

어떤 사람들은 물질적인 헌신을 하지 못한 채 오히려 더 적극적으로 교회를 물질을 이용하는 장소로 생각합니다. 교회에서 사람들을 사귀면 취직하고, 때로 물질도 얻을 수 있지 않을까 생각합니다. 6.25전쟁 직후에는 외국에서 원조 물자가 오니 그것 때문에 교회에 나오는 사람이 참 많았습니다. 과거에 선교사들은, 순수한 동기가 아니라 단지 얻어먹으려고 교회에 나오는 사람들을 '라이스 크리스천'(rice christian)이라고 불렀습니다. 지금도 그런 동기를 가지고 예수님을 믿는 사람들이 있습니다.

예수님을 믿으면 복을 받습니다. 그러나 그것이 예수님을 믿는 이유가 되어서는 안 됩니다. 물질적 축복에 대한 기대 때문에 예수님을 믿은 사람은, 신앙생활을 하면서 물질적 축복이 오지 않으면 언제든지 주님을 버리고 떠날 사람입니다. 그것 때문에 믿는 것이 아닙니다. 우리에게는 보다 위대한 꿈이 있습니다. 천지를 창조하신 하나님, 그분을 우리의 아버지로 삼고, 하나님의 뜻을 이루는 도구로 우리의 인생이 쓰임 받을 수 있다는 큰 자부심과 기쁨 때문에 믿는 것입니다.

예수님은 제자들이 물질 앞에 굴복하고 쩔쩔매는 모습을 보고 안타까운 마음을 금하실 수 없었습니다. 바리새인의 누룩, 헤롯의 누룩 같은 것을 경계하라고 말씀하시는데도 아직 그 생각이 물질에서 해방되지 못한 제자들의 모습을 보면서 얼마나 안타까우셨을까요? 그래서 주님은 무어라고 말씀하십니까?

"너희가 눈이 있어도 보지 못하며 귀가 있어도 듣지 못하느냐 또 기억하지 못하느냐"(막 8:18).

제자들이 보아야 할 것은 주님이었습니다. 그들 앞에는 예수님이 계셨습니다. 그러나 창조자 하나님, 전능하신 하나님, 오병이어와 칠병이어의 현장에서 많은 사람의 필요를 공급하시던 놀라운 주님이 그 앞에 계심에도 불구하고 제자들은 주님이 아닌 떡을 보고 있었습니다.

당신의 시선은 어디를 향하고 있습니까? 눈이 열려 살아 계신 주님을 보기를 바랍니다. 그 주님이 우리와 함께하신다면 무슨 걱정입니까?

"왜 너희는 눈이 있어도 보지 못하느냐? 귀가 있어도 듣지 못하느냐?"

지금 주님이 우리 앞에서 말씀하십니다. 그분이 말씀하시면 천지가 변할 수 있습니다. 그분이 말씀하시면 세상이 새로워질 수 있습니다.

마태복음 16장에 보면, 바리새인들은 예수님께 자꾸만 표적을 보여 달라고 합니다.

"당신이 진짜 메시아라면 더 위대한 표적을, 더 놀라운 표적을 보여 주십시오."

주님은 이런 바리새인들의 요구에 이렇게 말씀하십니다.

"내가 너희에게 보일 표적은 요나의 표적밖에 없다."

왜 요나의 표적을 말씀하셨을까요? 이것은 '십자가의 그림'입니다. 주님의 가장 위대한 기적은 그분이 우리의 죄를 담당하여 십자가에 죽으신 후 사흘 만에 부활하신 것입니다. 부활하신 주님, 그분이 우리의 소망입니다. 그분이 우리의 승리입니다. 그분을 보십시오. 그분이 함께하십니다. 왜 염려합니까? 왜 걱정합니까? 부활의 주님, 살아 계신 주님이 우리 앞에 계시고, 우리에게 말씀하십니다. 그 주님을 붙잡으십시오. 그 주님의 음성을 듣기 바랍니다. 그분을 따라가기 바랍니다. 그것이 우리 신앙의 승리인 것을 확인하기 바랍니다.

아직도 염려하고 있습니까? 기도하십시오. 주님이 함께하신다면 무엇이 걱정입니까? 하나님이신 예수님, 구세주요, 주님인 전능하신 그분이 우리와 함께하신다면 무엇이 걱정입니까? 어려운 시대를 살고 있지만, 정말 주님이 함께하신다면 우리는 일어설 수 있습니다. 우리의 기도는 응답될 것입니다. 우리의 미래는 새로워질 것입니다. 피할 길이 생길 것입니다. 홍해는 열릴 것입니다. 우리와 함께하시는 주님을 신뢰하십시오.

"벳새다에 이르매 사람들이 맹인 한 사람을 데리고 예수께 나아와 손 대시기를 구하거늘 예수께서 맹인의 손을 붙잡으시고 마을 밖으로 데 리고 나가사 눈에 침을 뱉으시며 그에게 안수하시고 무엇이 보이느냐 물으시니 쳐다보며 이르되 사람들이 보이나이다 나무 같은 것들이 걸 어가는 것을 보나이다 하거늘 이에 그 눈에 다시 안수하시매 그가 주 목하여 보더니 나아서 모든 것을 밝히 보는지라 예수께서 그 사람을 집 으로 보내시며 이르시되 마을에는 들어가지 말라 하시니라"(막 8:22-26).

2

다시 만져 주시는
하나님

점진적 믿음이
관계를 깊게 한다

우리는 교육 과정에서 여러 가지 과목을 배웁니다. 그러면서 어떤 과목은 좋아하고, 또 어떤 과목은 싫어하기도 합니다. 물론 그 선호도는 우리의 개성이나 소질에 따라서 달라질 것입니다. 그러나 또 다른 매우 중요한 요소는 어떤 선생님을 만나느냐입니다.

오래전에 둘째 아이가 갑자기 "아빠, 저 철학을 좀 공부하고 싶어요" 하고 말했습니다. 갑자기 왜 철학적이 되었나 하는 생각이 들어 같이 이야기를 나누었더니, 대학에서 수강하는 철학 과목의 교수가 C. S. 루이스(Clive Staples Lewis)를 좋아하는 그리스도인이었던 것입니다. 그래서 특별히 기독교적 가치관에 대한 이야기를 많이 듣게 되니 그것이 좋았고, 또 하나 중요한 이유는, 그 교수가 자기를 아주 좋아해 주기 때문에 자신도 그 과목을 덩달아 좋아하게 되었다는 것입니다.

생각해 보면 저도 초등학교 졸업할 때까지는 여러 과목을 특별한 이유도 없이 다 좋아했는데, 중학교에 들어가면서 수학이 싫어졌습니다. 수학만 생각하면 갑자기 골치가 아파졌습니다. 영어, 국어, 국사 같은 과목들은 아주 좋아했고, 수학, 화학처럼 끝에 '학'자가 들어가는 과목들은 아주 싫어했는데, 그중에서도 특히 수학을 싫어했습니다.

싫어진 원인이 무엇일까 생각해 보니, 중학교 때 수학 선생님이 아주 무서웠습니다. 늘 칠판에다 공식을 풀고 설명하면서 "야, 나는 한 번만 설명해. 딱 한 번이야. 두 번 다시 설명 안 해. 그러니까 한 번 설명할 때 정신 차려 들어"라고 말씀하시는 스타일의 선생님이었습니다. 제가 무엇인가를 여쭤보면 "내가 설명했잖아"라고 하시니 질문도 못 하겠고, 그러면서 저는 점점 수학이 싫어졌습니다. 그런데 반대로 영어 선생님은 똑같은 질문을 몇 번씩 해도 늘 친절하게 대답해 주셨고, 저에게 자주 읽어 보라고 시키셨습니다. 열심히 읽으면 제 발음이 좋은 것 같지 않은데도 잘했다고 많이 칭찬해 주셨습니다. 그래서 영어를 굉장히 잘한다고 착각하여 영어 웅변대회에 나갔다가 떨어진 경험도 있습니다.

선생님은 매우 중요합니다. 저는 말씀을 묵상하다가 본문에 나타난 예수님이 꼭 저의 예전 영어 선생님 같다는 생각을 했습니다.

어떤 맹인이 사람들에 의해 예수님 앞에 끌려왔습니다. 치료를 위해서였습니다. 예수님께서 한 번 기도하셨을 때, 무엇인가 조금의 변화가 있었지만 잘 보이지는 않았습니다. 그러나 예수님은 거기서 포기하지 않고, 또다시 그를 만지고 안수해 주셨습니다. 그러자 보이기 시작했습니다. 그리고 마침내 확실히 보았다는 이야기가 본문에 기록되어 있습니다. 이것을 우리는 '기적'이라고 말합니다. 그러나 저는 이 사건이 단순한 기적이 아닌 '표적'이라고 생각합니다.

기적과 표적은 약간의 차이가 있습니다. 표적은 기적을 포함합니다. 그러나 그것은 기적을 위한 기적이 아니라, 전달하고자 하는 중요한 메시지가 있기 때문에 일어난 기적입니다. '사인'(sign)이라 할 수 있습니다. 기적의 사건을 통하여 매우 중요한 어떤 교훈을 전달하기 위해 일어난 사건을 가리켜 표적이라고 말하는 것입니다. 본문은 어떤 의미에서 표적일까요?

어정쩡한 상태

우리는 살면서 시도해 보지만 안 되는 것을 경험합니다. 그러나 본문에 나타난 표적은 '그럼에도 다시 시도할 수 있다, 주님은 다시 찾아오신다, 다시 만져 주신다, 다시 세워 주신다'는 교훈을 가르치기 위한 것이었습니다. 인생의 어떤 순간에 '주님의 다시 만져 주심'이 필요할까요?

첫째는, 우리의 '영적 이해의 영역'에 있어서 주님의 만져 주심이 필요하다고 생각합니다. 어느 날 갑자기 그냥 신앙의 세계에 빠지는 사람이 있습니다. 어느 한순간에 은혜를 받고, 한순간에 인생이 뒤바뀌는 사람이 있습니다. 어느 한순간의 체험을 계기로 소위 영적인 눈이 열리는 사람이 있습니다. 신학에서는 이런 사건을 가리켜 '즉각적 회심'이라고 부릅니다.

'즉각적 회심'의 대표적인 사람이 바울입니다. 바울은 다메섹으로 가는 길에 갑자기 강렬한 빛에 포박당해 쓰러지고 주님의 음성을 듣습니다. 그리고 인생이 바뀝니다. 기독교를 박해하던 사람이 오히려 복음의 사도가 되어 이방인들에게 선교하는 사람으로 변합니다. 바울의 다메섹 체험은 즉각적 회심의 대표적 사건이라고 할 수 있습니다.

그러나 이것은 보편적인 체험이 아닙니다. '나도 그런 사건만 일어나면 믿겠다'고 하면서 그런 체험이 없으니 안 믿겠다는 사람이 있는데, 오히려 이것은 예외적 체험에 속합니다. 이런 특별한 체험 때문에 한순간에 신앙에 들어가는 사람보다는, 시간이 흘러가면서 마침내 확고한 신앙에 도달하는 경우가 더 많습니다. 신학자들은 이것을 가리켜 '점진적 회심'이라고 부릅니다. 과거에는 많은 신학자가 즉각적 회심만이 참된 회심이라고 주장했지만, 점진적 회심도 인정해야 한다는 신학적 견해들이 늘어 가면서 지금은 두 가지 모두를 참된 회심으로 인정하고 있습니다. 특히 기독교적 배경 속에서 모태 신앙을 가지고 자란 사람 중에 그런 사람이 많습니다.

성경의 '디모데'와 같은 인물이 그런 경우라고 할 수 있습니다. 디모데는 어머니와 외조모의 영향을 받아 신앙생활을 했습니다. 그러다가 성년이 된 어느 날 확실한 신앙의 자리에 도달하게 됩니다.

그런데 확실한 신앙의 자리에 도달하기 전까지는, 확실히 믿는 것도 아니고 안 믿는 것도 아닌 어정쩡한 상태에 있을 수 있다고 생각합니다. 모르긴 몰라도 교회에 나와서 예배를 드리는 이들 가운데도 그런 사람이 있을 것입니다. 믿는 것도 아니고 안 믿는 것도 아닌 사람이 교회에도 많이 있을 수 있다는 것입니다.

예수님의 제자들도 한때 그랬으리라고 생각합니다. 예수님이 제자들을 부르셨고, 그들은 예수님을 따랐습니다. 어느 정도 예수님에 대한 신뢰와 믿음이 전제되어 있으니 따라갔을 것입니다. 그러나 막상 삶의 자리에서는 전혀 신앙인다운 모습을 보이지 않았습니다. 그 신앙을 보여 주지 못했습니다. 예수님은 너무 안타까워하며 이렇게 말씀하셨습니다.

"너희가 눈이 있어도 보지 못하며 귀가 있어도 듣지 못하느냐 또 기억하지 못하느냐"(막 8:18).

"너희가 눈이 있어도 보지 못하느냐? 기적을 여러 번 경험하고도 아직 보지 못하느냐? 내가 너희의 필요를 공급해 주고 너희의 모든 문제를 해결할 수 있다는 사실을 아직도 보지 못하느냐?"

예수님이 너무 답답해서 하신 말씀입니다. 제자들이 안 믿는 것

은 아니었습니다. 그렇다고 확실히 믿는 것도 아니었습니다. 어정
쩡한 상태였습니다.

그런데 이런 대화 직후에 예수님이 맹인을 치료하십니다. 예수
님이 맹인을 만지고 기도해 주셨습니다. 처음에는 확실히 보이지
않았습니다. 단 한 번의 기도로 완전히 보게 할 수 있는 능력이 예
수님께 없었을까요? 물론 있었습니다. 단 한 번의 기도로 고치신
사례가 성경에는 훨씬 더 많습니다. 그런데 이 사람의 경우에는 한
번의 기도로 고쳐 주시지 않았습니다. 그러나 무엇인가 변화가 일
어나기 시작한 것은 사실이었습니다. 지금 이 맹인은 보이는 것도
아니고 안 보이는 것도 아닌 상태였습니다. 기도하신 후에 이 사람
을 붙들고 예수님은 이렇게 물으셨습니다.

"무엇이 보이느냐?"

이 사람이 어떤 대답을 했습니까?

"처다보며 이르되 사람들이 보이나이다 나무 같은 것들이 걸어가
는 것을 보나이다 하거늘"(막 8:24).

확실히 보인 것은 아니었습니다. 사람 같기도 하고 나무 같기도
한 것이 막 걸어 다닌다고 했습니다. 아직 희미하고 어정쩡한 상태
였던 것입니다. 왜 이런 일을 허용하셨을까요? 이것은 바로 예수
님의 그 당시 제자들의 신앙적 상태를 상징화시키기 위한 시각적
사건이었다고 생각합니다. 제자들의 상태가 바로 이러했던 것입니

다. 주님은 그들을 위해서 다시 만져 주셨습니다. 다시 안수하고, 기도하셨습니다. 그랬더니 모든 것을 환하게 볼 수 있었습니다.

정직한 자기 발견

만약 우리의 신앙이 예수님을 안 믿는 것도 아니고, 그렇다고 해서 예수님을 확실히 믿는 것도 아닌 이런 어정쩡한 상태에 있다면 어떻게 해야 변할 수 있을까요? 가장 중요한 것은 '정직한 자기 성찰'입니다. 예수님이 한 번 기도해 준 다음에 무엇이 보이느냐고 물으셨을 때, 이 사람은 아주 정직하게 자기 상태를 말했습니다. 확실히 보인다고 말하지 않고, 나무 같은 것들이 막 걸어 다닌다고 대답했습니다. 정직한 자기 발견을 하고 고백한 것입니다. 저는 이것이 매우 중요하다고 생각합니다.

왜 이 사람이 이런 상태에 있었을까요? 이 사람은 예수님 앞에 자발적으로 나온 사람이 아닙니다. 사람들에게 끌려왔습니다.

> "벳새다에 이르매 사람들이 맹인 한 사람을 데리고 예수께 나아와 손 대시기를 구하거늘"(막 8:22).

처음부터 자기 의지가 있었던 것이 아닙니다. 예수님을 만나서 고침을 받고 구원받겠다 해서 나온 것이 아니라, 다른 사람들이 끌

고 왔던 것입니다. 자기 의지로 나오지 않았기 때문에 그에게는 열
망하는 마음이 없었습니다.

예수님이 사람들을 치료할 때는 반드시 중요한 한 가지 전제를
두십니다. 그 사람의 믿음에 근거해서 치료하십니다. 이 사람은 아
직 믿음으로 준비하지 못했습니다. 예수님은 이 사람이 준비될 때
까지 기다리느라 한꺼번에 치료하지 않으신 것입니다. 일단 만져
는 주셨습니다. 뭐가 보이느냐고 물으셨을 때 확실하지 않지만 무
엇인가가 보인다고 대답하면서, 아마도 이 사람의 마음 밑바닥에
서는 어떤 기대감이 일어났을 것입니다. '아, 이제 무엇인가 보이는
구나' 하는 기대감, 믿음이 일어나기 시작했을 것입니다. 이것이 중
요합니다. 그때부터 적극적으로 찾기 시작하는 것입니다. 아마도
그는 희미하게 보이자, '주님, 더 확실히 보고 싶어요. 이제는 분명
히 보고 싶어요'라고 마음속으로 부르짖었을 것입니다.

이 자리까지 가야 합니다. '이렇게 희미하게 믿다가 희미하게 가
는 거지'라고 해서는 안 됩니다. 확실하게 보고 싶다는 구도자적 의
지가 필요합니다. "구하라 그리하면 너희에게 주실 것이요 찾으라
그리하면 찾아낼 것이요 문을 두드리라 그리하면 너희에게 열릴
것이니"(마 7:7)라고 했습니다. 구해야 합니다. 주님이 무엇인가 역
사하실 것 같다고 생각되면 매달려야 합니다. 구원의 주체는 언제
나 주님이십니다. 구원은 우리가 스스로 성취하는 것이 아니라, 받
는 것입니다. 주님이 우리를 구원하십니다.

그러나 주님께서 구원하시지만, 우리의 적극적인 구도의 열망이

꼭 필요합니다. 구원받고자 하는 마음, '내가 어찌하여야 구원을 얻을 수 있겠습니까?' 하는 마음이 있을 때 주님은 반드시 찾아오십니다. 그리고 눈을 열어 주실 것입니다. 주님을 확실히 보고 그분을 분명히 고백하는 자리에 서게 될 것입니다.

영어 공부에도 고비가 있습니다. 처음에는 단어들을 공부하고, 그다음에는 기초적인 문법을 공부합니다. 그러고 나면 영어로 된 책을 읽을 수 있을 것 같습니다. 그러나 읽다 보면 모르는 단어가 너무 많아 계속 사전을 찾게 됩니다. 그렇게 꾸준히 하다가 보면 어느 순간 모르는 단어가 많은데도 대충 이해가 되기 시작합니다. 단어들이, 문장들이 이해가 됩니다. 몇 단어 몰라도 그냥 읽힙니다. 영어가 어렵지 않게 여겨집니다.

신앙의 단계도 마찬가지라고 생각합니다. 도대체 이해가 되지 않아도 좀 더 성경을 읽고, 연구하고, 기도하다 보면 어느 한순간 '어, 예수님이 이런 분이었구나' 하게 됩니다. 예수님이 보이고, 눈이 열리고, 기도가 살아나고, 신앙의 감동이 생겨나는 것입니다. 그 순간 확실한 신앙을 붙잡게 됩니다. 이러한 자리에 도달할 수 있다는 사실을 믿고 포기하지 말기 바랍니다. 다시 우리에게 다가오시는 주님, 우리의 눈을 열어 주시는 주님, 그 주님이 우리에게 다가오실 것을 믿기 바랍니다. 영적 이해의 영역에 있어서는 주님의 만져 주심이 꼭 필요합니다.

인격적인 관계

주님의 만져 주심이 필요한 두 번째 영역은 '문제 해결의 영역'입니다. 인생을 살다 보면 문제가 생깁니다. 신앙을 가지고 사는 사람들도 문제를 피해 갈 수는 없습니다. 우리도 다 문제에 부딪히면서 살아갑니다. 문제를 만나면 우리는 주님의 도우심을 구합니다. 어떤 때는 딱 한 번 기도했는데 응답이 됩니다. 저도 그런 경험을 많이 했습니다. 성도들이 어떤 문제를 가지고 와서, 혹은 아픈 사람들이 치료해 달라고 기도를 요청하는 경우가 있습니다. 그런데 딱 한 번의 기도로 문제가 해결되는 경우를 많이 보았습니다. 그럴 때는 신바람이 납니다.

이런 일이 항상 일어나면 얼마나 좋겠습니까? 그러나 항상 그렇지는 않습니다. 기도했는데도 낫지 않고, 문제가 해결되지 않는 경우도 있습니다. 이때 많은 사람은 포기합니다. 그러나 주님은 더 엎드릴 것을 요구하십니다. 왜 그럴까요? 주님이 단 한 번의 기도로는 우리의 문제를 해결할 능력이 없으셔서일까요? 아닙니다. 우리는 전능하신 주님을 믿습니다. 한 번의 기도로 우리의 문제를 해결할 수 있는 넉넉한 능력을 가진 전능한 하나님이심을 믿습니다.

여기에는 주님의 의도적인 어떤 계획이 있습니다. 이 계획을 알아차리는 것이 필요합니다. 만약 우리가 딱 한 번 기도해서 문제가 착착 해결된다고 가정해 봅시다. 그러면 우리는 그 주님을 어떤 식으로 이해하게 될까요? 해결사로 여길 것입니다. 문제가 있으면 즉각 해결해 주시는 해결사로 말입니다. 주님은 우리에게 해결사 이상이 되기를 원하십니다. 그분은 주님이자, 우리의 친구가 되기를 원하십니다. 사랑의 파트너가 되기를 원하십니다. 이런 인격적 관계를 맺기 원하시는 것입니다.

한 번에 해결되면, 인격적인 관계는 성숙해 갈 수 없습니다. 관계는 시간을 필요로 합니다. 시간이 없이 어떻게 진실한 우정이 맺어지겠습니까? 부부 사이도 시간이 지나면서 서로를 향한 신뢰가 무르익어 가지 않습니까? 시간이 필요합니다. 문제가 바로바로 해결된다면, 마치 자동판매기에 돈을 넣고 누르면 콜라가 나오고 사이다가 나오는 것처럼 예수님을 문제 해결자라고만 생각할 가능성이 있습니다. 주님은 우리와 그 이상의 인격적 관계를 맺기 원하십니다. 그래서 한꺼번에 안 주실 때가 많습니다.

나이 든 아버지가 자식들에게 유산을 한꺼번에 다 주어 버렸다고 가정해 보십시오. 자녀들의 일반적 반응은 어떠할까요? 받을 유산은 다 받았으니 이제는 아버지를 몰라라 할지도 모릅니다. 그래서 대부분의 아버지는 절대로 유산을 한꺼번에 주지 않습니다. 조금씩 줍니다. 부모는 자식이 단지 상속자이기만을 원하는 것이 아니라, 진정한 자식이기를 원하기 때문입니다. 서로 의논도 하고 의견도 주고받으면서 그 시간을 즐기기를 원하는 것입니다.

예수님이 이 사람을 고치는 방법을 관찰해 보면 아주 인격적으로 접근하시는 것을 알 수 있습니다. 이 사건은 에바다 사건과 비슷한 면이 있습니다.

"예수께서 맹인의 손을 붙잡으시고 마을 밖으로 데리고 나가사 눈에 침을 뱉으시며 그에게 안수하시고 무엇이 보이느냐 물으시니"(막 8:23).

먼저 예수님이 이 맹인의 손을 붙드셨습니다. 그런 다음에 어떻게 하셨습니까? 그 자리에서 바로 안수해서 고치지 않으셨습니다. 손을 잡고 마을 바깥으로 조용히 데리고 나갔습니다. 그가 놀림감이 되지 않도록 맹인을 데리고 조용히 마을 바깥으로 나가셨습니다.

이 맹인은 예수님이 어둠의 세월을 살아왔던 그의 손을 붙들고 바깥으로 조용히 나가셨을 때 무엇을 느꼈을까요? '아, 누군가가 내 손을 잡아 주는구나. 이분이 구원자이신 예수님이구나'라고 느꼈을 것입니다. 그 따뜻한 손의 감촉을 느끼면서 마을 바깥으로 나갔을 때, 주님이 침을 뱉어 바르며 손으로 만진 후에 조용히 기도해 주셨습니다. 그때 무엇인가 보이기 시작합니다.

"무엇이 보이니?"

"네, 보이기 시작해요. 확실하지는 않지만 사람 같기도 하고 나무 같은 것들이 막 걸어 다니네요. 무엇인가가 보여요."

"그래? 다시 한번 기도해 줄까?"

어떻습니까? 매우 인격적인 관계가 아닙니까? 예수님은 개인적 관계를 통해서 이 사람에게 다가오셨고, 만져 주셨던 것입니다.

또 한 번의 기회

만약 이 사람이 처음에 "에이, 틀렸다. 제대로 안 보이네" 하고 돌아 갔다면 어떻게 되었을까요? 주님은 우리가 포기하지 않는다면, 그 분에 대한 기대감을 갖고만 나온다면 반드시 문제를 받고 치유하십 니다. 그래서 주님은 우리가 다시 한번 다가오기를 원하십니다. 성 경을 읽으면서 감동적인 것 중에 하나는, 주님이 제2의 기회를 주시 는 분이라는 사실입니다. 사람들은 단 한 번의 기회만을 허락하지 만, 예수님은 또 한 번의 기회를 주십니다.

요나는 주님의 말씀을 불순종했습니다. 가라는 곳으로 안 가고 반대 방향으로 갔으며, 그 결과 물고기 배 속에서 죽을 지경까지 이 르렀다가 가까스로 살아 나왔습니다. 그런데 요나 3장 1절에 보면, "여호와의 말씀이 두 번째로 요나에게 임하니라"라고 말씀하고 있 습니다. 하나님은 두 번째 찾아와서, "요나야, 일어나 가라. 그리고 다시 복음을 선포해라"라고 하셨습니다.

제2의 기회를 주시는 주님은 제자들도 그렇게 다루셨습니다. 예 수님을 부인하고 저주한 베드로의 마음은 얼마나 착잡했을까요? 죄책감과 상처 속에서 다시는 주님을 만날 수 없을 것 같은 심정 이었을 것입니다. 그러나 주님은 이렇게 배신하고 떠나갔던 베드 로를 만나기 위해 갈릴리의 새벽 바다를 찾으셨습니다. 그리고 물 으셨습니다.

"요한의 아들 시몬아, 네가 나를 사랑하느냐? 아직도 사랑하느냐?"

예수님은 사랑을 확인하면서 "너는 이제부터 내가 맡기는 양들을 잘 길러야 해"라고 또 한 번의 기회를 주셨습니다.

겟세마네 동산에서도 마찬가지였습니다. 내일이면 십자가를 지게 됩니다. 주님의 가슴이 얼마나 비참했을까요? 얼마나 힘들고 괴로웠겠습니까? 그래서 제자들에게 부탁하십니다.

"사랑하는 나의 제자들아, 같이 일어나 깨어서 기도하자."

그런데 제자들은 어떻게 했습니까? 주님의 부탁에도 불구하고 잠을 잤습니다. 내일이면 주님은 십자가를 지셔야 하는데, 이 안타까운 사정을 모르고 자고 있습니다. 저 같으면 아마 "야! 너희가 내 제자야? 내가 내일 죽는다는데 자빠져 자고 있어? 오늘로 너희와 인연 끝이다, 끝!" 이랬을 것 같습니다. 그러나 예수님은 우리 같지 않으셨습니다. 주님은 "다시 오사 보신즉"(막 14:40)이라고 기록된 것처럼, 잠자고 있는 제자들 곁에 다시 오셨습니다. 또 한 번 오셨습니다. "아직도 자니? 일어나라" 하고 깨우러 오셨습니다. 그런데 그때도 제자들은 일어나지 않았습니다. 그런 제자들을 보면서 예수님은 이렇게 말씀하셨습니다.

"할 수 없다. 그냥 자라."

포기하는 것이 아니라, 기다려 주셨습니다.

기다려 주시는 주님, 다시 다가오시는 주님 그리고 때가 찼을 때 마침내 우리를 일으켜 세워 주시는 주님을 기억하십시오. 다시 주시는 이 주님의 사랑, 기다려 주시는 인내, 그 큰 은혜 때문에 우리는 다시 일어날 수 있습니다. 우리는 다시 희망의 자리에 설 것입니다. 그리고 내일을 향해서 걸어 나갈 수 있을 것입니다. 이 주님의 다시 만져 주시는 손길, 그 손길이 우리의 희망인 것을 고백하기 바랍니다.

당신의 하나님을 나의 하나님으로

한 일본 그리스도인의 감동적인 고백 수기를 읽은 적이 있습니다. 그는 일본에서 사업에 실패했습니다. 그래서 1900년대 초에 미국으로 이민을 가 샌프란시스코의 교외에서 장미 농장을 하며 살았습니다. 바로 그 옆에는 스위스에서 이민 온 한 사람이 있었는데, 그 사람도 장미 농장을 하고 있었습니다. 두 가정은 매우 가까워졌습니다.

스위스에서 이민 온 사람은 그리스도인이었습니다. 옆에서 함께 살면서 농사도 같이 짓고 했으니 대화도 자주 하고, 또 그러다가 전도도 했습니다. 그때마다 일본 사람은 조용히 미소만 짓고 대답을 하지 않았습니다. 그러나 이 두 가정은 아주 친하게 지냈고, 일주일에 두세 차례는 샌프란시스코의 시내로 들어가 같이 장미를 팔고 돌아오곤 했습니다. 농장 일은 아주 잘되었습니다.

그러던 중 1941년 12월 7일, 일본이 진주만을 공격했습니다. 그러자 미국에 살고 있는 귀화되지 않은 일본 사람들을 수용소에 수용하는 정책이 발표되었습니다. 당시 일본 사람은 미국으로 귀화하지 않은 상태였습니다. 그래서 그는 기차를 타고 콜로라도에 있는 수용소로 가야만 했습니다. 일본에서 실패한 후 미국에 와서 고생하면서 모처럼 잘되고 있는 농장을 두고 떠나야 하는 그의 가슴은 얼마나 아팠을까요? 이때 이웃집 스위스 사람이 이렇게 말했습니다.

"걱정하지 말아요. 당신이 가 있는 동안에 내가 농장을 잘 돌봐주겠습니다."

얼마나 감사한 일입니까? 그러나 일본 사람은 겉으로는 "감사합니다, 감사합니다" 하면서도 속으로는 '내가 가면 정말 도와줄까?' 하고 의심했습니다. 그 마음을 알아차렸는지, 스위스 사람은 이렇게 말했습니다.

"걱정하지 마세요. 나를 믿을 수 없다면 나의 하나님을 믿으세요. 안심하고 떠나십시오."

그는 수용소에서 2년 이상의 시간을 보내고, 전쟁이 끝나자 드디어 집으로 돌아가게 되었습니다. 그는 기차를 타고 샌프란시스코역에 도착했습니다. 그런데 이웃인 스위스 사람이 큰 플래카드를 들고 역에 환영을 나온 것입니다.

"Welcome back home"(집에 오신 것을 환영합니다)!

그리고 집에 와 보니 농장은 자신이 가꿀 때보다 더 아름답고 깨끗하게 잘 관리되어 있었고, 아름다운 장미꽃들이 화사하게 피어나고 있었습니다. 이 놀라운 광경을 보면서 자신의 눈을 믿을 수가 없었습니다.

부엌에 들어가 보았습니다. 장미 한 송이와 그 옆에 무엇인가가 놓여 있었는데, 농장에서 나온 수익금을 저금해 놓은 저금통장이었습니다. 그리고 그 옆에는 조그마한 카드 하나가 놓여 있었는데, 거기에는 딱 두 줄이 쓰여 있었다고 합니다.

"God loves you"(하나님은 당신을 사랑하십니다)!

"You could start again"(당신은 다시 시작할 수 있습니다).

그 글을 읽는 순간 그는 무릎을 꿇었다고 합니다. 그리고 이어서 "당신의 하나님을 나의 하나님으로 믿고 싶습니다"라고 고백했다고 합니다. 그리고 그는 주님 앞에 돌아와 새로운 인생을 사는 계기가 되었다는 아름답고 감동적인 간증입니다.

하나님은 당신을 사랑하십니다. 이것을 믿는다면 다시 시작할 수 있습니다. 우리의 삶이 폭풍이어도, 곤란이어도, 시련이어도, 하나님의 사랑이 우리를 기다려 주고 있다면 그리고 그 손길이 우리 손을 잡아 주고 있다면, 우리는 다시 일어설 수 있습니다. 이 전능하신 하나님의 손을 붙잡고 주 예수 그리스도를 삶의 주인으로 삼아 다시 일어서기 바랍니다. 새로운 미래가 펼쳐질 것입니다. 다시 만져 주시는 주님의 손길이 지금도 당신과 함께하기를 기도합니다.

"예수와 제자들이 빌립보 가이사랴 여러 마을로 나가실새 길에서 제자들에게 물어 이르시되 사람들이 나를 누구라고 하느냐 제자들이 여짜와 이르되 세례 요한이라 하고 더러는 엘리야, 더러는 선지자 중의 하나라 하나이다 또 물으시되 너희는 나를 누구라 하느냐 베드로가 대답하여 이르되 주는 그리스도시니이다 하매 이에 자기의 일을 아무에게도 말하지 말라 경고하시고 인자가 많은 고난을 받고 장로들과 대제사장들과 서기관들에게 버린 바 되어 죽임을 당하고 사흘 만에 살아나야 할 것을 비로소 그들에게 가르치시되"(막 8:27-31).

3

나를
누구라 하느냐

그리스도 외에는
다른 이름이 없다

레오나르도 다 빈치(Leonardo da Vinci)는 43세 때, 이탈리아 밀라노에
살던 루도비코(Ludovico Maria Sforza) 공작에게서 예수님의 최후의 만
찬을 그려 달라는 부탁을 받습니다. 3년간의 작업 끝에 그는 그림
의 초본을 완성하고 그것을 친구에게 보여 주면서 소감을 물었습니
다. 이때 다 빈치의 친구는 예수님의 오른손에 들려 있는 잔을 가리
키면서, 그 잔이 너무나 인상적이고 사실적이라며 마치 진짜 컵 같
다고 말했습니다. 그러자 다 빈치는 갑자기 붓을 들어 그 컵을 지워
버렸습니다. 친구가 당황하면서 깜짝 놀라 왜 그러느냐고 묻자, 다
빈치는 이런 유명한 대답을 했습니다.

"이 그림에서 그리스도보다 중요한 것은 아무것도 없어야 하기

때문이네."

해마다 크리스마스 시즌이 되면 우리는 크리스마스를 상징하는 여러 가지를 봅니다. 크리스마스트리, 크리스마스 캐럴, 산타클로스, 동방 박사, 목자들, 마리아 등이 분위기를 돋워 줍니다. 이런 낭만을 즐기는 것이 잘못은 아닙니다. 인생에는 확실히 낭만이 필요합니다. 그러나 그 가운데서도 우리가 잊지 말아야 할 것은, 이 계절의 주인공이 누구냐는 사실입니다. 우리는 크리스마스의 주인이 예수 그리스도라는 사실을 확인해야 합니다.

저는 어려서부터 12월을 좋아했습니다. 그 이유 중 하나는 12월에 크리스마스가 있었기 때문이고, 둘째로는 제 생일이 있었기 때문입니다. 네 살인지 다섯 살인지 잘 기억이 안 나지만, 제 생일이었는데 아버님이 많은 사람을 초청해서 집 안이 아주 시끌벅적한 장터처럼 붐비고 있었습니다. 잔치가 벌어진 것입니다. 아버님이 약주를 무척 좋아하셨기 때문에 한쪽에서는 막걸리 파티가 벌어지고, 다른 쪽에서는 노랫소리, 고함치는 소리가 들끓고 있었습니다. 그런데 저는 조숙해서 그랬는지 혼자 뒷방에서 '오늘은 내 생일인데 왜 아무도 내게 관심이 없을까?'라고 생각했습니다. 혹시 크리스마스에 예수님이 그런 생각을 하시지는 않을까요? 그날의 주인공은 예수 그리스도여야 합니다.

기독교의 핵심은 예수 그리스도입니다. 기독교가 다른 종교와 구별되는 독특성 가운데 하나는, 다른 종교는 교주의 가르침으로 성립하지만, 기독교에서는 예수님의 가르침보다 예수님이 더 중요하다는 것입니다. 예수님을 믿는 것이 영생이고, 예수님을 거절하는 것은 멸망입니다. 성경은 "아들이 있는 자에게는 생명이 있고 하나님의 아들이 없는 자에게는 생명이 없느니라"(요일 5:12)라고 말씀합니다. 또한 "영생은 곧 유일하신 참 하나님과 그가 보내신 자 예수 그리스도를 아는 것이니이다"(요 17:3)라고 말씀합니다.

"예수님은 누구이신가?" 우리가 인생에서 물을 수 있는 질문 가운데 이보다 더 심각하고, 이보다 더 중요하고, 이보다 더 본질적인 것은 없습니다.

사람들이 나를 누구라 하느냐

예수님이 당신 생애의 목표를 향해 걸어가야 할 때가 되었다고 느꼈을 때 제자들에게 질문하십니다. 헬몬산으로 가는 길이었을 것입니다. 가이사랴 빌립보 마을에 도달했을 때, 예수님은 제자들을 돌아보면서 중요한 두 개의 질문을 던지셨습니다. 첫 번째 질문은, "사람들이 나를 누구라고 하느냐?"이고, 두 번째 질문은, "너희는 나를 누구라 하느냐?"입니다.

처음 질문은 사람들의 예수 그리스도에 대한 보편적인 견해를 물어보신 것입니다. 보통 사람들이 예수님을 어떻게 생각하고 있는가를 물으셨습니다. 이때 제자들은 주님을 향해 세 가지로 답했습니다. 첫째 답변은 이렇습니다.

"사람들이 선생님을 세례(침례) 요한이라고 부릅니다."

요한은 그 당시 가장 위대한 설교자였습니다. 그의 설교를 들으려고 사람들은 광야까지 몰려왔습니다. 그의 설교를 듣는 사람들은 죄를 회개하며 요단강에 가서 세례(침례)를 받았습니다.

'위대한 영향력이 있었던 스승, 설교자 요한. 예수님은 그 요한의 재판(再版)쯤 되는 분이 아닐까?'

사람들은 아마 이렇게 생각했을 것입니다.

지금도 예수님에 대해서 이렇게 생각하고 있는 사람이 적지 않습니다. 그분은 위대한 사상가, 위대한 지성, 위대한 스승, 위대한 정신으로 사람들에게 평가되고 있습니다. 이것이 예수님에 대한 나쁜 사고는 아니지만, 예수 그리스도를 이해하는 정답은 결코 아닙니다.

또 어떤 사람들은 예수님을 '엘리야'라고 했습니다. 이것은 엘리야가 능력의 사람이었기 때문입니다. 구약에 보면 엘리야가 한 번 기도하니까 하늘의 문이 열렸습니다. 하늘은 비를 쏟기도 하고, 불을 쏟기도 했습니다. 이 위대한 능력의 사람 엘리야를 사람들은 예수님을 통해서 느끼고 있었던 것입니다. 예수님이 한 번 기도하니까 맹인의 눈이 열리고, 한 번 만지니까 듣지 못하던 사람이 듣기 시작했기 때문입니다.

'아, 엘리야가 다시 살아났는가? 엘리야의 재판인가?'

이런 생각을 하는 사람들이 당연히 있었을 것입니다. 예수님은 분명 능력을 가진 사람으로 보였기 때문입니다.

오늘날도 많은 사람이 예수님을 특별한 능력을 가진 분으로만 생각합니다. 어떤 사람들은 예수님을 초능력을 가진 사람이라고 이해하기도 합니다. 간혹 텔레비전에 '기'(氣)에 대한 이야기가 나오는데, 예수님이 특별한 기를 받아서 기적을 행하는 분이라고 생각하는 사람도 없지 않습니다. 심지어는 예수님을 외계인이라 생각하는 사람도 있습니다. 그러나 예수님은 단순히 특별한 능력을 가진 사람이 아닙니다. 이것으로는 예수님의 모든 것을 결코 이해할 수 없습니다.

또 어떤 사람은 예수님을 '선지자'라고 말한다고 했습니다. 이것은 앞의 두 가지 견해보다는 훨씬 더 정답에 가깝습니다. '선지자', '하나님이 보내신 자' 그리고 '하나님이 특별히 쓰시고 있는 사람'. 확실히 정답에 근접해 있지만, 이 또한 예수님의 모든 것을 소개하는 충분한 대답은 아닙니다.

요한복음 4장에서 예수님은 사마리아 여자를 만나 대화를 하고 계십니다. 처음에 그녀는 예수님이 자기와는 아무런 관계가 없는 사람이라고 생각했습니다.

"당신은 가만히 보니까 유대인이고 나는 사마리아 사람인데, 어째서 유대인으로서 사마리아 여자인 나에게 물을 달라고 하십니까?"

'나와는 아무런 상관이 없는 유대인 남자', 이것이 예수님에 대한 그녀의 인식이었습니다. 그런데 '나와 관계없는 당신'이라고 생각했던 예수님과의 대화가 진행되는 가운데, 예수님에 대한 인식이 바뀌어 가기 시작합니다. 그러면서 '아, 예수님을 통해서 무엇인가를 얻을 수 있겠다. 내 목마름도 채워질 수 있겠다'라고 생각하게 되고, "선생님, 나에게 물을 주십시오" 하고 요구할 만큼 예수님이 무엇을 줄 수 있는 분이라는 데까지 생각이 나아갑니다. 그러다가 계속되는 대화 속에서 예수님은 그녀의 과거까지 들추어내십니다.

"네 남편을 불러오라."

자신의 충격적인 과거를 지적하는 음성을 들으면서, 그녀는 예수님을 놀라운 영적 통찰력을 가진 분이라고 생각합니다. 그래서 말합니다.

"당신은 분명히 선지자시군요."

그런데 예수님은 거기서 대화를 마무리하지 않으십니다. 그것은 충분한 대답이 아니었기 때문입니다. 예수님은 여인의 입술에서 고백되는 마지막 정답을 기다리셨습니다.

주는 '그' 그리스도

예수님은 제자들을 통해 당신에 대한 사람들의 견해를 들은 후에 질문의 대상, 대답해야 할 대상을 바꾸어서 물으십니다.

"사람들은 나를 그렇게 생각한다고 하자. 바깥의 사람들은 나를 위대한 스승, 위대한 휴머니스트, 존경할 만한 스승 그리고 특별한 능력을 가진 사람이라고 생각하거나 과거에 있었던 위대한 사람이라고 말한다고 하자. 그러면 너희는 나를 누구라고 하느냐? 그것은 사람들의 견해고, 너희의 견해는 무엇이냐?"

여기서 강조된 말은 '너희는'입니다.

"너희는 나를 누구라고 하느냐?"

예수님은 제자들과 피부를 맞대고 대화를 나누어 오셨습니다.

"지난 2년간 나와 살을 맞대어 대화를 나누고, 가장 가까운 거리에서 나를 지켜보았던 너희는 나를 누구라고 하느냐? 오병이어와 칠병이어의 기적을 베풀 때 그 현장에 있었고, 갈릴리의 풍랑을 잠잠하게 할 때 그 현장에서 능력을 지켜보았던 너희는 나를 누구라고 하느냐?"

지난 세월 교회당 안에서 찬송을 듣고 기도하면서 예수님의 단어에 익숙해 왔던 당신은 예수 그리스도를 누구라고 이해합니까? 이것이 지금 예수님의 질문입니다.

"너희는 나를 누구라고 하느냐?"

이 질문 앞에 본문에서 보는 대로 예수님의 제자들 가운데 수제자인 베드로가 제일 먼저 나와서 단순한 대답을 했습니다. 직설적인 그 대답은 놀랍게도 정답이었습니다.

"주는 곧 그리스도시니이다."

사실 우리말로 된 성경에는 중요하게 강조된 정관사 하나가 빠져 있습니다.

"주는 '그' 그리스도이십니다."

주님이 바로 자신들이 기다려 왔던 그 그리스도라는 것입니다. 기독교의 모든 메시지가 사실은 이 고백 안에 들어 있습니다. 예수님은 그리스도이십니다. '그리스도'는 '메시아'라는 말과 같은 뜻입니다. 그것은 본래 '기름 부음을 받은 자'(the anointed one)라는 뜻입니다.

구약을 보면 선지자가 되기 위해 기름 부음을 받습니다. 그런데 선지자 외에도 기름 부음을 받아야 할 두 부류의 사람이 있었습니다. 바로 제사장과 왕입니다. 이스라엘의 역사 속에서 제사장은 매우 중요한 역할을 했습니다. 이스라엘 백성은 참된 제사장을 기다려 왔습니다. 하나님이 직접 기름을 부어 주셔서 완전한 제사장의 역할을 할 수 있는 누군가를 기다려 왔습니다. 그것이 메시아에 대한 기다림입니다.

제사장의 책임은 물론 제사를 드리는 것입니다. 그러나 이것은 특별한 속죄의 제사입니다. 죄 있는 인간은 하나님 앞에 그대로 접근할 수 없습니다. 죄를 해결해야 하나님 앞에 나아갈 수 있습니다. 제사장은 하나님과 인간 사이에서 속죄의 제물을 준비하여 제사를 드림으로 하나님의 진노를 풀어 드리고 하나님과 화목하게 해 인간이 하나님 앞에 나아갈 수 있는 길을 예비하던 사람입니다. 그런데 베드로가 이렇게 대답한 것입니다.

"예수님, 당신이 그 그리스도, 바로 그 제사장이십니다."

이 제사장이라는 말을 오늘 우리에게 익숙한 다른 단어로 바꾸어 보면 이런 뜻입니다.

"예수님, 당신이 구주이십니다."

우리를 구원할 수 있는 분, 그래서 우리로 하여금 하나님 앞에 나아가게 할 수 있는 분이 바로 구주이십니다.

　이 그리스도라는 고백 속에는 또 하나의 중요한 의미가 포함되어 있습니다. 예수님은 제사장일 뿐만 아니라 왕이시라는 것입니다. 예수님은 왕이십니다. 왕은 통치하는 사람입니다. 예수님은 제사장으로서 속죄의 제사를 드리고 인간이 죄 용서함을 받고 하나님 앞에 나아갈 수 있는 길을 예비하신 분일 뿐만 아니라, 한 걸음 더 나아가 왕이십니다. 우리를 다스리고, 우리의 운명을 주장하고, 날마다의 삶을 인도할 수 있는 분이십니다. 예수님은 왕이라는 말을 우리에게 익숙한 다른 단어로 바꿀 수 있습니다.

　"예수님은 주님이십니다."

　예수님은 구주인 동시에 주님이십니다. 예수님은 그리스도, 이것이야말로 기독교의 가장 중요한 고백입니다.

　예수님을 그리스도로 발견한 사람, 예수님을 그리스도로 믿는 사람, 이런 사람이 '그리스도인'입니다. 교회에 나왔다고 그리스도인이 되는 것은 아닙니다. 집사라는 이름을 가지고 있다고 해서 그리스도인인 것은 아닙니다. 예수님을 그리스도로 발견한 사람 그리고 예수님을 그리스도로 믿는 사람이 바로 그리스도인입니다.

비로소 가르치시다

"예수님, 당신은 그리스도이십니다"라는 중요한 고백을 받자 비로소 예수님은 지금까지 공개하지 않았던 한 가지 비밀을 제자들에게 밝혀 주십니다.

> "인자가 많은 고난을 받고 장로들과 대제사장들과 서기관들에게 버린 바 되어 죽임을 당하고 사흘 만에 살아나야 할 것을 비로소 그들에게 가르치시되"(막 8:31).

여기서 중요한 단어는 '비로소'입니다. 31절 하반부에 보면 '비로소 그들에게 가르치셨다'고 했습니다. 무엇을 가르치셨습니까? 얼마 안 있으면 십자가에서 죽으시고, 장사한 지 사흘 만에 부활해야 할 것을 비로소 제자들에게 가르치셨습니다. 그전에는 말씀하신 적이 없었습니다. 베드로에게 그리스도라는 고백을 받고 나서 이제 제자들이 이 위대한 진리를 받아들일 준비가 되어 있다고 판단한 주님은, 비로소 기독교 진리의 엄청난 극점, 십자가와 부활 사건을 제자들에게 계시하신 것입니다.

"이제 내가 죽어야 한다. 그리고 사흘 만에 살아나야 한다."

왜 이것을 이때 밝히셨을까요?

"주는 그리스도이십니다"라는 말에는 두 가지의 중요한 의미가 있습니다. 첫째, 예수님은 구주이시고 둘째, 예수님은 주님이시라는 것입니다. 다른 말로 하면, 예수님은 제사장이고 왕이시라는 것입니다. 우선, 예수님이 참된 제사장이 되기 위해서는 반드시 죽으셔야 합니다. 제사장의 중요한 책임은 제물을 준비하는 것입니다.

속죄의 제물을 준비하는 것입니다.

예수님이 제사장으로서 준비하신 속죄의 제물은 '당신의 몸'입니다. 죄 때문에 하나님의 심판과 저주를 받아야 할 뿐 아니라 하나님께 나아갈 수 없었던 우리를 대신해서 하나님의 진노와 채찍을 맞기 위해 당신의 몸을 십자가의 제물로 드리기로 결심하셨습니다. 그리고 거기에서 하나님의 진노를 대신 받고 거룩한 피를 뿌리기로 결정하신 것입니다. 그분은 제사장이 되기 위해 십자가에서 죽으셔야 했습니다. 구주가 되기 위해서는 십자가의 죽음이 필요했던 것입니다.

그러나 제사장일 뿐만 아니라 왕으로서 우리의 삶을 통치하고 다스리기 위해 그분은 살아나야만 했습니다. 그리스도는 죽은 분이 아닙니다. 지금도 살아 계십니다. 만약 그리스도가 살아 계시지 않는다면, 우리의 기도는 무의미합니다. 그리스도의 드라마는 죽음으로 끝나지 않고 부활로 이어졌습니다. 그분은 살아 계십니다. 살아 계시기 때문에 우리의 기도를 들으시고, 우리의 인생을 간섭하십니다. 우리를 다스리십니다. 우리와 함께하십니다. 우리를 인도하십니다. 우리의 왕, 우리의 주님이 되기 위해서 그분은 부활하셔야만 했습니다.

그렇습니다. 주님은 "예수님은 그리스도이십니다"라는 이 고백을 사랑하는 제자들에게 받고 싶어 하셨습니다. 그래서 사랑하는 제자들에게 이 질문을 하신 것입니다.

"너희는 나를 누구라고 하느냐?"

"선생님, 당신은 나의 그리스도, 나의 구주 그리고 나의 주님이 되십니다."

주님은 지금도 이 고백 받기를 원하십니다. 주님은 우리의 그리스도가 되십니다.

플러스알파, 성령의 역사

이제 마지막 질문이 있습니다. 어떻게 우리가 예수를 구주와 주님으로 믿을 수 있을까요? 마태복음에는 예수가 그리스도라고 베드로가 고백했을 때 주님이 칭찬하신 대목이 밝혀져 있습니다. 마태복음 16장에서 주님은 이 고백을 듣고 너무 기뻐서 이렇게 말씀하셨습니다.

"바요나 시몬아, 이것을 너에게 알게 한 것은 네 혈육이 아니다."

인간적으로, 이성적으로 이 진리를 안 것이 아니라, 하나님 아버지가 알게 하셨다는 것입니다. 예수를 그리스도라고 발견하고 믿게 된 것은 하나님이 그렇게 도와주셨다는 뜻입니다.

비슷한 유형의 사람들이 똑같은 성경 공부 반에서 같은 교사에게 성경을 배웁니다. 일정한 과정이 끝나면 어떤 사람은 예수님을 그리스도로 발견하고, 믿고, 삶이 바뀌지만, 그렇지 않은 사람들도 있습니다. 물론 공부하는 자세가 진지하지 않았기 때문에 깨달음을 얻지 못할 가능성도 있습니다. 그러나 그것이 이유의 전부는 아닐 것입니다.

"왜 우리 주변의 어떤 사람들은 복음을 들으면서도 깨닫지 못할까? 성경 공부하면서도 깨닫지 못할까? 그 이유가 어디에 있을까?"

이것은 오랜 세월 동안 목회자인 저를 괴롭혀 왔던 질문입니다.

"왜 어떤 사람은 교회 생활 10년, 20년이 지나도 이 단순한 복음을 깨닫지 못하고 예수를 그리스도로 믿지 못할까?"

하나님의 도우심, 성령의 도우심을 통하지 않고는 이 진리에 도달할 수 없다는 것이 제 결론입니다. 그래서 성령의 도우심이 필요합니다. 여기에 플러스알파(+α)가 있습니다.

기독교는 인간의 이성을 업신여기거나 이성의 불필요성을 강조하는 종교가 아닙니다. 그러나 이성에만 매달리고 이성에게 모든 해석을 의탁하는 이성주의적인 종교도 아닙니다. 때로 기독교는 이성을 넘어섭니다. 이성으로 깨달아 알 수 없는 것을 하나님이 깨닫게 해 주시는 플러스알파가 있습니다. 이 부분이 바로 성령의 역사입니다. 하나님의 계시가 있습니다. 그래서 우리는 기독교를 '계시 종교'라고 합니다. 성령이 깨우쳐 주셔야 깨달아 알 수 있는 가장 중요한 진리 가운데 하나가 예수는 그리스도라는 사실입니다. 아직도 신앙의 확신을 갖지 못하고 교회 주변에서 맴도는 사람이 있다면, 예수님을 그리스도로 깨달아 아는 성령의 역사가 나타나기를 바랍니다.

어떻게 이 깨달음이 일어날 수 있을까요? 조용히 시간을 내어 기도해 보기 바랍니다.

"하나님, 저에게 예수님을 깨달아 알게 도와주세요."

다른 기도보다도 이 기도를 하십시오. 제일 중요한 기도입니다. 예수님이 누구인지 깨닫지 못하면 멸망합니다. 교회에 출석하고도 멸망합니다. 그만큼 중요한 것이 예수님을 깨달아 아는 것입니다.

어떤 사람이 "목사님, 제가 그 기도도 해 보았습니다. 그런데 깨달아지지 않습니다"라고 한다면, 저는 이렇게 기도할 것을 권합니다.

"하나님, 제가 얼마나 죄인인가를 깨달아 알게 해 주세요."

자신의 죄인 됨을 깨달아 알 수 있도록 기도해야 합니다. 이것을 앞의 기도와 함께 하는 것이 매우 중요합니다. 예수님은 우리의 구원자인데 그분은 무엇으로부터 우리를 구원하십니까? 죄로부터 구원하십니다. 예수님이 마리아에게 잉태되었을 때 천사는 마리아와 요셉에게 예수님 탄생의 기쁜 소식을 전하면서 이렇게 말했습니다.

> "아들을 낳으리니 이름을 예수라 하라 이는 그가 자기 백성을 그들의 죄에서 구원할 자이심이라"(마 1:21).

이 죄라는 것을 이해하지 못하고는 구원을 이해할 수 없습니다. 죄를 깨닫지 못하고는 구원을 깨달을 수 없습니다. 이 두 가지는 매우 중요한 연관성이 있습니다. 우리의 죄의 심각성을 깨닫지 못하고는 이 죄를 위해 하나님이 그리스도를 보내셨다는 사실을 깨달아 알기가 어렵습니다. 우리의 죄는 우리가 생각하는 이상으로 심각한 것입니다. 우리의 죄는 거룩하신 하나님을 거슬러 그분의 진노를 샀습니다. 하나님의 심판을 초래했습니다. 그래서 이러한 죄 문제를 해결하기 위해서는 우리의 최선도, 우리의 윤리적 결단도 여전히 부족했기 때문에 하나님은 아들인 예수 그리스도를 준비하고 그분이 우리의 죄, 인류의 죄를 짊어지고 십자가에서 피를 흘리게 함으로 그 피로 우리가 구원받을 수 있는 놀라운 길을 열어 주신 것입니다.

엄마의 피, 엄마의 희생

1988년 크리스마스를 앞둔 어느 날, 구소련에 속해 있던 아르메니아에서 대지진이 일어났습니다. 무려 4만 5천 명에서 많게는 9만 명이 죽은 굉장한 참사였습니다. 그때 9층 아파트가 무너지면서 철근과 콘크리트 밑에 한 엄마와 딸이 가까스로 삼각형 틈새 속에서 목숨을 유지하고 있었습니다. 삼풍 사건을 경험했던 우리에게 낯선 광경은 아닐 것입니다. 그때 스잔나라는 어머니는 네 살 난 딸 가이아니와 함께 그 틈새 속에서 살아 있었습니다. 시간이 흘러갑니다. 하루, 이틀, 사흘. 가이아니는 엄마 옆에 누워서 비명을 지르면서 한마디 말을 계속 토해 냈습니다.

"엄마, 목말라. 엄마, 목말라."

그러나 가까스로 몸을 눕힌 채 운신할 수 없었던 어머니에게는 딸을 도와줄 수 있는 방법이 생각나지 않았습니다.

그때 갑자기 스잔나의 머릿속에 텔레비전에서 보았던 어떤 광경이 생각났습니다. 조난당한 사람들이 먹을 것, 마실 것이 없을 때 피를 나누어 마시던 광경이 생각난 것입니다. 그녀는 캄캄한 어둠 속에서 손을 더듬었습니다. 더듬다가 깨어진 유리 조각 하나가 손에 붙잡혔습니다. 그녀는 지체 없이 그 유리 조각을 들어서 자신의 팔뚝을 그어 대기 시작했습니다. 그리고 자기의 그 팔뚝에서 흐르는 피를 사랑하는 딸 가이아니의 입술에 떨구어 주었습니다.

"엄마, 목말라요."

이 목소리가 터져 나올 때마다 스잔나는 유리 조각으로 그어서 그 피를 사랑하는 딸의 목에 흘려 넣었습니다. 이렇게 두 주가 지났습니다. 그들은 극적으로 구조되었습니다. 딸 가이아니는 엄마의 희생, 엄마의 피 흘림 때문에 살아났습니다.

가이아니에게 있어서 엄마의 피는 유일한 희망이고 대답이었습니다. 그리고 2천 년 전, 비슷한 사건이 일어났습니다. 다른 방법으로는 살길도, 하나님의 진노를 피할 수도 없던 인류를 위해 하나님은 당신의 아들, 예수 그리스도를 준비하셨습니다. 그분은 십자가에서 거룩한 피를 뿌리셨습니다. 성경은 "피 흘림이 없은즉 사함이 없느니라"(히 9:22)라고 말씀합니다. 하나님의 아들, 예수 그리스도의 피 흘리심, 이것이 바로 죄를 용서받고 하나님의 자녀가 되어 그분을 아버지로 부르고 예수를 구주로 믿고 살아가는 새로운 삶의 출발점이 된 것입니다.

성탄절은 이 십자가를 통해서 예수 그리스도가 오신 이유를 생각해야 할 절기입니다. 단순한 탄생만을 기뻐하지 마십시오. 죽음의 사건을 통해서만 그분이 왜 이 땅에 오셨는지를 이해할 수 있습니다. 성경을 읽으면서 발견하게 되는 이상한 사실 가운데 하나는, 성경에는 단 한 번도 예수님의 탄생을 기념하라는 말이 나오지 않는다는 것입니다. 그렇다고 해서 성탄을 축하하는 것이 나쁘다는 것은 아닙니다. 그런데 성경에는 예수님의 탄생을 기억하라든지, 축하하라든지 하는 말이 없습니다. 그 대신 성경은 이렇게 말씀합니다.

"그리스도의 죽으심을, 내가 너희를 위해서 죽은 것을 기억하라."

피 흘린 것을 기억하라는 말씀입니다.

성탄의 진정한 의미는 십자가의 사건을 떠나서는 이해할 수 없습니다. 그분은 죽기 위해 오셨습니다. 베들레헴의 말구유, 그 구유 건너편에 있는 십자가를 볼 수 있어야 합니다. 베들레헴 땅이 아니라 저 갈보리 언덕 위를 바라볼 때, 주께서 2천 년 전 베들레헴의 구유에 아기로 오신 이유를 발견할 수 있습니다. 그분은 죽기 위해 오셨습니다. 그리고 피를 흘리셨습니다. 그 피 흘림이 예수 그리스도 앞에 나와 그분을 구주와 주님으로 고백하는 사람들의 양심을 죄에서 해방하고 용서함을 주었으며, 이제 하나님을 아버지라고 고백하면서 부를 수 있는 새 노래, 우리가 걸어갈 수 있는 새 인생을 준비해 주었습니다. 이것이 크리스마스의 메시지입니다.

-

"예수께서 돌이키사 제자들을 보시며 베드로를 꾸짖어 이르시되 사탄아 내 뒤로 물러가라 네가 하나님의 일을 생각하지 아니하고 도리어 사람의 일을 생각하는도다 하시고 무리와 제자들을 불러 이르시되 누구든지 나를 따라오려거든 자기를 부인하고 자기 십자가를 지고 나를 따를 것이니라 누구든지 자기 목숨을 구원하고자 하면 잃을 것이요 누구든지 나와 복음을 위하여 자기 목숨을 잃으면 구원하리라 사람이 만일 온 천하를 얻고도 자기 목숨을 잃으면 무엇이 유익하리요 사람이 무엇을 주고 자기 목숨과 바꾸겠느냐 누구든지 이 음란하고 죄 많은 세대에서 나와 내 말을 부끄러워하면 인자도 아버지의 영광으로 거룩한 천사들과 함께 올 때에 그 사람을 부끄러워하리라"(막 8:33-38).

4

나를
따라오려거든

십자가의 역설의 진리가
영웅을 만든다

결혼 생활은 두 가지 사건으로 이루어집니다. 먼저는 한 남자와 한 여자의 만남이고, 그다음은 만난 이들이 평생을 더불어 살아가는 일입니다. 결국 이 두 가지가 결혼 생활을 만듭니다. 좀 더 전통적인 우리나라의 결혼관에 의하면, 한 여인이 지아비를 만나고 한평생 지아비를 따르는 것, 이것이 전통적 결혼관에 의한 부부 생활입니다. 물론 지금은 많이 변했지만, 제가 이런 예를 드는 것은 이 전통적 결혼관의 틀이 우리 신앙생활의 본질과 아주 유사하기 때문입니다.

신앙생활이 무엇입니까? 우리가 예수 그리스도라는 분을 인격적으로 만나는 것입니다. 두 번째는 한평생 그리스도를 따라가는 것입니다. 예수님을 만난다는 것은 우연히 스치고 지나가는 것이 아닙니다. 예수님을 그리스도로 만나는 것입니다. 예수님을 구주와 주님으로 만난다는 것은 우리가 만난 그분이 그냥 옷깃을 스치고 지나갈 분이 아니라 우리를 구원하실 분 그리고 평생 우리를 주관하고, 통치하고, 다스릴 수 있는 주인으로 만난다는 것입니다.

우리가 예수님을 주님으로 만났다면 한 번 만나고 그만둘 수 없습니다. 그분이 주님이시라면, 그분이 그리스도시라면 우리는 그분을 한평생 따라갈 수밖에 없습니다. 우리와 예수님의 만남이 바로 '구원 사건'입니다.

그런데 예수 그리스도를 만나 구원받았다고 할 때, 이 구원의 사건에서 우리의 역할은 매우 피동적입니다. 왜냐하면 구원의 주체가 주님이시기 때문입니다. 엄격하게 말하면, '내가 구원받았다'보다 '주님이 나를 구원해 주셨다'입니다. 주님이 우리를 만나 주신 것입니다. 그렇다고 해서 구도를 하지 말라는 것이 아닙니다. 우리가 행하는 구도 자체도 하나님의 은혜입니다. 은혜로 우리는 주님을 찾게 되었고, 드디어 주님이 우리를 만나 주셨다는 것이 구원의 체험입니다.

따르는 것은 능동적

주님이 우리를 만나 주셨습니다. 이제 만났으니까 우리는 주님을 한평생 따라가야 합니다. 이때 따라가는 과정에 있어서 성도의 역할은 더 이상 피동적이 아닙니다. 매우 능동적입니다. 우리는 능동적인 역할과 책임을 가지고 주님을 따라가야 합니다. 가이사랴 빌립보에서 예수님은 제자들에게 매우 중요한 질문을 하셨습니다.

"너희들은 나를 누구라고 하느냐?"

베드로가 나와서, "선생님, 당신은 그리스도십니다. 당신은 구주요, 주님이십니다"라고 대답했습니다. 이 중요한 고백을 받으면서 예수님은 비로소 제자들에게, 그들이 어떻게 주님을 따라가야 할 것인지를 말씀하셨습니다.

예수님이 그리스도라는 사실을 확인하고 확신했다면, 이제 예수님을 그리스도로, 구주와 주님으로 따르는 것이 중요합니다. 예수님은 그들이 따라갈 수 있는 준비를 시키기 위해서 제자의 도리를 말씀하십니다.

"무리와 제자들을 불러 이르시되 누구든지 나를 따라오려거든 자기를 부인하고 자기 십자가를 지고 나를 따를 것이니라"(막 8:34).

'누구든지 나를 따라오려거든.' 이 말을 좀 더 정확하게 번역하자면, '나를 따라오기를 소원한다면'이 더 합당합니다. '따라오려거든'이라고 한 단어처럼 번역했지만, 원문에는 '따라오기를 너희들이 소원한다면'이라고 되어 있습니다. 그리고 '소원하다'라는 헬라어는 매우 강력한 의미를 가진 단어로 쓰여 있습니다. 다시 말하면, '너희가 나를 따라오기를 참으로 원한다면, 참으로 소원한다면'입니다.

그리스도를 따라가는 일에는 우리의 의지적인 각오와 결단이 필요하다는 것을 강조하신 것입니다.

자기를 부인하라

"누구든지 나를 따라오려거든 자기를 부인하고 자기 십자가를 지고 나를 따를 것이니라"(막 8:34).

제자의 조건이 세 가지로 강조됩니다. 첫째는, '자기를 부인하는' 것입니다. 지금 우리는 끊임없이 자기를 높이는 것을 강조하는 시대에 살고 있습니다. 그것이 지나쳐서 자기밖에 모르는 이기적인 세대가 되었습니다. 바울은 마지막 때의 특징 가운데 하나는 사람들이 자기만을 사랑하는 것이라고 했습니다. 자기를 소중히 여기는 것은 필요합니다. 나쁜 것이 아닙니다. 그러나 자기밖에 모르는 이기심은 종말론적인 마지막 때의 특성입니다.

우리는 이런 이기적인 세대를 가리켜서 소위 'me-generation'(나 세대)이라고 부릅니다. 자기밖에 모르는 세대, 철저하게 이기적인 세대라는 말입니다. 폴 비츠(Paul Clayton Vitz)라는 유명한 기독교 심리학자가 있습니다. 그는 "우리 시대의 가장 무서운 종교, 가장 무서운 이단은 '자기 숭배'라는 종교다"라고 했습니다. '자기 숭배'라는 이단, '자기 숭배'라는 종교가 현대의 가장 강력한 우상의 종교라는 것입니다. 사람들은 끊임없이 자기를 숭배하도록 유혹받고 있습니다. 이런 것에 앞장서는 사람들이 주로 심리학자들입니다. 현대 심리학자들의 책을 보면, 80-90퍼센트가 끊임없이 '자기'에 초점을 맞추고 있습니다.

'자기를 높이라. 자기를 선전하라. 자기를 주장하라.'

물론 자기를 소중히 여길 필요는 있습니다. 그러나 이것이 지나친 이기적인 모습으로 강조된다면 매우 위험합니다. 성경은 이것이 그리스도의 제자들이 추구할 삶의 모습이 되어서는 안 된다고 가르치십니다. 자기를 부인하라고 가르치십니다. 그러나 우리 시대는 정반대로 가고 있습니다.

구소련의 노벨 문학상 수상 작가인 알렉산드르 솔제니친(Aleksandr Solzhenitsyn)이 미국에 갔을 때, 기자들이 미국에 대한 소감을 물었습니다. 그때 솔제니친은 이런 유명한 말을 했습니다.

"나는 미국이 기독교 국가인 줄 알았는데, 와 보니까 이 나라는 모두가 다 자기를 숭배하고 자기를 섬기는군요."

철저하게 이기적인 미국 사회의 모습을 풍자적으로 비판한 것입니다. 이것이 미국에만 해당하는 말일까요? 한국도 얼마나 이기적인 사회로 변모했습니까? 그 대표적인 증후 가운데 하나가 한때 전염병처럼 유행했던 '공주병', '왕자병', '왕비병'과 같은 것들일 것입니다.

그리스도인임에도 이기적인 모습으로 살아가는 이유는 무엇일까요? 그것은 근본적인 신앙 고백이 결핍되어 있기 때문입니다. 어떻게 자기를 부인할 수 있습니까? 신앙 고백이 분명하다면 이것은 저절로 해결됩니다. 우리의 근본적인 신앙 고백인 '예수님은 그리스도이시다'라는 이 고백이 확실하다면, 우리는 우리 인생의 주인이 아닙니다. 우리를 부인하는 것입니다. 그런데 그 고백이 분명하지 않습니다.

성경은 어떻게 말씀합니까?

> "너희는 너희 자신의 것이 아니라 값으로 산 것이 되었으니 그런
> 즉 너희 몸으로 하나님께 영광을 돌리라"(고전 6:19-20).

'예수님께서 보배로운 피를 흘려 나를 사해 주시고, 나를 하나님의 자녀가 되게 하셨다. 나는 하나님께 속해 있다. 나는 그리스도께 속해 있다. 하나님이 나의 주인이시다. 예수님이 내 삶의 주인이시다.'

이것이 확실하다면 예수님이 주님이시고, 우리는 우리 인생의 주인이 아닌 것입니다.

우리 시대의 보편적 철학인 세속적 인본주의는 계속 우리에게 '나'가 주인이라고 속삭입니다. 그러나 아닙니다. 우리의 고백은 "예수님이 주인이시다. 예수님이 주님이시다"가 되어야 합니다. 로마 시대의 가장 무서운 우상은 로마 황제였습니다. 황제가 신으로 경배를 받던 시대였습니다. 만약 우리가 로마 시대에 살았다면 길 가다가 이런 인사를 받았을 것입니다.

"가이사는 주님이십니다. 가이사는 로마 황제지요? 그분은 주님이십니다."

이에 대해 그 당시 그리스도인들은 종종 이렇게 대답했습니다.

"아닙니다. 아닙니다. 예수 그리스도만이 나의 주님이십니다."

바로 이 고백 때문에 그리스도인들은 체포되어 원형 경기장으로 끌려가 야수의 밥이 되는 순교를 해야 했습니다.

그러나 우리 시대의 가장 강력한 우상이 있다면 로마의 황제가 아닌 '나'라는 황제입니다. '나'가 주인입니까? 아닙니다. 예수님이 주인이십니다. 우리 인생의 주인은 우리 각 사람이 아닌 그리스도이십니다. 이 고백이 확실하다면, 우리는 자신을 넘어설 수 있습니다. 주님은 누구든지 당신을 따르려거든 첫째로 자기를 부인하라고 말씀하십니다.

자기 십자가를 지라

두 번째 제자의 조건은, '자기 십자가를 지는 것'입니다. 십자가는 '죽음'과 '부활'의 양면성을 갖고 있습니다. 십자가를 지라는 것은 무슨 의미입니까? 어떻게 지는 것입니까? 십자가를 지라고 하면 단순히 고생이나 진탕 하라는 의미로만 이해하는 사람이 많습니다. 그러나 그 이상의 뜻이 있습니다.

누가복음 9장 23절에는 마가복음 8장 34절과 비슷한 내용이 기록되어 있는데, 두 본문을 비교해 보면 누가복음에는 마가복음에서 강조하지 않은 한 단어가 있는 것을 알 수 있습니다.

"날마다 제 십자가를 지고"(눅 9:23).

십자가를 지는 일은 날마다 계속되어야 하며, 그것이 우리의 날마다 살아가는 삶의 모습이 되어야 한다는 것입니다.

어떻게 사는 것이 십자가를 지는 삶일까요? 저는 십자가를 지는 삶의 본질을 설명하는 매우 중요한 성경 말씀이 로마서 6장 10절이라고 생각합니다.

"그가 죽으심은 죄에 대하여 단번에 죽으심이요 그가 살아 계심은 하나님께 대하여 살아 계심이니."

그다음 11절은, 십자가를 적용시킨 삶은 어떤 것인지를 보여 줍니다.

"이와 같이 너희도 너희 자신을 죄에 대하여는 죽은 자요 그리스도 예수 안에서 하나님께 대하여는 살아 있는 자로 여길지어다"(롬 6:11).

이것은 매우 중요한 말씀입니다. 예수님은 십자가에서 돌아가셨습니다. 우리를 위하여, 우리를 대신해서 돌아가셨습니다. 그렇다면 그분이 돌아가셨을 때 우리도 거기에서 죽은 것입니다. 십자가를 적용시킨 삶이라는 것은, 죄를 짓는 일에 대해서는 자신을 죽은 자로 여겨야 한다는 것입니다. 우리의 욕심, 헛되고 헛된 허영, 이런 모든 죄짓는 부정적인 삶의 사건과 방향을 향해서는 자신을 항상 죽은 자로 여기라는 것입니다.

그러나 그리스도는 죽으셨을 뿐만 아니라 살아나셨습니다. 하나님과의 새로운 관계 속으로 들어가기 위해서 부활하셨습니다. 그분의 죽음이 우리를 위한 죽음이었듯이, 그분의 부활도 우리를 위한 부활이었습니다. 그분이 다시 사셨을 때 우리도 다시 산 것입니다. 자신을 죽은 자로 여겨야 하는 것처럼 이제는 하나님에 대해서, 하나님의 비전과 하나님의 기대와 하나님의 꿈과 하나님의 복음을 위한 일에 대해서는 산 자처럼 살아야 합니다.

다시 말하면, 죄를 지을 일에 대해서는 우리가 어떤 자입니까? 죽은 자입니다. 죄에 대해서는 죽은 자로 여겨야 합니다. 그러나 하나님과의 관계, 하나님을 향해서는 어떤 자입니까? 산 자로 여겨야 하는 것입니다. 이것이 십자가를 적용시킨 삶의 모습입니다. 그러니 죄를 지을 일이 있으면 항상 자신을 죽은 자로 여겨야 합니다. 우리의 죄 때문에 주님께서 돌아가셨다면, 십자가에서 돌아가셨을 때 우리도 죽은 것입니다. 바울은 고린도전서 15장 31절에서 "나는 날마다 죽노라"라고 고백했습니다. 매우 중요한 고백입니다.

우리가 죄를 짓고 엉뚱한 삶의 방향으로 탈선하여 방황하는 가장 큰 이유는 우리 자신이 죽지 못했기 때문입니다. 자기 혈기에 대해서, 자기 욕망에 대해서, 자기 고집에 대해서 죽지 못했기 때문입니다. 상대방에게는 죽어야 한다고 말하고 자기는 죽지 않는 사람이 있는데, 상대방은 생각하지 말고 내가 먼저 죽어야 합니다.

영으로써

하나님의 뜻을 이루는 일에 있어서 자신을 산 자로 여기는 삶을 적용시키겠다는 결단의 한 단면을 잘 보여 주는 유명한 사건이 있습니다. 십자가를 앞에 둔 예수님이 겟세마네에서 하신 기도입니다.

> "아버지여 만일 할 만하시거든 이 잔을 내게서 지나가게 하옵소서 그러나 나의 원대로 마시옵고 아버지의 원대로 하옵소서"(마 26:39).

우리의 뜻과 하나님의 뜻이 항상 갈등하는 것은 아닙니다. 어떤 때는 같기도 합니다. 그러나 많은 경우에 다를 수 있습니다. 그럴 때 우리의 뜻을 향해서는 아니라고 부정하고 하나님의 뜻을 받아들일 수 있어야 합니다.

우리가 하나님의 뜻을 받아들이는 삶, 하나님의 뜻에 순종하는 삶을 살기 위해서는 먼저 자기 자신으로부터 자유로워야 합니다. 자기 자신에 대해서 죽은 자는 스스로에 대해서 자유롭습니다. 자신에 대해서 자유로운 자들은 진실로 하나님의 뜻을 받아들이고 그 뜻 앞에 순종할 수 있습니다. '나는 이것을 원하지만, 내 고집과 욕망과 허영은 이것을 탐하지만, 하나님의 뜻을 이루기 위해서 하나님의 뜻대로 하옵소서' 하는 것이 십자가입니다. 십자가는 고생만 하는 삶이 아닙니다. 예수님께서 십자가로 가신 이유, 예수님께서 십자가에 못 박히신 이유, 그것이 그분을 이 땅에 보내신 하나님의 뜻이었습니다.

주님은 "누구든지 나를 따라오려거든 자기를 부인하고 자기 십자가를 지고"(막 8:34)라고 말씀하십니다. 우리를 향하신 하나님의 뜻을 이루기 위해 그 뜻 앞에 순종하고 자신을 드리는 삶을 날마다 결단해야 합니다. 날마다 자신의 고집과 욕망을 꺾고 하나님의 뜻을 이루기 위해서는 그 뜻 앞에 자기를 바쳐야 합니다. 이것은 쉬운 일이 아닙니다. 성령의 도우심이 필요합니다. 이에 관해서 다루는 성경이 로마서 8장입니다.

로마서 8장 13절은 "너희가 육신대로 살면 반드시 죽을 것이로되 영으로써 몸의 행실을 죽이면 살리니"라고 말씀합니다. '네가 본능대로 살면, 네가 충동대로 살면 너는 반드시 죽는다. 사망에 이른다. 그러나 영으로써 몸의 행실을 죽이면 산다'는 것입니다. 생명을 이루는 삶, 그것은 성령의 지배를 받는 삶입니다. 날마다 자기를 부인하고 십자가를 지는 것은 인간의 단순한 의지적 결단만으로는 불가능합니다. 그래서 성령의 지배하심이 필요한 것입니다.

정말 자기를 부인하고자 합니까? 그렇다면 성령의 충만을 구하십시오. 성령이 임하여 당신을 지배해 주시기를 구하기 바랍니다.

값을 치를 각오

"누구든지 나를 따라오려거든 자기를 부인하고 자기 십자가를 지고"(막 8:34a), 그다음은 무엇입니까? "나를 따를 것이니라"(막 8:34b)입니다. '자기를 부인하라', '십자가를 지라'는 것은 결정적 결단을 강조하는 말입니다. 그런데 '나를 따를 것이니라'라는 표현은 헬라어에서 현재 명령형이 쓰입니다. 이것은 지속성을 강조합니다. 주님을 따른다는 것은 한순간이 아니라, 계속되어야 한다는 것입니다. 어제만이 아니라 오늘도, 내일도 계속해서 따라가는 것이고, 올해만이 아니라 내년에도 계속 따라가야 하는 것입니다.

예수님은 제자들에게 "나를 따라오라"(막 1:17)라고 말씀하셨습니다. 이것은 '한평생' 따라오라는 말입니다. 어려움이 있어도 계속 따라가야 합니다. 손에 쟁기를 잡고 뒤돌아보지 말아야 합니다. 때로 그분은 우리를 데리고 높은 산에 오르실 것입니다. 거기도 따라 올라가야 합니다. 사드락, 메삭, 아벳느고처럼 우리를 데리고 풀무 불 속으로 들어가신다 해도 따라가야 합니다. 다니엘처럼 우리를 사자 굴속으로 인도하셔도 따라가야 합니다. 베드로처럼 풍랑이 일고 있는 갈릴리의 바다 한복판으로 인도하신다 해도 따라가야 합니다.

주님이 우리를 그곳으로 가게 하시는 이유가 있을 것입니다. 우리를 훈련시키시고, 닦으시고, 우리를 이 시련 속에서 하나님의 사람, 제자다운 제자가 되게 하기 위해 이 고난을 허용하신다면 기쁘게 감수하면서 계속 주님을 일관성 있게 따라가야 합니다. 이것이 제자입니다. 그 과정에서 우리는 값을 치를 각오를 해야 합니다.

우리가 구원을 받는 데는 치러야 할 대가가 아무것도 없었습니다. 주님이 다 치르셨습니다. 십자가에서 우리 대신 고통을 받음으로 모든 대가를 치르셨습니다. 그 결과 우리는 구원을 선물로 얻었습니다. 그러나 구원받은 우리가 주님을 따라가며 하나님의 뜻을 우리의 생애 속에서 이루는 과정에서는 치러야 할 대가가 종종 있습니다. 그 값을 치를 각오를 해야 합니다.

오늘 우리 시대가 왜 이렇게 어두울까요? 저는 그 이유 중의 하나가 이 시대를 사는 그리스도인들이 값을 치르기를 거절하고 있기 때문이라고 생각합니다. 어두웠던 나치 시대에 히틀러(Adolf Hitler)와 더불어 싸우면서 교회를 지켰던 디트리히 본회퍼(Dietrich Bonhoeffer)는 이렇게 말했습니다.

"이 시대가 왜 이렇게 어두운가? 이 시대를 사는 그리스도인들이 대가를 치르기를 거절하고 싸구려 은혜에 도취하고 있기 때문이다. 대가를 치르기를 거절하고 있기 때문이다."

값을 치를 각오를 해야 합니다.

잃으면 얻으리라

예수님께서는 "예수님, 당신은 그리스도이십니다"라는 제자들의 고백을 받고서야 비로소 십자가로 가야 한다는 고난의 사실을 말씀하십니다. 예수님에게는 져야 할 십자가가 있었습니다. 우리는 그분의 제자이며, 제자는 스승을 능가할 수 없습니다. 우리에게도 우리가 져야 할 십자가가 있습니다. 이제 하나님의 뜻을 이루기 위해서 기쁘게 십자가를 지고 주님을 따라야 합니다. 그것이 무조건 손해라고 생각하지 마십시오. 궁극적으로는 우리 인생을 살리는 길입니다. 이것은 역설입니다. 그러나 위대한 진리입니다. 이 위대한 역설적 진리를 주님은 어떻게 말씀하십니까?

> "누구든지 자기 목숨을 구원하고자 하면 잃을 것이요 누구든지 나와 복음을 위하여 자기 목숨을 잃으면 구원하리라 사람이 만일 온 천하를 얻고도 자기 목숨을 잃으면 무엇이 유익하리요"(막 8:35-36).

주님과 복음을 위해 목숨을 잃는 자는 결국 얻는다고 했습니다. 예수님을 생각해 보십시오. 예수님이 십자가로 가셨을 때 사람들은 그분이 성공했다고 생각했을까요? 자신을 포기한 것처럼 보였을 것입니다. 그러나 오늘날 예수 그리스도의 이름은 얼마나 존귀합니까? 전 세계에 흩어진 모든 그리스도인에게 존경과 경배와 사랑과 찬양을 받으시고, 모든 무릎이 그분 앞에 꿇으며, 모든 입술이 그분을 찬양합니다. 예수님은 당신을 포기하셨으나, 당신을 세우셨습니다. 자기 부정은 자기 긍정에 도달하는 가장 확실한 길이라는 사실을 깨달으십시오.

그렇다면 어떻게 우리가 주님을 제대로 따라갈 수 있을까요? 거기에 대한 암시가 본문 35절에 나와 있습니다. 주님을 따라간다는 것이 구체적으로 무엇을 말하는지를 알려 줍니다. '나'와 '복음을 위하여'입니다. 본문 38절에도 강조되어 있습니다.

> "누구든지 이 음란하고 죄 많은 세대에서 나와 내 말을 부끄러워하면 인자도 아버지의 영광으로 거룩한 천사들과 함께 올 때에 그 사람을 부끄러워하리라"(막 8:38).

'나'와 '내 말'이라고 했습니다. 어떻게 하는 것이 주님을 따라가는 것입니까? 일요일에 한 번 교회에 나오는 것입니까? 아닙니다. 주님의 말씀을 알고, 그 말씀을 붙들고 순종하며 사는 것입니다. 우리를 변화시킨 복음, 우리 인생에 새로운 가치관을 부여하고 희망을 주었던 이 복음을 위하여 사는 것입니다. 이 복음이 다른 사람들에게 증거되도록 살아가는 사람이 바로 제자입니다.

하나님의 영웅

많은 사람이 〈불의 전차〉(Chariots Of Fire)라는 영화를 기억할 것입니다. 이 영화는 역사적 사실에 근거한 작품입니다. 1924년 파리 올림픽 400미터 계주에서 세계 신기록을 수립하고 챔피언이 되어서

금메달리스트가 되었던 스코틀랜드의 '에릭 리델'(Eric Henry Liddell)은 영웅이었습니다. 조국의 영웅이었고, 올림픽의 영웅이었습니다.

그런데 올림픽이 끝나고 그가 고국에 돌아왔을 때 이상한 사건이 일어납니다. 그리스도인인 그에게 주님이 말씀하시기 시작했습니다.

"네가 받은 메달보다 더 위대한 메달이 있다. 더 위대한 영광이 있다. 너는 복음의 영광을 위해서 살아야 하느니라."

그는 자신의 내면에서 들려오는 음성을 듣고 마침내 결단을 내렸습니다. 주님은 그에게 중국으로 가라고 말씀하셨습니다. 이에 그는 복음을 들고 중국으로 떠나게 되었습니다. 친구들과 친척들은 그가 미쳤다고 했습니다. 보장된 출세, 올림픽 금메달리스트인 그의 앞에 놓인 안정된 삶, 이 화려한 모든 것을 포기하고 중국으로 떠나는 그를 사람들은 이해하지 못했습니다.

당시는 일본이 한국을 점령하고 중국을 침략한 시기였습니다. 중국도 일본의 치하에 잠시 있었습니다. 그는 중국인들에게 복음을 전하며, 그들을 섬기고 도와주기 시작했습니다. 그러자 일본 사람들이 그를 스파이로 몰아서 감옥에 가두었습니다. 그러나 그는 감옥에서도 복음을 전했습니다. 그들을 사랑했습니다. 감싸 안아 말씀을 가르치며 예배를 드리기 시작했습니다. 그러면서 감옥 안에 신앙의 공동체가 생겨나기 시작했습니다. 불행히도 에릭 리델은 일본이 패망한 것을 보지 못하고 42세의 젊은 나이로 감옥에서 숨을 거두었습니다. 그러나 숨질 때 그의 얼굴은 빛이 났고, 그는 찬양과 경배 속에서 자기의 인생을 마무리했습니다.

에릭에게 복음을 전해 들은 사람들은 감옥 옆에 있는 자그마한 동산에 그를 묻었습니다. 그러고는 무덤 위에 초라한 비문을 하나 새겼습니다. 그 비문에는 이렇게 쓰여 있었습니다.

"하나님의 영웅 에릭 리들, 여기에 잠들다."

하나님의 영웅! 그에게서 복음을 들은 사람들이 붙여 주었던 이 명칭은 정확한 것이었습니다. 저는 이것이 하나님의 평가라고 생각합니다.

우리의 숨이 멎고 심장의 박동이 멈추는 그 순간, 하나님은 우리의 인생을 어떻게 평가하실까요? 우리의 인생이 끝나는 그 순간에 땅에서 잠시 누렸던 쾌락이나 직분이 무슨 의미가 있겠습니까? 그 순간 우리의 인생은 얼마나 보람과 가치와 의미가 있던 삶일까요? 우리 인생은 마지막에 어떻게 결산될까요? 에릭 리델은 자기 조국, 자기 주변 사람들에게 이해받지 못했습니다. 그러나 하나님은 그에게서 복음을 받아들인 사람들을 통해 불멸의 아름다운 타이틀을 그에게 수여하셨습니다.

"하나님의 영웅 에릭 리들, 여기에 잠들다."

부족한 모습 그대로 구원하신 예수 그리스도를 따라가며 그분과 그분의 복음을 위해서 산다면, 우리의 인생이 끝날 때 하나님께서 천사들을 통해 우리에게 이런 아름다운 이름을 주실 것입니다. 너, 하나님의 영웅이여!

"또 그들에게 이르시되 내가 진실로 너희에게 이르노니 여기 서 있는 사람 중에는 죽기 전에 하나님의 나라가 권능으로 임하는 것을 볼 자들도 있느니라 하시니라 엿새 후에 예수께서 베드로와 야고보와 요한을 데리시고 따로 높은 산에 올라가셨더니 그들 앞에서 변형되사 그 옷이 광채가 나며 세상에서 빨래하는 자가 그렇게 희게 할 수 없을 만큼 매우 희어졌더라 이에 엘리야가 모세와 함께 그들에게 나타나 예수와 더불어 말하거늘 베드로가 예수께 고하되 랍비여 우리가 여기 있는 것이 좋사오니 우리가 초막 셋을 짓되 하나는 주를 위하여, 하나는 모세를 위하여, 하나는 엘리야를 위하여 하사이다 하니 이는 그들이 몹시 무서워하므로 그가 무슨 말을 할지 알지 못함이더라 마침 구름이 와서 그들을 덮으며 구름 속에서 소리가 나되 이는 내 사랑하는 아들이니 너희는 그의 말을 들으라 하는지라 문득 둘러보니 아무도 보이지 아니하고 오직 예수와 자기들뿐이었더라"(막 9:1-8).

5

변화 받고
새 출발합시다

현상에 흔들리지 말고
중심을 견고히 하라

우리는 해마다 새해가 되면 무엇인지 모를 가벼운 흥분을 느끼게 됩니다. 사람들은 1월 1일에 대해 어떤 기대를 갖고 있을까요? 1월 1일이나 12월 31일이 인위적인 설정임에도 불구하고 이런 기대를 갖는 것은 어떤 변화에 대한 욕구, 곧 새로워졌으면 좋겠다거나 새로운 출발을 했으면 좋겠다는 마음속의 열망을 나타내는 하나의 표현인 것 같습니다.

기독교가 가진 가장 위대한 매력은 '변화의 약속'이라고 생각합니다. 복음은 변화를 약속하고 변화의 체험을 제공합니다. 주님이 행하신 공생애의 첫 번째 기적이 무엇이었습니까? 갈릴리 가나에서 예수님은 물을 포도주로 바꾸셨습니다. 물이 포도주로 바뀌었다는 것은 '질적 변화'를 나타냅니다. 바울은 예수님을 만나고 나서 이런 고백을 남겼습니다.

> "그런즉 누구든지 그리스도 안에 있으면 새로운 피조물이라 이전
> 것은 지나갔으니 보라 새것이 되었도다"(고후 5:17).

새로운 존재가 되었다고 고백했습니다. 그러나 우리는 이 새로운 변화가 얼마나 힘든 것인지를 잘 알고 있습니다. 사람은 변화에 저항하고 싶어 하는 본능 또한 갖고 있기 때문입니다. 변화를 원하면서도 변화를 싫어합니다.

한국 사람들은 새로운 문화를 체험하고 싶어 해외여행을 가면서도 여행 가방에는 고추장을 갖고 다닙니다. 익숙한 것이 좋기 때문입니다. 새로운 문화를 체험하고 싶다면 한국의 것을 가지고 다녀서는 안 됩니다. 새로운 문화에 대한 체험이라면 그곳에서 새로운 음식도 먹어 보아야 합니다. 하지만 우리는 익숙한 것을 좋아해서 익숙한 음식, 익숙한 스타일을 항상 가지고 다니려는 경향이 있습니다. 우리 안에서 볼 수 있는 변화에 대한 저항입니다. 때때로 교회 안에 들어와 살면서도 자신에게 변화를 요구하지 않는 그리스도인들이 있습니다. 만약 우리가 변화를 요구하지 않는다면, 변화가 가능하지 않다면, 저는 기독교가 존재할 필요가 없다고 생각합니다.

톨스토이(Lev Nikolayevich Tolstoy)는 당시 러시아 기독교의 무력함

을 바라보면서 다음과 같은 예리한 비판의 글을 남겼습니다.

"그리스도인들은 세상의 변화를 위해서 기도한다. 세상의 변화, 인류의 변화를 위해서 기도하고 있는 사람들은 적지 않은 것 같다. 그러나 자신의 변화를 위해서 기도하고 있는 사람은 그렇게 많은 것 같지 않다."

세상의 변화를 위해서 기도하는 것은 쉽게 여깁니다. 자신과는 상관없다는 듯, "하나님, 이 세상을 바꿔 주십시오"라고 기도할 수 있습니다. 그러나 "저를 바꿔 주십시오"라고 기도하는 것은 쉽지 않습니다.

하늘의 영광을 보여 주신 뜻

본문은 변화되고 싶은 우리를 위한 것입니다. 예수님이 베드로와 야고보와 요한을 데리고 '변화산'에 올라가셨습니다. 예수님은 세 제자를 데리고 산으로 올라가 변화의 영광을 보여 주셨습니다. 그 산에서 변화된 것은 제자들이 아닌 주님이었습니다.

주님이 왜 변화되셨을까요? 주님이 모자라서 변화되신 것이 아닙니다. 주님은 세상에서 인간의 몸으로 계셨기에 당신의 영광이나 능력을 육체 안에 제한하면서 사셨습니다. '인간성의 베일' 아래 신성의 영광을 감추고 계셨던 것입니다. 그런데 변화산에 올라가 당신 안에 있던 신성의 영광을 제자들에게 보여 주셨습니다. 그분의 능력의 아름다움, 그분에게 감춰져 있던 신성의 영광이 나타나는 모습을 제자들은 보았습니다. 그리고 그 모습을 지켜보면서 제자들도 변하게 되었습니다. 이처럼 주님의 영광을 접한 사람은 변하게 됩니다.

저는 종종 기독교 순교사화를 읽고 스스로에게 질문하곤 합니다. '나도 순교할 수 있을까? 예수 그리스도를 위한 죽음의 선택과 나의 목숨을 건지기 위한 선택 앞에 서게 된다면 과연 순교가 가능할까?'

그런데 순교사화나 성경에 나타난 선교 사적을 보면 공통점이 하나 있습니다. 순교자들은 모두 순교 직전에 하늘의 영광을 보았다는 것입니다. 하나님의 어떤 영광을 보았습니다. 스데반도 주님의 영광을 보았습니다. 하늘의 영광을 보고 나면 순교할 수 있는 에너지가 생깁니다. 하늘의 영광을 본 사람은 이 땅의 어떤 시련이나 고난도 정복할 수 있습니다.

그렇다면 예수님은 왜 이때 세 제자에게 하늘의 영광을 보여 주셨을까요? 본문이 시작되는 마가복음 9장 2절은 '엿새 후에'라는 말로 시작됩니다. 엿새 후가 언제였을까요?

마가복음 8장의 마지막 부분에서 예수님은 제자들을 앞에 놓고 "너희는 나를 누구라 하느냐?"라는 질문을 던지셨습니다. 그때 베드로가 어떤 대답을 했습니까? "주는 그리스도이십니다. 구세주이십니다"라고 대답했습니다. 이 놀라운 고백을 받고 예수님은 제자들에게 당신이 구세주가 되기 위해 십자가에서 죽어야 한다는 사실을 말씀하셨습니다. 그러면서 "너희도 나의 십자가를 지고 나를 따라야 한다"라고 말씀하셨습니다.

그렇습니다. 주님과 제자들 앞에는 십자가의 길이 있었습니다. 제자들이 만약 하늘의 영광을 본다면 십자가로 가는 그 길을 걸어갈 수 있을 것이라고 주님은 판단하셨습니다. 그래서 이 세 제자에게 하늘의 영광을 보여 주시고자 한 것입니다.

우리가 살아가는 매일매일이 소망과 희망, 회복의 날들이 되기를 바랍니다. 그러나 우리의 이런 기대와는 다르게 많은 사람이 여전히 어려운 길을 걸어가야 할 것이라고 생각합니다. 그러나 저는 믿습니다. 우리가 하늘의 영광을 체험할 수만 있다면, 어떤 어려움과 시련도 극복하고 승리할 수 있을 거라고 믿습니다. 바로 그것을 위해서 주님은 제자들에게 하늘의 영광을 보여 주셨습니다.

하나님과 함께함

그렇다면 어떻게 동일한 주님의 영광을 이 시대에 의미 있게 체험할 수 있을까요? 그 비밀을 본문에서 몇 가지로 배울 수 있습니다.

첫째는, 주님과 함께 있는 것을 배워야 합니다. 예수님의 세 제자는 주님과 함께 있다가 주님의 영광을 보았습니다. 그런데 왜 산으로 올라갔을까요? 본문에는 나오지 않지만, 같은 내용 선상에 있는 누가복음 9장 28절에 보면 예수님이 세 제자와 더불어 기도하러 산에 올라가셨다고 기록되어 있습니다. 등산하러 올라간 것이 아닙니다. 건강을 위해 산책하러 간 것도 아닙니다. 기도하러 가신 것입니다. 기도 중에 주님의 영광을 목격할 수 있습니다.

기도는 무엇일까요? 여러 가지가 있을 수 있지만 기도의 아름다운 정의 가운데 하나는, '기도는 하나님과 함께하는 것'이라고 생각합니다. 이 말을 너무 자주 쓰다 보니 매우 상투적이라 느낄 수 있지만, 하나님과 함께한다는 것이 정말 사실이라면 얼마나 엄청난 사건입니까? 하늘과 땅을 창조하신 하나님, 전지전능하신 하나님, 역사와 삶의 주인 되시는 하나님, 그 하나님과 함께한다는 것은 보통 사건이 아닙니다.

우리는 기도라고 하면 무엇을 구하여 얻는 것으로 생각합니다. 물론 기도에는 응답의 약속이 있습니다. 그러나 기도는 어떤 문제의 해결이나 응답 이상의 것이어야 합니다. 제임스 휴스턴(James M. Houston)의 《기도》(IVP 역간)라는 책이 있습니다. 이 책의 부제는 '하나님과의 우정'입니다. 이처럼 기도는 하나님과의 관계입니다. 부부 관계나 친구 관계를 무엇을 구해서 얻는 '기브 앤 테이크'(give and take) 관계로 생각한다면 그것은 친구나 사랑하는 사람에 대한 모독입니다. 물론 하나님은 우리를 사랑하기 때문에 구하면 주십니다. "구하라 그리하면 너희에게 주실 것이요 찾으라 그리하면 찾아낼 것이요 문을 두드리라 그리하면 너희에게 열릴 것이니"(마 7:7)라고 말씀하셨습니다. 우리는 분명히 기도의 응답을 믿습니다. 그러나 기도는 응답 이상의 것입니다. 기도는 하나님과의 관계입니다. 기도는 하나님과 함께 있는 체험입니다. 우정과 애정은 사랑하는 사람과 함께 있는 것입니다. 사랑하는 사람과 함께 있는 그 자체가 영광스러운 것입니다.

알렉산드르 솔제니친이 쓴 《이반 데니소비치의 하루》라는 책을 읽은 적이 있습니다. 주인공 이반이 러시아의 중노동 수용소에서 감옥살이를 하다가 어느 날 벽에 기대어 지그시 눈을 감습니다. 순간적으로 옆에 있던 동료 수감자가 이반이 기도하는 것을 알아차리고는 "너, 기도하고 있지? 기도한다고 감옥에서 빨리 나갈 줄 알아?"라고 말합니다. 그러자 이반은 이렇게 대답합니다.

"나는 감옥에서 빨리 나가게 해 달라고 기도하지 않았어. 나는 하나님이 함께해 주시도록 기도했어. 여기서 견딜 수 있도록 말이야. 하나님이 함께해 주신다면 견딜 수 있거든."

'하나님이 함께해 주시도록 기도했다'는 이것이 저는 기도의 아름다운 정의라고 생각합니다.

하나님의 임재 경험

윌버 채프먼(John Wilbur Chapman)이라는 유명한 신학자가 있습니다. 그는 주로 교실에서 가르치는 일을 했습니다. 어느 날 그가 많은 사람이 모인 가운데 전도 집회를 하게 되었는데, 많이 모인 군중 앞에서 설교하는 기회가 드물었기 때문에 매우 떨렸습니다. 교수들은 아주 박학하고 뛰어난데 설교는 좀 못하는 경향이 있습니다. 월버 채프먼 교수가 그랬는지도 모릅니다.

그때 한 사람이 "박사님, 하이드(John Hyde) 선생님이 여기에 와 계십니다"라고 말해 주었습니다. 종종 기독교 경건 서적을 읽다 보면 '기도하는 성자 하이드'의 이야기가 많이 나옵니다. 그는 굉장한 설교자도, 특별한 업적을 남긴 사람도 아니었지만, 기도를 통해서 영감을 불러일으킨 사람이었습니다. 그를 만나는 사람마다 기도하는 사람이 되었습니다. 기도의 불을 지르고 다니는 사람이었던 것입니다. 하이드가 와 있다는 말을 듣고 채프먼 박사는 너무 기뻤습니다.

"그분을 좀 모셔와 주세요. 제가 그분께 기도를 받고 싶습니다."

잠시 후, 하이드 선생이 들어왔습니다. 채프먼 박사는 무릎을 꿇으면서, "하이드 선생님, 내가 설교하려고 하니 굉장히 떨리는데, 나를 위해서 기도해 주십시오"라고 말했습니다. 그러자 "그래요? 그러면 함께 기도합시다"라고 말하며 하이드는 채프먼 박사의 손을 잡았습니다. 그러고는 머리를 숙였습니다. 그런데 아무 소리도 나지 않는 것입니다. 1분, 2분, 3분, 4분, 5분이 지나도 계속 침묵이었습니다. 거의 10분이 지났을 무렵, 하이드의 입술에서 조용히 한마디의 기도가 흘러나왔습니다.

"주님, 우리에게 하나님의 영광을 보여 주십시오. 당신의 영광을 보여 주십시오."

그 순간 채프먼 박사는 갑자기 그 방이 따뜻해지는 것을 느꼈습니다. 설명할 수 없는 임재, 거룩한 임재를 경험한 것입니다. 그의 몸이 막 떨리기 시작했습니다.

후에 채프먼 박사는 글을 쓸 때마다 이 경험을 언급했습니다. 그러면서 이런 말을 덧붙였습니다.

"나는 그날 기도를 배웠다. 기도는 하나님의 임재 속으로 들어가는 것이다. 그리고 하나님의 영광을 보는 것이다."

얼마나 놀라운 기도의 정의입니까? 기도는 하나님과 함께하는 것, 하나님의 임재 속으로 들어가는 것 그리고 하나님의 영광을 보는 것입니다.

우리가 하나님의 임재 속으로 들어가기를 바랍니다. 기도 속에서 하나님의 영광을 체험하게 되기를 바랍니다. 그 영광을 보면 능력 있게 걸어갈 수 있을 것입니다. 하나님과 함께 있는 것을 배웁시다. 기도로 하나님과 함께하는 것을 배웁시다.

그의 음성을 들으라

우리가 하나님의 영광을 체험하려면 둘째로, 주님의 음성을 듣는 것을 배워야 합니다. 어떻게 주님의 음성을 들을 수 있을까요? 세 제자는 본문에서 어떻게 주님의 음성을 들었습니까?

주님의 모습이 변화되기 시작했습니다. 옷이 변하고 영광이 막 나타났습니다. 하늘의 영광이 주님에게서 나타나기 시작했습니다. 그런데 누가복음 9장 32절에 보면, 이들이 기도하다가 졸았다고 했습니다. 제자들은 졸다가 한순간에 무엇인가 이상한 변화를 감지하고 눈을 떴습니다. 보니까 이상한 광경이 벌어지고 있었습니다. 무슨 광경이 벌어지고 있었습니까?

> "이에 엘리야가 모세와 함께 그들에게 나타나 예수와 더불어 말하거늘"(막 9:4).

예수님과 함께 양쪽 좌우에 모세와 엘리야가 등장한 것입니다. 그들은 구약 시대의 사람입니다. 그런데 모세가 엘리야와 더불어 나타났습니다. 희한한 일입니다. 구약 시대의 영웅이었던 모세와 엘리야가 나타나서 예수님과 대화하는 모습이 보이는 것입니다. 졸다가 깨어나서 얼마나 놀랐겠습니까? 그래서 베드로는 뭐라고 했습니까?

"주님, 정말 놀라워요. 우리가 여기에 초막 셋을 짓고 싶습니다. 하나는 주님을 위해서, 하나는 모세를 위해서, 하나는 엘리야를 위해서요. 그리고 여기서 좀 오래 있으면 좋겠습니다."

그는 지금 졸다가 깨어서 헛소리를 하는 것입니다. 생각이 있는 베드로라면 "왜 주님 곁에 모세와 엘리야가 나타났을까?"라고 질문했을 것입니다.

왜 하필이면 모세와 엘리야가 나타났을까요? 이들 말고도 구약의 영웅이 얼마나 많습니까? 왜 이들이 나타났을까요? 여기에는 의미가 있습니다. 모세에게 있어서 가장 중요한 것은, 그가 율법을 대표하는 사람이라는 사실입니다. 모세를 소개할 때마다 "율법은 모세로 말미암아 주어진 것이요"(요 1:17)라고 했습니다. 그럼 엘리야는 누구일까요? 엘리야는 선지자의 대표입니다. 그럼 왜 율법의 대표와 선지자의 대표가 나타났을까요?

율법이 가르치는 가장 중요한 핵심은 무엇입니까? 성경은 예수님을 율법의 완성이라고 말씀합니다. 바울은 갈라디아서에서 율법을 가리켜 "그리스도께로 인도하는 초등 교사"(갈 3:24)라고 말합니다. 율법은 '하라, 하지 마라' 하는 법입니다. 우리는 하라는 것은 하지 못하고, 하지 말라는 것은 했습니다. 우리는 법을 깨뜨린 죄인입니다. 이 죄에서 우리를 구원하러 오신 예수 그리스도, 성경은 그분이 바로 율법의 완성이라고 가르칩니다.

예언서에는 많은 예언이 있습니다. 그러나 그 예언들의 유일한 초점은 장차 오실 메시아, 예수 그리스도를 가리키고 있습니다. 그러니까 모세도 예수님을 가리키는 것이고, 엘리야도 선지자로서 예수님을 가리키고 있던 것입니다. 초점은 누구입니까? 예수님입니다.

그러나 모세와 엘리야를 예수님과 동일 수준에 놓고 생각해서는 안 됩니다. 모세와 엘리야는 조역에 불과합니다. 주역은 예수님입니다. 모세도 증거했던 예수님, 엘리야도 증거했던 예수님, 율법이 증거하고 선지자들이 증거했던 예수님, 그분을 바라보라는 것이 메시지입니다. 모세와 엘리야가 나타났다, 죽었던 사람이 나타났다는 것이 중요한 것이 아니라, 이 신기한 광경의 초점은 예수님이었습니다.

잠시 후, 어떤 사건이 일어났습니까? 모세와 엘리야는 조금 있다가 사라집니다. 사라지는 것이 마땅합니다. 율법이 그리스도를 증거하기 위해서 왔다면, 그리스도가 나타나신 다음에 그 율법은 더이상 존재할 이유가 없습니다. 선지자들이 예수 그리스도를 증거했다면, 예수님이 나타나신 후에는 더 이상 증거해야 할 이유가 없기 때문입니다.

> "마침 구름이 와서 그들을 덮으며 구름 속에서 소리가 나되 이는 내 사랑하는 아들이니 너희는 그의 말을 들으라 하는지라 문득 둘러보니 아무도 보이지 아니하고 오직 예수와 자기들뿐이었더라"(막 9:7-8).

이제 모세도 사라지고 엘리야도 사라지고, 신기한 광경도 사라졌습니다. 예수님만 남았습니다. 그때 구름 속에서 소리가 들려왔습니다. 이것이 중요합니다. 기독교는 많은 체험을 제공하지만, 그 체험 자체가 중요한 것은 아닙니다. 체험을 통해서 우리는 예수님을 붙잡아야 합니다. 체험에 매달리면 안 됩니다. 체험은 수단에 불과합니다.

우리 가운데 놀라운 메시지를 전하는 사람들이 있습니다. 그러나 그 사람들은 중요하지 않습니다. 제가 예수님을 증거했으면, 저는 잊어도 상관없습니다. 중요한 것은 예수님입니다.

　모세도 사라지고 엘리야도 사라졌습니다. 예수님만 남았고, 하늘에서 소리가 나기를 "그의 말을 들으라"라고 했습니다. 예수님이 선한 목자이심을 믿습니까? 길이심을 믿습니까? 진리요, 생명이심을 믿습니까? 그렇다면 그 주님을 따라가는 것이 승리요, 영광인 것을 믿으십시오. 그분을 따라가기 위해서는 그분의 음성을 들어야 합니다. 성경은, "양들은 목자의 음성을 듣는다"라고 말씀합니다. 우리가 제대로 살기 위해서 주님의 음성을 듣는 것보다 중요한 것이 어디 있겠습니까? 그보다 중요한 것은 없습니다.

　그렇다면 어떻게 주님의 음성을 들을 수 있습니까? 지금도 하늘에서 소리가 났으면 좋겠습니다. 물론 그렇게 주님의 음성을 듣는 사람도 있기는 합니다. 그러나 하나님은 모든 시대의 성도들이 보편적으로 확실하게 주님의 음성을 들을 수 있도록 성경을 주셨습니다. 베드로후서에서 사도 베드로가 그 사실을 기록합니다.

　　"이 소리는 우리가 그와 함께 거룩한 산에 있을 때에 하늘로부터 난 것을 들은 것이라 또 우리에게는 더 확실한 예언이 있어 어두운 데를 비추는 등불과 같으니 날이 새어 샛별이 너희 마음에 떠오르기까지 너희가 이것을 주의하는 것이 옳으니라 먼저 알 것은 성경의 모든 예언은"(벧후 1:18-20).

　우리는 하늘에서 소리가 들려올 것을 기대할 필요가 없습니다.

삶에서 주님의 구체적 임재를 경험하고, 우리 인생의 목표를 위하여 올바른 결정을 내리기 위해서는 아침마다 성경을 열어 주의 음성을 들으면 됩니다. 무릎 꿇어 주님 앞에 기도하며, 하나님과 함께 있는 것을 경험하면 됩니다.

성경을 열어 주의 음성을 듣게 되기를 바랍니다. 큐티를 회복하기를 바랍니다. 그만두었다면 다시 주님과 교제하며 그분의 음성을 듣기 시작하십시오. 하루를 주님의 음성을 듣고 출발하십시오. 아직도 큐티가 익숙하지 않다면, 새벽 기도회에 나가서 기도하십시오. 중요한 것은 성경을 읽고 기도하면서 하나님의 인도를 받는 것입니다. 주님의 음성을 듣고 주님을 따라가는 그 길이 승리의 길입니다. 거기서 영광이 체험될 것입니다.

예수님을 붙들고 내려오라

마지막으로, 이 시대에 우리가 하늘의 영광을 체험하기 위해서 중요한 것은, 오직 예수님을 붙들고 산에서 내려와야 한다는 것입니다.

> "그들이 산에서 내려올 때에 예수께서 경고하시되 인자가 죽은 자가운데서 살아날 때까지는 본 것을 아무에게도 이르지 말라 하시니"(막 9:9).

산에서 내려왔습니다. 산은 내려오기 위해서 올라가는 것입니다. 산에서 살기 위해 올라가는 사람은 거의 없습니다. 산에서 어떤 유익한 경험을 얻고 내려오기 위해서 오르는 것입니다. 그러나 내려올 때 무엇을 가지고 내려오느냐가 중요합니다. 세 제자는 산에서 신기한 체험을 했습니다. 그러나 주님은 체험을 가지고 내려올 것을 기대하지 않으십니다. 체험의 핵심은 누구입니까? 예수님입니다. 본문 8절에 보면 아무것도 보이지 않았습니다. 체험은 사라졌습니다. 체험은 영원할 수 없는 것입니다.

저는 우리가 많은 체험을 하기를 바랍니다. 교회에 나와 아무런 체험도 하지 못하면서 신앙생활을 하는 사람들은 무미건조합니다. 감격이 없습니다. 그러나 체험을 숭배하지는 마십시오. 지나치게 체험을 높이고 그 속으로만 빠져들어 가는 신앙을 '신비주의'라고 말합니다. 물론 기독교에는 신비성이 있습니다. 기독교에는 체험의 영역들이 있습니다. 그러나 기독교는 신비주의가 아닙니다.

신비주의는 두 가지 면에서 우리를 해롭게 할 수 있습니다. 우선, 신비주의는 우리의 신앙을 주관적 독단성에 빠뜨리는 경향이 있습니다. 체험 속에 빠져들게 되면 그 체험을 절대화시킵니다. 이런 사람들은 체험하지 않은 사람들을 비판합니다. 올바른 체험을 한 사람이라면 체험을 통해서 예수님을 붙들고, 예수님을 높이고, 예수님이 원하시는 삶을 살면 됩니다.

또 다른 신비주의의 해로움은, 사회성이 결여되어 있다는 것입니다. 계속해서 체험에 빠져드는 사람은 더 뜨거운, 더 자극적인 체험을 찾아다닙니다. 오늘은 이 기도원에서 내일은 저 기도원으로, 그러다 보면 가정을 등한히 여기고 직장을 등한히 여깁니다. 역사를 등한히 여깁니다. 사회성이 없어집니다. 이것 역시 잘못된 신앙의 모습입니다.

그렇다면 왜 체험을 주셨을까요? 주님이 체험을 주시는 이유는, 체험을 통해서 예수님을 붙들고 제자로서 주님이 원하시는 삶을 살게 하기 위해서입니다. 그러니 가정으로, 직장으로 가야 합니다. 말씀의 원리를 붙들고 직장 한복판에서 하나님이 원하시는 정직한 삶, 복음의 영광을 나타내는 삶을 살아야 합니다. 산에 올라가 있기만 해서는 안 됩니다. 당신이 예배를 드릴 때마다 그 시간에 하늘의 문이 열리기를 바랍니다. 예배의 장소가 변화산상이 되기를 바랍니다. 그곳에서 주님의 음성을 듣게 되기를 바랍니다.

그런데 이 체험이 너무 좋은 나머지 주일뿐 아니라 일주일 내내 교회에서 살고 싶다는 마음은 옳지 않습니다. 이것이 바로 베드로의 사고방식이었습니다. 초막 셋을 그곳에 짓고 싶다는 것입니다. 하지만 주님은 그것을 원하지 않으셨습니다.

"네가 은혜를 체험했느냐? 은혜를 받았느냐? 그렇다면 산에서 내려가라. 저 마을로 가라. 거리로 가라. 좌절과 시련의 한복판으로 나의 능력을 믿고 내려가라. 하나님의 백성답게, 예수님의 제자답게 저 어둠의 음침한 골짜기에서 나의 자녀답게 살아라. 그 영광을 바라보며 하나님의 능력을 붙들고 살아다오."

이것이 주님께서 원하시는 것입니다.

남한산성에서 만난 예수님

오래전에 기독교 월간지에서 읽은 재미있는 간증을 하나 소개하고 싶습니다. 제목은 '남한산성에서 만난 예수님'입니다.

구조 조정의 한파가 막 몰아칠 때 어느 회사원이 기도를 했습니다.

"하나님, 제가 이 회사에 붙어 있을 수 있도록, 제가 회사에서 퇴출당하지 않도록 하나님, 저를 도와주십시오."

온 식구가 매달려 기도했습니다. 그럼에도 불구하고 그는 회사에서 퇴출을 당하고 말았습니다. 얼마나 마음이 상했겠습니까? 그는 하나님께 배신감을 느꼈습니다. 마음이 난폭해지기 시작했습니다.

주일 아침, 부인이 교회에 가자고 그를 설득했습니다.

"교회는 안 가! 하나님은 없어. 나 교회에 안 간단 말이야."

"여보, 그거 하나 때문에 좌절하면 어떻게 해요? 하나님이 다른 계획을 가지고 계실지도 모르잖아요."

"무슨 계획? 하나님은 없어. 난 교회와 끝났어."

"여보, 어떻게 그럴 수가 있어요?"

그는 따지는 아내에게 폭언을 퍼붓고는 집을 나가 버렸습니다.

또 주일이 되었습니다. 밤낮 교회에 가던 사람이 교회에 갈 일이 없으니 할 일이 없었습니다. 그는 서울 시내를 빙빙 돌아다니다가 오후쯤 남한산성으로 갔습니다. 버스에서 내려서 산 쪽으로 올라가다 보니 자그마한 교회가 있었습니다. 교회 옆을 지나가는데 어떤 젊은이가 쫓아와서는 "선생님, 예수 믿으세요" 하면서 전도지

한 장을 주었습니다. 그는 전도지를 뿌리쳤습니다.

"하나님은 없어. 하나님 없어."

그랬더니 그 젊은이가 쫓아오면서 "선생님, 하나님은 살아 계십니다. 하나님을 믿으세요. 하나님은 살아 계세요. 하나님을 신뢰하세요"라고 계속해서 말하는 것이었습니다. 하나님을 안 믿는다고 하는데도 계속 쫓아오는 젊은이에게 그는 소리를 지르고는 혼자 산으로 올라갔습니다.

그런데 이상한 것은, 산에 올라가는데 이 청년이 던진 두 마디가 계속 따라오는 것입니다.

"하나님은 살아 계세요. 하나님을 신뢰하세요. 하나님은 살아 계십니다. 하나님을 믿으세요. 하나님은 살아 계세요. 하나님을 신뢰하세요…."

귀를 막아도 그 소리가 계속 들렸습니다. 산등성이를 올라가도 알 수 없는 그 소리를 더 이상 떨칠 수가 없었습니다.

그는 마침내 조그만 빈터에 들어가 쭈그리고 앉았습니다. 갑자기 눈물이 왈칵 쏟아지면서 회개의 기도가 막 터져 나왔습니다. 하나님께 대한 원망이 아니라 잘못 살아왔던 자신의 모습이 보이면서 통회의 눈물이 쏟아지기 시작했습니다. 그 자리에 하나님, 성령님이 임하셔서 그의 가슴을 만지고 흔들기 시작했습니다. 그는 거기서 3-4시간을 통곡하며 기도하고 일어났습니다. 그런데 하늘이 새로워졌습니다. 나무들이 춤추며 노래하는 것 같았습니다.

"하나님, 제가 잘못 알고 원망했어요. 하나님, 제가 신뢰합니다.

맞아요, 당신은 살아 계십니다."

그는 찬양하면서 그 산에서 내려왔습니다. 그리고 전보다 더 능력 있는 삶을 새롭게 살기 시작했습니다.

그는 산에서 주님의 영광을 가지고 내려왔습니다. 저는 당신이 하늘의 영광을 체험하게 되기를 바랍니다. 그리고 그 영광을 가지고 당신의 가정으로 가기를 바랍니다. 직장으로 가기를 바랍니다. 학원으로 가기를 바랍니다. 무엇보다 비틀거리는 사업의 장으로 가기를 바랍니다. 그 한복판에서 하나님의 자녀답게 사십시오. 거기서 무릎 꿇고 기도하십시오. 영광의 주님의 지혜를 구하십시오. 전능하신 주님의 영광이 함께한다면 견딜 것입니다. 승리할 것입니다. 다시 일어설 것입니다. 새로운 인생의 드라마가 시작될 것입니다. 이 하늘의 영광을 체험하고 새로운 출발을 하기 바랍니다.

"무리 중의 하나가 대답하되 선생님 말 못 하게 귀신 들린 내 아들을 선생님께 데려왔나이다 귀신이 어디서든지 그를 잡으면 거꾸러져 거품을 흘리며 이를 갈며 그리고 파리해지는지라 내가 선생님의 제자들에게 내쫓아 달라 하였으나 그들이 능히 하지 못하더이다 대답하여 이르시되 믿음이 없는 세대여 내가 얼마나 너희와 함께 있으며 얼마나 너희에게 참으리요 그를 내게로 데려오라 하시매 이에 데리고 오니 귀신이 예수를 보고 곧 그 아이로 심히 경련을 일으키게 하는지라 그가 땅에 엎드러져 구르며 거품을 흘리더라 예수께서 그 아버지에게 물으시되 언제부터 이렇게 되었느냐 하시니 이르되 어릴 때부터니이다 귀신이 그를 죽이려고 불과 물에 자주 던졌나이다 그러나 무엇을 하실 수 있거든 우리를 불쌍히 여기사 도와주옵소서 예수께서 이르시되 할 수 있거든이 무슨 말이냐 믿는 자에게는 능히 하지 못할 일이 없느니라 하시니 곧 그 아이의 아버지가 소리를 질러 이르되 내가 믿나이다 나의 믿음 없는 것을 도와주소서 하더라"(막 9:17-24).

6

불가능을
넘어서려면

믿음의 수준은
기도의 기준에 달렸다

살다 보면 우리의 지혜나 힘, 능력으로는 도저히 해결할 수 없는 상황을 만나게 됩니다. 그때는 어떻게 반응합니까? 극단적인 두 가지 반응을 생각해 볼 수 있습니다.

'불가능은 없다'는 신념을 가지고 사는 사람들이 있습니다. 개척 정신이 투철하거나 매우 적극적인 사고방식을 가진 이런 사람들은 문제가 닥치면 부딪혀 보자고 도전합니다. 실제로 이렇게 해서 많은 시련과 역경이 극복되고, 문제가 해결되는 놀라운 장면들을 자주 볼 수 있습니다. 이러한 삶의 자세는 매우 필요합니다.

그러나 인생에는 불가능이라는 것이 분명히 존재합니다. 일례로, 아무리 발달한 과학이라 해도 죽음의 문제는 해결하지 못할 것입니다. 죽음을 연장할 수는 있지만, 죽음을 해결할 수는 없습니다. 좀 더 병이 없는 사회를 만들어 갈 수는 있지만, 본질적으로 병이 없는 사회, 병이 없는 환경이란 존재할 수 없습니다. 또 죄를 덜 짓는 사회를 만들 수는 있지만, 죄의 문제를 본질적으로 해결할 수는 없습니다.

우리는 우리 자신의 노력에도 불구하고 인생에 존재하는 어떤 불가능을 인정해야 합니다. 이 불가능을 부정하는 것은 우리가 신이 되려는 행위라고밖에는 말할 수 없습니다. 인간의 한계 때문에 사람은 사람 됨을 고백할 수밖에 없는 것입니다. 이러한 점을 무시하고 불가능은 없다는 신념만 밀고 나가는 사람들이 있습니다. 그러나 때때로 도저히 극복하지 못하는 마지막 불가능 앞에서 주저앉아 버릴 때, 그 좌절은 더 비참한 것을 볼 수 있습니다.

그러나 정반대의 자세를 갖고 사는 사람들이 있습니다. 조그마한 어려운 일이 생겨도 도전하지 않고 포기하는 사람들입니다. 자신의 한계를 너무 쉽게 수용하고, 한계를 낮추어 버리고, 역경 앞에서 삶을 쉽게 포기하는 사람들을 주변에서 흔히 봅니다.

어떤 심리학자가 여러 마리의 벼룩을 가지고 벼룩이 얼마나 높이 뛸 수 있는가를 실험해 보았습니다. 대부분의 벼룩이 20센티미터 정도를 뛰었고, 어떤 벼룩은 무려 30센티미터나 뛸 수 있다는 것을 알았습니다. 그다음에는 벼룩들을 모아 놓고 유리컵으로 덮었습니다. 벼룩들이 계속 뜁니다. 그러나 유리컵에 부딪혀 10센티미터도 뛰지 못합니다. 유리컵으로 막혀 있으니 벼룩들이 그 이상을 뛰지 못합니다. 한두 시간이 지난 후에 유리컵을 치웠습니다. 어떻게 되었을까요? 벼룩들은 컵의 높이인 7-8센티미터, 혹은 10센티미터가 자신의 한계라고 생각하고 더 이상 뛰지 못하게 되었습니다.

"뛰어 봤자 벼룩이다"라는 말이 있습니다. 이 벼룩 같은 자세로 인생을 사는 사람이 적지 않습니다. 자신의 한계를 낮추어 버리고, 인생의 어려움 앞에서 삶을 쉽게 포기하는 사람이 우리 주변에 적잖이 있습니다.

그렇다면 불가능한 한계 앞에 도전하는 그리스도인들의 삶의 자세는 어떠해야 할까요? 우리는 인간으로서의 불가능을 받아들이고 인정하는 사람들입니다. 그러나 또한 하나님을 믿는 사람들입니다. 하나님의 도우심을 의뢰했을 때 그분과 더불어 불가능을 극복할 수 있다고 믿는 사람들입니다.

삶에서 부딪혀 오는 이러한 불가능의 난제와 사건들을 넘어서려면 어떻게 살아야 할까요? 이것이 본문 앞에서 우리가 던지는 중요한 질문입니다. 본문에 보면 한 아버지가 뇌전증인 어린아이를 데리고 예수님의 제자들을 찾아와서 치유를 부탁했습니다. 제자들은 열심히 노력했을 것입니다. 그러나 아이의 병은 도무지 고쳐지지 않았습니다. 그들은 절망에 빠졌습니다.

바로 그때 예수님이 나타나셨습니다. 산 위에서 제자들과 함께 있다가 내려오신 것입니다. 예수님을 발견한 순간, 이 아버지와 무리에게는 어쩌면 마지막일지도 모르는 새로운 소망이 생겼습니다. 아버지는 예수님 앞에 엎드려 도와 달라고 간구했습니다. 현대에도 치료하기 힘든 이 질병을 예수님이 치유하시는 과정을 보면서, 우리는 불가능을 넘어설 수 있는 삶의 비밀을 배울 수 있습니다.

내게로 오라

그렇다면 불가능을 넘어서기 위해 배워야 할 삶의 비밀이란 무엇일까요? 먼저, 예수님 앞에 문제를 가지고 나오는 것을 배워야 합니다.

> "대답하여 이르시되 믿음이 없는 세대여 내가 얼마나 너희와 함께 있으며 얼마나 너희에게 참으리요 그를 내게로 데려오라 하시매"(막 9:19).

위의 말씀 마지막 부분에 보면 예수님이 "그를 내게로 데려오라"라고 말씀하십니다. 이 말씀에서 강조된 단어는 '내게로 오라'입니다.

이 아버지는 난치병을 앓고 있는 아이를 데리고 먼저 누구를 찾아왔습니까? 예수님의 제자들을 찾아왔습니다. 예수님을 찾다가 예수님이 없으니 예수님의 제자들에게 왔을 것입니다. 그때 예수님은 어디에 계셨습니까? 변화산상에 계셨습니다. 그런데 제자들은 고치지 못했습니다.

우리는 종종 주변 사람들에게 전도할 때 이런 방법을 사용합니다. 어려움에 빠진 사람들, 고통을 당하고 있는 사람들에게 "교회에 한번 나와 보세요. 하나님을 의지하면 문제가 해결됩니다"라고 말합니다. 이렇게 말하는 것은 전혀 잘못이 아닙니다. 마땅히 그렇게 말해야 합니다. 전도를 받은 사람들은 자기가 갖고 있는 문제에 대한 해결의 희망을 안고 교회에 나옵니다.

그러나 그들이 교회에 나왔다는 사실 하나만으로 문제가 해결됩니까? 그렇지 않습니다. 우리는 경험을 통해서 잘 압니다. 물론 그들의 문제가 해결될 수 있습니다. 교회에 나와서 그들이 참으로 하나님을 만날 수 있다면 그리고 하나님을 경험할 수 있다면 그들의 문제가 해결될 수 있다고 믿습니다. 그러나 교회에 나왔다는 사실만으로는 문제가 해결되지 않습니다.

어떤 부모가 어린 자녀들을 교회에 데리고 나올 때마다 "교회에 가자"라고 말하는 대신 항상 "우리 하나님의 집에 가자"라고 말했다고 합니다. 어느 주일, 아이들에게 하나님의 집에 가자고 하니 한 아이가 대답합니다.

"나 안 갈래요. 밤낮 가 봐야 하나님은 안 계시던데요?"

꼬마는 하나님의 집에 와서 당연히 하나님을 만나리라 기대하고 둘러보았지만, 하나님을 만날 수 없었습니다.

교회의 책임은 바로 하나님을 보여 주는 것이라고 믿습니다. 예배를 왜 드립니까? 성경 공부의 목적이 무엇입니까? 하나님을 경험하게 하는 것입니다. 성경 공부의 초점을 단순한 지식이나 정보 획득에만 두는 것은 어리석은 방법입니다. 가장 중요한 것은 하나님을 경험하는 것입니다. 주님을 만나는 것입니다.

교회의 주인이 누구입니까? 예수님이십니다. 성경은 교회의 머리가 예수 그리스도라고 말씀합니다. 교회의 본질은 단순한 건물이 아닙니다. 교회 건물 안에 있다고 해서 특별한 일이 생기는 것은 아닙니다. 하나님의 백성이 참으로 살아 계신 하나님을 바라보고 예배드리는 곳, 두세 사람 이상이 주님의 이름으로 모여 주님의 이름을 높이는 그곳에 하나님이 임재하시고, 우리는 그 하나님을 경험하는 것입니다. 예수님을 만나는 것입니다. 예수님을 만나면 해결이 됩니다. 정말 중요한 것은 하나님을 만나는 것, 하나님을 경험하는 것입니다.

그러니 교회로 인도했다고 해서 끝내서는 안 됩니다. 믿지 않는 사람이 교회를 나왔다는 것은 매우 좋은 출발이지만, 그것으로 끝난 것은 아닙니다. 이제 무엇이 중요합니까? 하나님을 만나는 것이 중요합니다.

그분이 홀로 선한 목자

사람들이 문제 해결을 위해 기도할 때 흔히 갖는 기대는 영적 지도자들의 도움에 대한 기대입니다. 그것은 당연하다고 생각합니다. 저도 종종 성도들에게 기도 부탁을 받습니다. 그러면 저는 그들을 붙들고 함께 기도합니다. 이것은 잘하는 일이고, 해야 할 일이고, 필요한 일입니다. 성경이 그렇게 가르치지 않습니까?

> "너희 중에 병든 자가 있느냐 그는 교회의 장로들을 청할 것이
> 요 그들은 주의 이름으로 기름을 바르며 그를 위하여 기도할지니
> 라"(약 5:14).

그러나 그럴 때라도 우리가 주의할 것이 있습니다. 지도자가 병을 고칠까요? 아닙니다. 지도자는 도구에 불과합니다. 우리를 치유하는 궁극적인 치유자는 하나님이십니다. 하나님은 사람들을 통해서 고치십니다. 그런데 마치 사람이 고치는 것처럼 말을 한다면, 이미 신앙의 정도에서 빗나간 것입니다.

오래전에 황당한 일을 경험한 적이 있습니다. 어느 날 오후에 교우 중의 한 명을 불시에 심방했습니다. 그 집에서는 모두가 깜짝 놀랐습니다. 그런데 그 집의 네다섯 살 먹은 꼬마가 저를 보자마자 소리를 지르는 것입니다.

"하나님 오셨다!"

저를 보고 하나님이 오셨다고 하니 얼마나 황당합니까? 저는 꼬마한테 이렇게 말했습니다.

"'하나님 오셨다'가 아니야. '하나님의 종이 오셨다'야. 따라서 해봐. 하나님의 종."

요즘 이단들이 다시 부흥하는 모습을 볼 수 있습니다. 어떻게 사이비 교주와 건강한 영적 지도자를 구분할 수 있습니까? 만약 어떤

지도자가 계속해서 자기가 메시아라고 한다든지, 자기가 하나님이나 구세주라는 선포나 암시를 하면서 계속 초점을 자기에게 모은다면, 그것은 이단입니다. 그런 집단은 불건전합니다. 설교의 초점이 설교자를 높이는 데만 있지 않은지 잘 들어 보아야 합니다. 어떤 사람은 설교할 때 처음부터 끝까지 자기의 신비 체험만 간증하기도 합니다. 이것은 매우 위험합니다. 진정한 영적 지도자는 성도들을 해결자이신 하나님 앞으로 인도해야 합니다.

목자들이 양들을 인도할 때 개들을 동반하는 경우가 있습니다. 저는 때때로 이렇게 생각합니다.

'나는 개의 역할을 할 뿐이다.'

진정한 목자 되신 주님 앞으로 사람들이 달려가도록, 주님을 보고 의존하도록 가르치는 것뿐입니다. 영적 지도자의 책임은 끊임없이 사람들이 주님을 바라보도록 메시지로, 교육으로, 훈련으로 강조하는 것입니다.

하나님을 바라보십시오. 예수님을 바라보십시오. 예수님은 하나님이십니다. 그분이 길이요, 진리요, 생명이십니다. 그분이 홀로 선한 목자 되십니다. 그분을 바라보기 바랍니다. 문제를 가지고 주님 앞에 나오십시오. 지도자들의 도움을 받는 순간까지도, "하나님, 이 종을 통해서 하나님이 역사해 주십시오"라고 기도해야 합니다. 하나님이 함께하시는 놀라운 삶을 경험하기를 바랍니다.

믿음이 없음이 아니라 적었기에

두 번째로 중요한 것은, 예수님을 신뢰하는 것을 배워야 합니다. 예수님 앞에 문제를 가지고 나올 때 예수님을 믿어야 합니다. 정말 예수님이 우리를 고치실 수 있다고 신뢰해야 합니다. 제자들이 귀신을 쫓아내는 일이나 병 고치는 일에 실패한 후 이런 질문을 던집니다.

> "집에 들어가시매 제자들이 조용히 묻자오되 우리는 어찌하여 능히 그 귀신을 쫓아내지 못하였나이까"(막 9:28).

그때 예수님은 그 원인을 무엇이라고 하셨습니까?

> "대답하여 이르시되 믿음이 없는 세대여"(막 9:19).

예수님은 기적이 일어나지 않은 이유, 이 아이의 병이 고쳐지지 않은 이유에 대해 간접적으로 무엇이라고 말씀하셨습니까? 제자들에게 믿음이 없었기 때문에, 하나님에 대한 신뢰가 없었기 때문이라고 말씀하셨습니다.

똑같은 사건을 기록하고 있는 마태복음 17장 17-20절을 보면 예수님이 주변의 많은 무리에게 먼저 말씀하십니다.

"믿음이 없는 세대여."

그다음에는 제자들을 향해서 말씀하십니다.

"너희 믿음이 작은 까닭이니라."

막연한 구경꾼 무리에게는 믿음이 없다고 말씀하셨습니다. 오늘 이 세대가 하나님의 기적과 하나님의 영광을 경험하지 못하는 이유가 무엇입니까? 믿음이 없기 때문입니다. 하나님은 당신을 신뢰하는 곳에서 당신의 영광을 나타내시고, 임재를 계시하시며, 손길을 내밀어 주십니다.

그러나 제자들에게는 믿음이 없다고 말씀하지 않고 적다고 하셨습니다. 이들이 예수 그리스도의 제자가 되기로 결심했을 때는 예수님을 향한 어느 정도의 믿음이 있었을 것입니다. 믿음 없는 사람들은 아니었습니다. 우리도 어느 정도의 믿음은 다 갖고 있을 것입니다. 차이는 있지만 믿음이 있기에 예배드리고, 찬양하고, 기도하고, 주님 앞에 나와서 봉사도 하며 섬기는 것이 아닙니까? 누군가가 우리에게 "왜 이렇게 믿음이 없습니까?"라고 말하면 기분이 좋지 않을 것입니다. 예수님도 그렇게 말씀하시지는 않았습니다. 그러나 그들이 실패한 이유는, 믿음이 없는 것은 아니지만 적었기 때문에 이 현장에서만은 주님을 향한 그들의 믿음을 온전히 실현하지 못한 것입니다.

믿음의 대상이 중요하다

우리가 믿는다고 할 때 중요한 것은 믿음 그 자체가 아닙니다. 믿음의 대상이 중요합니다. 예수님을 믿는 믿음이 중요한 것입니다. '크리스천 사이언스'(Christian Science)라는 이단이 있습니다. 우리나라에는 잘 알려져 있지 않지만 외국에서는 아주 맹렬한 활동을 하고 있는 이단입니다. 이 사람들은 믿음을 강조하지만, 이 믿음은 철저하게 자기 자신에 대한 것입니다. "자신 자신을 믿어라"입니다. 자신을 믿으면 안 되는 일이 없다고 합니다. 오늘날 이런 이단들이 얼마나 우리 주변에 많은지 모릅니다.

그러나 성경은 그런 단순한 믿음을 강조하지 않았습니다. 자신에 대한 믿음이 아닙니다. 기독교에서 믿음의 대상은 누구입니까? 우리는 하나님을 그리고 예수 그리스도를 우리 믿음의 대상으로 삼습니다. 그리스도를 믿는 것입니다. 우리가 자신을 믿는다면 예수님을 믿을 필요가 없습니다. 우리는 자신의 한계를, 좌절을, 절망을 압니다. 자신의 죄를 압니다. 그래서 우리의 구세주요, 주님이신 그리스도 앞에 나와 엎드려 그분을 우리의 주님으로 믿고 신뢰하며, 그분을 따라가는 것입니다. 이것이 인본주의와 기독교의 결정적이고도 본질적인 차이입니다.

중요한 것은 주님에 대한 진정한 신뢰입니다. 주님을 신뢰한다고 말하면서도 사실은 자신을 은근히 믿고 있는 그리스도인이 있습니다. 전 세계 그리스도인 가운데서 한국 교인들처럼 '믿는다'는 단어를 강조하는 민족은 없다고 생각합니다. 우리는 단순히 "주님을 믿습니다"라고 말하지 않습니다. '믿씁니다' 하며 '씁'자를 강조해서 말합니다. 그러나 그렇게 말해 놓고 사실은 주님을 믿는 것이 아니라 자기를 믿고 있을 가능성이 충분히 있습니다.

본문의 제자들이 그랬습니다. 지금 제자들이 왜 축사에, 이 아이의 병을 고치는 일에 실패했을까요? 이전에는 그들도 성공했습니다. 예수님은 열두 제자와 70명의 제자를 전도하라고 내보낼 때 권세를 주어서 보내셨습니다. 병을 고칠 수 있는 능력, 귀신을 쫓아낼 수 있는 능력과 권세를 주어서 내보내셨습니다. 돌아온 그들은 어떤 보고를 했습니까? "선생님, 굉장하던데요. 우리가 기도하니까 병자가 낫고 귀신들도 항복했습니다"라고 했습니다. 그러니 이번에도 성공할 줄 알았던 것 같습니다.

더욱이 본문의 상황을 자세히 분석해 보면, 이 제자들의 아주 미묘한 심리적 상태를 읽어 낼 수 있습니다. 지금 병든 아이와 씨름하고 있는 제자는 아홉 명입니다. 세 명은 예수님과 함께 산에 올라갔습니다. 이 세 제자가 누구입니까? 베드로, 야고보, 요한, 다시 말하면 제자들 중에서도 대표적인 제자들이었습니다. 이 세 명의 대표적인 제자가 없어진 것입니다. 그들을 뺀 아홉 명만 남아 있었을 때, 아이의 아버지가 나타난 것입니다.

이 아홉 명의 제자는 세 명이 없는 것을 잘됐다고 생각했을까요? 본문에는 나와 있지 않지만, 제 추측에는 이 아홉 명이 아주 신이 났을 것 같습니다. 모두 함께 있으면 항상 누가 대표로 기도했을까요? 베드로가 기도했을 것이 뻔합니다. 이 세 사람이 없으니 '우리도 한번 무엇인가를 보여 주자. 베드로만 병 고칠 줄 아냐? 나도 고칠 수 있다'고 생각하고, 아마 폼을 잡으면서 문제없이 고쳐 주겠다고 했을지도 모릅니다. 그런데 귀신이 안 나갔습니다. 아이의 병이 낫지 않았습니다. 실패한 것입니다.

예수님을 믿는다고, 기도한다고 말하고 신앙적인 내용과 틀을 사용하면서도 이 아홉 제자의 마음 밑바탕에는 '자기 과시', 즉 자신이 무엇인가를 할 수 있다는 생각이 있었습니다. 그때가 바로 실패의 순간입니다. 자신이 강하다고 생각할 때 우리는 실패합니다. 신앙의 역설은 이것입니다. 우리가 약함을 느끼는 순간, 그래서 주님을 의지하는 순간에 역사가 일어납니다. 그래서 바울은 이렇게 말합니다.

"내가 약할 때가 강한 순간이다."

자신의 무력과 좌절을 느끼고, 그래서 하나님을 전적으로 신뢰하는 그 순간이 바로 하나님이 임하시는 순간이요, 하나님이 우리를 사용하시는 순간입니다.

실패의 원인은 자신을 믿었기 때문입니다. 신앙인이면서도, 제자면서도 주님을 신뢰하기보다 자기 자신을 신뢰하고 싶은 유혹에 빠진 그 순간, 그들은 보기 좋게 실패를 경험했습니다. 인생을 살아가면서 허다한 난제들이 당신을 괴롭힐 때 이 사실을 기억하기 바랍니다. 문제를 주님 앞에 가지고 나오십시오. 하나님을 바라보십시오. 하나님을 신뢰하십시오. 주님이 우리의 도움이 되십시오.

기도와 금식 외에는

마지막으로 가장 중요한 것은, 기도로 문제를 해결하는 것을 배워야 한다는 것입니다. 문제를 어디로 가지고 나옵니까? 예수님 앞으로 가지고 나옵니다. 그다음에 할 일은 예수 그리스도를 신뢰하는 것입니다. 그런데 어떻게 신뢰합니까? 어떻게 믿음이 자랄 수 있습니까?

예수님을 온전히 신뢰하는 방법은 기도하는 것입니다. 기도는 우리로 하여금 하나님을 의지하게 하는 방편입니다. 기도할수록 하나님을 더 의지하게 됩니다. 기도하지 않을수록 자기의 생각, 자기의 의지, 자기의 계획, 자기의 잔꾀를 의지합니다. 그러나 기도하는 사람은 하나님만 의지합니다. 기도하면서 우리는 주님을 바라보게 됩니다.

꽤 오래전의 일입니다. 언젠가 교회에서 '청지기 세미나'를 한 적이 있습니다. 그때 강사가 강조한 것 중의 하나가, '왜 기도하지 않는가? 교만하기 때문이다'라는 것이었습니다. 전적으로 동감합니다. 자신이 다 할 수 있다고 교만하게 생각하니까 기도할 필요를 느끼지 않는 것입니다. 그러나 자기 절망을 느낄 때, 자기의 한계를 느낄 때 하나님을 찾게 됩니다. 자기 절망을 느끼지 않을 때도 '주님의 방법이 최선이다', '주님의 지혜만이 최선이다'라는 사실을 참으로 믿는다면, 우리는 어떤 일을 하기에 앞서 무릎을 꿇어 기도할 것입니다. 교만하면 기도하지 못합니다.

제자들은 왜 귀신을 쫓아낼 수 없었습니까? 주님의 대답이 본문

29절에 있습니다.

> "이르시되 기도 외에 다른 것으로는 이런 종류가 나갈 수 없느니라 하시니라"(막 9:29).

기도가 이런 문제를 해결할 수 있는 가장 유력한 방법이라는 말입니다. 그런데 똑같은 기사가 기록되어 있는 마태복음을 보면 재미있습니다. 마태복음 17장 21절을 보십시오. '없음'이라고 되어 있습니다. 그리고 관주에 보면 이렇게 적어 놓았습니다.

> 어떤 사본에, 21절 '기도와 금식이 아니면 이런 유가 나가지 아니하느니라'가 있음.

기도만 강조한 것이 아니라 금식까지 강조했다고 말씀하고 있습니다.

기도의 가장 강렬한 형태가 금식입니다. 사람들이 집착하는 것, 하루를 살면서 절대로 빼놓지 않는 것은 역시 먹는 일입니다. 그런데 그 식사 시간까지 단절하고 하나님께 매달리는 기도가 바로 금식 기도입니다. 기도와 금식은 이런 일을 가능하게 합니다. 어떤 사람들이 종종 "목사님, 저도 어려운 일을 만나서 기도해 봤어요. 그래도 안 되던데요"라고 하면 제가 가끔 반문합니다. "금식까지 해 보셨습니까?"라고 말입니다. 한두 번의 기도가 아니라 정말 간절히 매달리는 기도, 그 기도의 가장 간절한 형태가 있다면 그것은 금식이라고 할 수 있습니다.

빌립보서에서 바울은 이렇게 말합니다.

"아무것도 염려하지 말고 다만 모든 일에 기도와 간구로, 너희 구할 것을 감사함으로 하나님께 아뢰라"(빌 4:6).

'아무것'(anything)과 '모든 일'(everything)이라는 단어가 비교되고 있습니다. 사실 염려만큼 비생산적인 것은 없습니다. 염려하면 더 깊은 염려 속에 빠지게 됩니다. 염려를 중단하십시오. 그리고 염려를 기도로 바꾸십시오. 하나님이 기도 제목을 주셨다고 생각하고, 염려를 기도 제목으로 바꾸십시오.

그런데 기도만 강조된 것이 아닙니다. 잘 보면 뭐라고 했습니까? '모든 일에 기도와 간구로'라고 되어 있습니다. 기도 다음에 나오는 단어가 '간구'입니다. 기도만 강조한 것이 아니라 '간구하라', 즉 '간절히 기도하라'는 것입니다. 간절히 기도하는 사람은 결국 금식에 도달할 수밖에 없습니다.

우리에게는 너무나 많은 불가능의 문제가 있습니다. 그러나 우리의 힘, 우리의 지혜, 우리의 생각으로 감당할 수 없는 난제들을 뚫고 하나님의 영광과 임재를 경험하기 위해서, 살아 계신 하나님의 놀라움을 경험하기 위해서 주님 앞에 엎드리는 교회, 주님 앞에 엎드리는 그리스도인이 되어야 합니다.

기도의 능력

초대 교회의 능력은 기도에서 나왔습니다. 사도행전에 나타난 초대 교회가 굉장히 이상적인 교회라고 해서 현대 교회보다 훨씬 우수한 어떤 교회라고 상상하지 마십시오. 그들에게도 우리와 똑같은 문제들이 있었습니다. 우리보다 교인 수도 적었습니다. 그럼에도 불구하고 당대를 흔들 수 있는 영향력을 가지고 있었습니다. 그 원인이 무엇이었을까요? 금식에 있었습니다. 기도와 금식의 창 없이는 사도행전의 페이지를 넘기지 못할 것입니다. 거기에는 엎드려 기도하는 사람들의 모습이 있습니다. 그 기도가 세계를 움직였던 것입니다.

하비스트 크리스천 펠로우십(Harvest Christian Fellowship)의 담임목사인 그렉 로리(Greg Laurie)는 오래전 한 책에서 사도행전의 교회에 대해 이런 이야기를 했습니다.

"사도행전의 교회들은 회의보다도 기도를 더 많이 했다. 만약 초대 교회가 한 시간 회의를 했다면 두 시간 기도했을 것이다. 그러나 오늘날의 교회는 어떠한가? 오늘날 대부분의 교회들은 두 시간 회의를 했다면 한 시간 정도밖에는 기도하지 않을 것이다. 아니, 한 시간이 아니라 단 10분도 기도하지 못하지 않을까?"

그 당시 이 내용을 읽고는 마음이 찔렸습니다. '우리 교회 그리고 나에게 하는 이야기로구나' 하는 생각이 들었습니다. '아, 내가 정말 기도하지 못했구나. 우리 교회부터 회의 구조를 바꿔야겠다. 정말 우리가 하나님의 인도를 경험하기 위해서는, 성령님의 임재와 하나님의 놀라우심을 경험하기 위해서는, 30분 회의했다면 적어도 30분 이상 기도하고, 한 시간 회의했다면 한 시간 이상 엎드려서 하나님의 도우심을 구해야겠구나. 그처럼 간구하는 엎드림이 있다면 얼마나 달라질 것인가?' 하는 생각이 들었습니다. 그러면서 오래전 영국을 방문했을 때 보았던 한 교회가 생각났습니다. 처음으로 영국을 방문하게 되었을 때, 공항으로 데리러 나오신 한 선교사님이 런던에서 제일 보고 싶은 것이 무엇이냐고 묻기에 대답했습니다.

"저, 스펄전 목사님의 교회를 보고 싶습니다."

'설교의 왕자'라 일컬어지는 찰스 스펄전(Charles Haddon Spurgeon)이 사역하던 교회는 어떤 모습일까 궁금했습니다. 그래서 주일에 그 교회에 갔습니다. 그런데 사람이 200명도 채 안 모였습니다. 찬양도 힘이 없었고, 회중도 무력해 보였습니다. 설교도 별로 큰 감동이 되지 못했습니다. 저는 슬퍼서 뒤에 앉아 계속 울었습니다.

어째서 스펄전의 교회가 이렇게 되었을까요? 한때는 6천 명 이상의 청중이 자리를 채우던 교회였습니다. 많이 모일 때는 1만 명, 2만 명씩 모여서 성령을 체험하고 하나님의 놀라운 능력과 영광으로 불타오르던 교회였습니다. 스펄전의 전기에 보면 이런 이야기가 나옵니다. 스펄전은 교회를 방문하는 사람들을 항상 교회 본당이 아닌 아래층으로 데리고 갔다고 합니다. 그 아래층에는 기도하는 성도가 많았습니다. 그 성도들의 모습을 자랑스럽게 보여 주면서 스펄전은 이렇게 말했다고 합니다.

"제 목회의 비밀은 여기 기도하는 성도들입니다. 이들이 나의 힘입니다. 이들이 바로 우리 교회의 발전소입니다. 이들의 기도 때문에 오늘의 우리 교회가 존재할 수 있는 것입니다."

스펄전의 탁월한 설교 때문만이 아니라, 기도하던 그 성도들을 통해서 그 교회는 황금기를 누리고 영국을 변혁시키는 변혁의 초점이 되었던 것입니다.

어떤 글에는 스펄전이 떠나간 후에 교회가 비틀거리기 시작했다고 기록되어 있습니다. 제일 먼저 기도하는 운동이 없어졌다는 것입니다. 기도의 불이 꺼졌습니다. 만약 성도들이 계속 기도로 지켰더라면 그 교회는 지금도 능력 있는 사역을 계속하고 있을 것입니다. 기도가 사라질 때, 하나님은 당신의 영광을 그 교회에서 거두십니다.

저는 교회의 모든 성도가 먼저 기도하는 사람이 되기를 바랍니다. 함께 엎드려 기도하고, 때로는 금식도 하십시오. 중요한 문제들을 위해 식사를 단절하고 엎드려 하나님의 인도를 구하기 시작할 때 하늘의 문이 열릴 것입니다. 하나님의 영광이 부어질 것입니다. 주님이 우리와 함께하실 것입니다. 세상을 바꾸는 위대한 교회의 능력을 보기 시작할 것입니다. 가정의 문제도 떠나갈 것입니다. 하나님의 위대한 능력이 나타날 것입니다.

주님이 당신에게 기도의 능력과 엎드려 기도하는 금식의 능력을 가르쳐 주시기를 주님의 이름으로 간절히 바랍니다.

"가버나움에 이르러 집에 계실새 제자들에게 물으시되 너희가 길에서 서로 토론한 것이 무엇이냐 하시되 그들이 잠잠하니 이는 길에서 서로 누가 크냐 하고 쟁론하였음이라 예수께서 앉으사 열두 제자를 불러서 이르시되 누구든지 첫째가 되고자 하면 뭇사람의 끝이 되며 뭇사람을 섬기는 자가 되어야 하리라 하시고 어린아이 하나를 데려다가 그들 가운데 세우시고 안으시며 제자들에게 이르시되 누구든지 내 이름으로 이런 어린아이 하나를 영접하면 곧 나를 영접함이요 누구든지 나를 영접하면 나를 영접함이 아니요 나를 보내신 이를 영접함이니라 요한이 예수께 여짜오되 선생님 우리를 따르지 않는 어떤 자가 주의 이름으로 귀신을 내쫓는 것을 우리가 보고 우리를 따르지 아니하므로 금하였나이다 예수께서 이르시되 금하지 말라 내 이름을 의탁하여 능한 일을 행하고 즉시로 나를 비방할 자가 없느니라 우리를 반대하지 않는 자는 우리를 위하는 자니라"(막 9:33-40).

7

섬기는 자가
되어야 하리라

죄의 옷을 벗어야
종의 옷을 입을 수 있다

기독교의 복음은 인간을 변화시킬 뿐만 아니라, 문화 속에서 사람들이 행동하는 일종의 기본적인 정신 양식이라 할 수 있는 의식을 바꾸기도 합니다. 인류의 역사 가운데 가장 오랫동안 천시되어 온 사람들은 노예 계급, 곧 종이라고 생각합니다. 예수님 당시의 로마 문화는 '종의 문화'라고 할 수 있을 정도로, 로마 사회는 5천만 명이 넘는 많은 노예를 부렸습니다. 세계를 정복하면서 식민지에서 잡아온 수많은 노예를 통해서 사회를 유지하고 있었던 것입니다.

이처럼 노예들은 필요 불가결한 사회 구성원이었는데도 그들을 극도로 천시하는 이율배반적인 체제가 바로 로마 사회였습니다. 그런데 이 로마에 기독교의 복음이 들어옵니다. 그러면서 이 종에 대한 개념이 변하기 시작합니다. 그때부터 시작해서 지금까지 종이라는 개념은 계속 변신을 거듭합니다. 바울은 당시 로마교회를 향해서 쓴 로마서의 서두를 이렇게 시작합니다.

"예수 그리스도의 종 바울은"(롬 1:1).

바울은 이렇게 자신을 종으로 소개합니다. '종'을 뜻하는 헬라어에는 몇 개의 단어가 있습니다. 그중에서도 자유가 박탈된, 개인의 자유가 완전히 무시된 종을 나타내는 것으로는 '둘로스'(dulos)라는 단어가 있습니다. 바울이 이 단어를 여기서 쓰고 있습니다.

"예수 그리스도의 둘로스인, 종 된 바울은."

이처럼 자신을 종으로 소개한 바울 이후의 복음 사역자들은 스스로를 종으로 자처하기에 이르렀습니다. 그리고 이것은 교회 내부와 광범위한 사회 계층 속에 영향을 미치게 되었습니다. 그래서 근대 사회에 이르러서는 나라의 지도자들을 종으로 인식하는 문화들이 자리 잡기 시작했습니다.

영어로 장관은 'minister'입니다. 목사를 영어로 표기할 때도 'minister'라고 합니다. 그런데 이 'minister'가 바로 '종'이라는 뜻을 가지고 있습니다. 우리나라에서는 공무원을 '공복'(公僕)이라 칭하기도 하는데, 영어로 말하면 'public servant', 곧 '공적인 종'이라는 뜻입니다.

기독교의 복음이 사회에 끼친 가장 현저한 영향 가운데 하나는 이러한 종의 정신, 봉사의 정신을 사회에 가르칠 수 있었다는 사실이라고 생각합니다. 그 기원은 기독교의 복음, 더 정확하게 말하면 예수님으로부터 나왔습니다. 예수님은 종으로 이 세상에 오셨습니다. 예수님은 "나는 섬기러 왔다"라고 말씀하셨습니다. 기독교의 정신은 바로 섬김의 정신입니다.

본문에서 예수님은 당신을 따르는 제자들에게, "너희도 섬기는 자가 되어야 하리라"라고 말씀하십니다. 그러나 오랫동안 세속 문화와 세속적 계급 의식에 젖어 왔던 우리가 종의 삶, 종의 정신, 섬김의 삶, 섬김의 정신을 배운다는 것은 결코 쉽지 않습니다. 본문은 예수님과 제자들의 대화를 통해서 우리가 정말 섬기는 자가 되려면 극복해야 할 장해물이 있다는 것을 가르쳐 줍니다. 우리에게 하시는 말씀을 귀 기울여 잘 듣기 바랍니다.

"누가 크냐"

우리가 섬기는 자가 되기 위해 극복해야 할 첫 번째는, '우월주의', '우월 의식'입니다. 예수님은 '빌립보 가이사랴'라는 헬몬산 아래에 있는 도시에 도달했을 때 "너희는 나를 누구라 하느냐?"라고 제자들에게 물으셨습니다. 이때 수제자 베드로가 나와서 대답했습니다.

"주님, 당신은 그리스도이십니다."

이 대답을 들은 주님은 기뻐하면서, 당신이 십자가를 져야 한다는 사실을 가르치고 예고하셨습니다. 그리고 제자들에게도 "자기를 부인하고 자기 십자가를 지고 나를 따라와야 한다"라고 말씀하셨습니다. 그러나 십자가를 지는 삶을 감당하기 위해서는 하늘의 영광을 볼 필요가 있었기에, 예수님은 제자들을 데리고 변화산에 올라가 변화산상의 영광을 보여 주셨습니다.

그 사건 이후, 예수님은 제자들을 데리고 다시 남쪽 갈릴리 지방의 가버나움으로 내려오십니다. 예수님은 내려오면서 줄곧 십자가를 생각하셨을 것입니다. 그것이 이 본문 직전에 있는 마가복음 9장 30-31절에 나타나 있습니다.

> "그곳을 떠나 갈릴리 가운데로 지날새 예수께서 아무에게도 알리고자 아니하시니 이는 제자들을 가르치시며 또 인자가 사람들의 손에 넘겨져 죽임을 당하고 죽은 지 삼 일 만에 살아나리라는 것을 말씀하셨기 때문이더라."

비극적인 것은 그다음 절입니다. 제자들은 예수님의 말씀을 깨닫지 못했습니다. 그래서인지 분위기 파악을 제대로 하지 못하는 듯한 모습입니다. 주님은 당신이 져야 할 다가오는 십자가를 바라보고, 생각하고, 묵상하면서 길을 걷고 계셨는데, 제자들은 길에서 어떤 일을 하고 있었을까요?

> "가버나움에 이르러 집에 계실새 제자들에게 물으시되 너희가 길

에서 서로 토론한 것이 무엇이냐 하시되"(막 9:33).

몰라서 물으신 것이 아닙니다. 예수님은 아셨습니다. 들으셨습니다. 확인을 위해서 그리고 본격적인 가르침을 위해서 물어보신 것입니다.

"그들이 잠잠하니 이는 길에서 서로 누가 크냐 하고 쟁론하였음이라"(막 9:34).

예수님은 십자가를 생각하고 계셨는데, 제자들은 그 길에서 '누가 크냐', '누가 잘났냐'를 가지고 토론하고 있었습니다. 어떤 상황 속에서 이런 토론을 하게 되었을까요? 어쩌면 세 제자만 선택해서 산에 오르셨기 때문에 자존감이 높아진 이 세 제자가 나머지 아홉 제자를 업신여김으로써, 세 제자 대 아홉 제자 사이에서 벌어진 토론일지도 모릅니다. 아니면 베드로, 야고보, 요한이 산에 올라갔을 때 주님이 변화되면서 양쪽 옆에 모세와 엘리야를 데리고 나타나셨기에, 예수님이 다시 오실 때는 누가 오른편에, 왼편에 서겠느냐고 토론했을지도 모르겠습니다. 왜냐하면 마가복음 10장에 야고보와 요한이 그것을 가지고 본격적인 싸움을 시작하는 장면이 나오기 때문입니다. 예수님의 오른편에는 누가 앉을 것이고, 왼편에는 누가 앉을 것이냐는 자리다툼을 하고 있는 제자들의 모습을 볼 수 있습니다.

강렬하고도 미묘한 권력의 유혹

우리 시대 기독교 영성 운동의 거성인 리처드 포스터(Richard Foster)의 《돈 섹스 권력》(두란노 역간)이라는 책이 있습니다. 이 책에 보면, 그리스도의 제자로서 우리가 반드시 싸우고 극복해야 할 세 가지 유혹은 돈, 성 그리고 권력의 유혹이라고 말합니다. 그런데 그 세 가지를 기술하면서 셋 중에서 가장 미묘한 것, 또 어떤 의미에서는 가장 강력한 것, 사람들이 유혹이라고 생각하지 않으면서도 빨려드는 가장 강렬하고도 미묘한 유혹이 권력의 유혹이라고 말합니다.

처음 이 책을 읽었을 때는 두 가지 유혹, 성이나 돈의 유혹은 심각하게 받아들였지만, 권력의 유혹에 대해서는 별로 동감하지 않았습니다. 제가 신학교에 다닐 때 목사님들과 선배들이 계속 강조하던 것이 있었습니다. 제대로 목회하고, 제대로 된 영적 지도자가 되려면 반드시 돈과 성적 유혹에 승리해야 한다는 것이었습니다. 그래서 저는 목사가 될 때부터 결심했습니다.

"돈 근처에는 가지도 말자. 생각하지도 말자. 아내 이외에는 여자 근처에 가지도 말자. 아내만 붙들고 다니자."

덕분에 저는 비교적 이 두 가지는 잘 지켜 왔다고 생각합니다. 그러나 권력에 대해서는 생각하지 않았습니다. 그런 유혹은 받지 않을 것이라 생각했고, 그쪽에 대해서는 관심도 없었습니다. 저는 초등학교 시절부터 반장을 해 본 일도 없고, 또 하고 싶은 적도 없었습니다. 그래서 저는 권력 쪽으로는 유혹을 안 받을 것이라고 생각했습니다.

그런데 인생을 좀 살고 나이를 먹어 가니 그리고 주변 사람들을 가만히 관찰해 보니, 권력에 대한 갈등이 제가 생각한 것보다 훨씬 심각했습니다. 권력에의 갈등은 국회의사당의 정치인들에게만 있는 것이 아니었습니다. 권력의 갈등 구조는 우리 가정 속에도 자리 잡고 있었습니다. 부부 싸움을 할 때도 마찬가지입니다. 부부 싸움의 본질이 무엇입니까? 권력 싸움입니다. 누가 가정의 주도권을 잡느냐 때문에 부부 싸움이 벌어집니다. 가정 안에서의 고부 싸움, 곳간 열쇠를 두고 일어나는 치열한 암투 역시 권력 갈등입니다. 자식들이 부모에게 도전할 때 왜 아버지들이 속상해합니까? 자식을 생각하는 것도 있지만, '감히 아버지인 나의 권력에 도전해?'라는 권력에 대한 갈등 구조가 밑바탕에 깔려 있기 때문입니다.

이것이 가정만의 문제일까요? 교회에는 이런 문제가 없을까요? 교회의 모든 자리는 철저한 봉사의 자리입니다. 일을 하기 위해서, 필요에 의해서 교회에 여러 자리가 만들어집니다. 그러나 교회의 자리조차도 얼마나 철저하게 계급화되고 있는지 생각해 보십시오. 제직에 떨어지거나 위원장직을 그만둔다고 하면 괜히 섭섭하고 속상합니다. 이것도 권력에 대한 갈등 구조가 우리 속에 얼마나 입력되어 있는가를 볼 수 있는 하나의 현상이라고 생각됩니다.

이것은 외국 사회나 교회와 비교했을 때 한국인들에게 특별히 더 강력합니다. 가장 큰 이유 중의 하나는 문화적 영향, 특별히 왜곡된 유교 문화의 영향 때문입니다. 유교 문화가 가르쳐 온 출세주의를 보십시오. 출세가 최고의 효도였습니다. 그 당시의 출세는 자리를 차지하는 것입니다. 소위 감투를 쓰는 것입니다. 그래서 흔히 조상 자랑을 할 때, "우리 몇 대 조상이 원님 노릇을 했다, 우의정이었다, 좌의정이었다"라고 말하고, 현대적으로는 "총리였다, 장관을 지냈다"라고 이야기합니다.

그러나 큰 자리를 차지했던 것이 무슨 자랑입니까? 그 자리는 일하라고 주어진 것입니다. 장관으로 있을 때 사회에 어떤 기여를 했다면 자랑일 수 있습니다. 그러나 자리나 벼슬만 차지했다는 것은 하나도 자랑이 아닙니다. 이것이 왜곡된 유교 문화가 잘못 가르쳐 온 한국 사회의 현상입니다.

서열병

우리 한국인들이 집착하고 있는 아주 무서운 병 중의 하나는 계급을 나누는 '서열병'입니다. 한국 사람들은 만나기만 하면 제일 먼저, "죄송하지만 나이가 어떻게 되십니까?" 하고 나이를 따집니다. 그러고는 자신이 한 살이라도 더 위면 형님이라고 어깨에 힘을 줍니다. 젊은이들도 서로 학번이 어떻게 되느냐고 확인합니다. 혹은 촌수를 따져서 조금만 위면 그때부터 사람을 대하는 것이 싹 달라지기 시작합니다. 한 살 많아 봐야, 촌수 많아 봐야 도토리 키 재기인데 그것을 가지고 우리는 끊임없이 권력 구조적인 인간 접근을 하고 있습니다.

　이 땅에 처음 온 선교사들의 수기 중에 이런 글이 있습니다. 언더우드(Horace Grant Underwood) 선교사가 한국 땅에 도착한 신참 선교사를 교육하면서 이런 말을 주고받았다고 합니다.

　"한국은 권력 구조다. 상석이나 하석 같은 자리를 잘 구분해야 제대로 인간 대우를 받는다. 한국 사람들은 방에도 일등석, 이등석, 삼등석이 있다."

　"그러면 한국의 방에는 일등석, 이등석, 삼등석이 표시되어 있습니까?"

　"그런 표시는 없다. 그것은 눈치로 알아차려야 한다."

　방에 들어가면 상석과 하석이 있는데, 일단 상석을 양보하고 하석을 차지했다가 남이 앉으라고 하면 상석을 차지하는 식으로, 자리 하나를 둘러싸고 한국 사람처럼 서로 "앉으십시오" 하고 싸우는 문화도 찾아보기 힘들 것입니다.

　이런 관습은 교회 안에도 있습니다. 제직은 철저한 봉사 직분임에도 불구하고 한국은 이것을 계급으로 이해합니다. 일례로 장로는 교회 안에서의 직분인데, 밖에 나가서도 명함에다 '장로'라고 써 가지고 다닙니다. 이는 다른 나라에서는 볼 수 없는 경우입니다. 제가 외국을 많이 다녀 봤지만, 장로 명함을 새겨서 주는 나라는 우리나라밖에 없었습니다. 계급으로 이해하기 때문에 그런 것입니다. 목사들도 마찬가지입니다. 목사에게 '당회장'이라는 표현을 쓰곤 하는데, 당회장은 당회가 열릴 때만 사용하는 호칭입니다. 그런데 24시간 당회가 열리지도 않는데 목사라는 좋은 말을 놔두고 '당회장님'이라고 부르곤 합니다.

심지어 한국 교회에서는 신앙 체험까지도 체험자와 비체험자로 계급화되어 있습니다. 우리는 신앙생활 중에 은혜를 체험합니다. 은사들을 체험합니다. 그것은 좋은 일이고, 필요한 일이고, 또 중요한 일입니다. 그런데 은사를 체험시켜 주신 이유가 무엇입니까? 하나님이 살아 계신 것을 확신하고 더 열심히 기도하고 이웃들을 섬기라고 주신 것인데, 그것을 가지고 사람을 차별합니다. 어떤 사람이 방언의 은사를 받았다면, 그것은 좋은 일입니다. 그것 때문에 기도 생활이 활성화되고 주님을 사랑하게 되었다면 그것은 아름다운 일입니다. 그러나 방언을 하는 사람과 하지 못하는 사람을 나누는 경우가 있습니다. 저는 본문에 등장하는 제자들의 경우가 바로 그렇다고 생각합니다. 아마도 변화산상에 올라가 영광을 체험했던 세 제자가 폼을 잡았을지도 모릅니다.

"우리는 체험했는데 너희는 못 올라갔지? 이런 체험 못 했지?"

주님은 이 체험을 주면서 말하지 말라고 하셨습니다. 영광의 증인이 필요했고 그들에게 그런 경험이 필요했기에 주셨지만, 함부로 말할 것이 아니라고 말씀하셨습니다. 그러나 체험한 사람과 체험하지 않은 사람을 구별하고 계급을 나누는 구조는 지금도 계속되고 있습니다. '나는 너보다 낫다. 너보다 우월하다'는 의식 때문에 진정한 섬김의 모습을 못 보는 일들이 오늘날 교회 안에 얼마나 많습니까? 자기를 뽐내고 싶은 우월주의를 극복할 수 있는 다른 길은 없습니다. 예수님을 똑바로 보십시오.

바울은 빌립보서 2장 5-7절에서 이렇게 말합니다.

"너희 안에 이 마음을 품으라 곧 그리스도 예수의 마음이니 그는 근본 하나님의 본체시나 하나님과 동등됨을 취할 것으로 여기지 아니하시고 오히려 자기를 비워 종의 형체를 가지사 사람들과 같이 되셨고."

이 이야기를 쉽게 바꿔 말한다면, "여러분, 예수님의 마음을 품으세요. 예수님을 본받으세요. 예수님의 자세를 배우세요. 예수님은 어떤 분이냐고요? 그분은 하나님만큼 높으세요. 아니, 그분이 하나님이세요. 그런데 하나님만큼 높은 그분이 당신을 낮추셨어요. 그래서 어떻게 하셨냐고요? 하나님이 사람이 되셨어요. 그런데 사람 가운데서도 종의 모습을 취하고 오셨어요. 그리고 마지막에는 십자가에 돌아가셨어요"입니다.

바로 이분을 본받아야 한다는 사실을 잊지 마십시오. 우리가 참으로 예수 그리스도를 바라볼 때 비로소 우리 안에 있는 이 못된 우월 의식을 극복하고 진정으로 그리스도의 종답게 봉사자의 자리에 설 것이라 믿습니다. 주님이 우리 안에 있는 잘못된 우월 의식의 뿌리를 뽑아 주시기를 기도합시다.

자기 과시의 욕망, 이기주의

두 번째로, 진정한 종이 되려면 '이기주의'를 극복해야 합니다. 우리의 섬김이 순수할 수 없는 이유가 무엇일까요? 많은 이유가 있지만, 가장 강력한 장해물은 '이기심'이라고 생각합니다. 우리가 섬기고 봉사하는 가운데도 의식의 밑바탕에는 항상 이기심이 깔려 있습니다. 자기 과시의 욕망, 은근히 대접받고 싶어 하는 생각 그리고 자기의 이익을 별도로 추구하려는 생각들이 봉사의 밑바탕에도 깔려 있는 것을 볼 수 있습니다.

어떤 부인에게 누가 찾아왔습니다. 문을 열어 보니 아주 멋지게 생긴 노인이, "제가 이 아파트에 살고 있는 불쌍한 이웃을 위해서 자선 모금을 하고 있습니다"라고 말했습니다. 그 부인은 '참 멋있는 분이 귀한 일을 하신다'라고 생각했습니다. 노인 말로는 도와주려는 사람이 같은 아파트에 사는데, 그 남편은 실직했고, 아이들은 굶주려 있고, 전기요금을 내지 못해서 이미 전기가 끊어진 비참한 상태에 있다고 했습니다. 그리고 아파트 월세를 내지 못해서 내일이면 아파트에서 쫓겨나기 직전에 있다고 했습니다. 노인이 그를 도와 달라고 부탁하자 부인이 말했습니다.

"아, 참 좋은 일을 하시네요. 그런데 선생님은 도대체 누구십니까?"

그러자 그 노인은 이렇게 대답했습니다.

"저는 그 집에 사는 사람입니다."

그는 자기를 위해서 그렇게 열심히 모금을 하며 돌아다닌 것입니다. 봉사나 구제 활동 밑바탕에 깔려 있는 우리의 의식도 이런 것일 수 있습니다. 오래전, 제가 섬기던 교회에서 '제직 청지기 세미나'를 끝낸 후 교회의 제직들이 여러 가지 위원회에 얼마나 지원했는지를 살펴본 적이 있습니다. 특별히 '예배위원회'와 '차량위원회'에 관심이 갔습니다. 안내자가 많이 모자랐기에 예배위원회에 얼마나 지원했는지를 살펴보았는데, 제가 생각한 것보다 60명 이상이 더 지원한 것을 보고 매우 기뻤습니다.

그러면 성도들이 예배위원회에 더 많이 지원했을까요, 아니면 차량위원회에 더 많이 지원했을까요? 물론 예배위원회입니다. 왜 그렇습니까? 교회 안에서 봉사하는 것이 더 쉽기 때문입니다. 물론 안에서 예배위원회로 봉사하는 분들에게도 감사합니다. 그러나 바깥에서 차량위원회로 봉사하는 것은 매우 힘든 일입니다. 덥고 추운 계절에 열심히 주차 안내하느라 쫓아다니면서, 어떨 때는 사람들에게 입에 담을 수 없는 욕까지 듣기도 합니다.

그러나 저는 그것이 진짜 봉사라고 생각합니다. 진짜 봉사란 열심히 봉사하고 욕먹는 것이라고 생각합니다. 예수님이 그렇게 봉사하지 않으셨습니까? 우리를 섬기기 위해서 육신을 입고 이 땅에 오시지 않았더라면, 그분은 그런 대우를 받을 필요가 없었습니다. 침 뱉음을 당하고, 채찍에 맞고, 마지막에는 십자가에 달려 돌아가셨습니다. 그러나 그것이 진정한 봉사였던 것입니다.

종노릇하는 참된 섬김

예수님은 제자들이 이것을 배우기를 원하셨습니다.

> "예수께서 앉으사 열두 제자를 불러서 이르시되 누구든지 첫째가
> 되고자 하면 뭇사람의 끝이 되며 뭇사람을 섬기는 자가 되어야 하
> 리라"(막 9:35).

그리고 섬김의 표본, 섬김의 모델로서 시청각적으로 가르치셨
습니다.

> "어린아이 하나를 데려다가 그들 가운데 세우시고 안으시며 제자
> 들에게 이르시되 누구든지 내 이름으로 이런 어린아이 하나를 영
> 접하면 곧 나를 영접함이요 누구든지 나를 영접하면 나를 영접함
> 이 아니요 나를 보내신 이를 영접함이니라"(막 9:36-37).

어린아이 하나를 앞에 세우고 그 아이를 안으면서 "이 어린아이
를 영접하는 것이 나를 영접하는 것이다"라고 하셨습니다. 왜 이런
행동을 하셨을까요? 지나가는 어린아이 하나를 잘 대접한다고 해
서 우리에게 돌아오는 이익이 있습니까? '내가 어린아이를 도왔다'
하는 기쁜 마음은 들겠지만, 특별한 이익은 없습니다. 그러나 어떤
유명한 사람을 대접했다면 어떨까요? '내가 유명한 사람을 만나서

그분을 대접했다'고 앞으로 자랑할 수도 있고, 자기도 같이 높아지는 것 같아서 기분도 좋을 것입니다.

목사님을 한번 대접했다고 가정해 봅시다. 그러면 아마 마음속으로 '야, 괜찮다. 내가 목사님을 대접하고 나니 목사님도 나를 알아주는 것 같고, 생색도 나고, 또 사람들한테 말할 거리도 생기고'라고 생각할지도 모릅니다. 이기심이 우리의 밑바탕에 깔려 있을 수 있다는 말입니다. 그러나 주일학교에서 수고하는 분들, 차량 봉사로 수고하는 분들을 모시고 식사를 대접한다면, 그런 것은 교회 신문에도 안 나고 생색도 안 납니다. 그러나 그것이 진짜 봉사입니다.

목사는 대접하지 않아도 괜찮습니다. 이미 한국 교회의 대부분의 목사는 하도 대접을 많이 받아서 '먹사'가 되고 말았습니다. 목사 대접 안 해도 괜찮습니다. 그러나 이름 모를 한 사람에게 하는 대접, 그것이 진짜 봉사입니다. 그것이 순수한 봉사요, 진정한 의미의 봉사입니다.

네비게이토의 유명한 지도자 가운데 한 사람이었던 론 새니(Lorne Sanny)라는 분이 한 젊은이에게 제자 훈련을 시켰습니다. 그는 종에 대한 훈련을 받은 후 지도자인 론 새니에게 질문했습니다.

"선생님, 제가 이제 그리스도의 참된 종이 되었다는 것을 어떻게 알 수 있습니까?"

그러자 론 새니는 이런 유명한 대답을 했습니다.

"지금은 모른다네. 하지만 자네가 사람들에게 종 취급을 당할 때,

그때 자네가 어떻게 반응하느냐를 보면 알 수 있지. 다른 사람들이 자네를 종 취급할 때 '네가 나를 무시해?' 하고 화를 낸다면, 자네는 아직도 종이 되지 못한 거야. 하지만 '그래 맞아. 나는 종노릇하는 사람이야. 주님의 종이고, 주님이 맡겨 주신 사람들의 종이야. 나를 밟아라. 기꺼이 당하겠다'라고 말할 수 있다면, 자네는 진정한 종이 된 거라네."

매우 심오한 말입니다. 여기에 종의 정신이 있습니다. 조건 없는 섬김의 연습, 남이 잘 대우해 주고 알아주기 때문이 아니라, 그에 상관없이 종으로서 살아가는 것이 진정한 봉사입니다. 교회 봉사도 그래야 합니다.

저는 늘 여름철 단기 선교 같은 것을 젊은이들에게 강조해 왔습니다. 우리가 가난한 나라에 가서 선교해 보면, 그 고통당하는 사람들을 안아 보고 섬겨 보면 인생이 바뀝니다.

'아, 이렇게 사는 사람들도 있구나. 이런 신선한 기쁨이 있구나.'

거기까지 나가지 않아도 교회에서 봉사를 선택할 때 사람들의 눈길, 손길이 미치지 않는 곳에서 봉사해 보십시오. 장애인을 섬기는 것, 그전에 장애인 주차 차량 표시가 있는 곳에는 주차하지 않는 작은 것에서부터 진정한 봉사의 훈련이 세워지는 것입니다. 그렇게 할 때 이기심을 극복하게 됩니다. 우리 인생의 세계는 이타주의를 향해서 열려 가게 됩니다. 그것이 섬기는 사람입니다. 우리 안에 뿌리박고 있는 이기심을 뛰어넘어 진정으로 섬기는 사람이 되는 훈련을 통해, 주님께서 우리 속에 있는 이기심을 성령으로 불태워 주시고, 이웃들을 향한 마음을 열어 주시기를 기도합니다.

다 우리 편이다

마지막으로, 우리가 참으로 섬기는 자가 되기 위해서는 '파벌주의'를 극복해야 합니다. 우리의 섬김이 순수하려면 관용의 정신이 있어야 합니다. 마음과 생각이 넓어야 합니다. 그렇지 않으면 함께 봉사하는 다른 사람들을 경쟁 상대로 생각하게 됩니다. 열등감을 갖습니다. 그리고 상대방을 향해서 적대감을 가질 수 있습니다. 이런 사람이 봉사의 장에 서게 되면, 봉사하는 부서가 소란스럽고 사람들의 마음이 아프게 됩니다.

　예수님의 제자들 가운데 그런 사람이 있었던 것 같습니다. 그중한 사람이 바로 '요한'이었습니다. 요한이 어느 날 예수님께 아주재미있는 이야기를 했습니다.

> "요한이 예수께 여짜오되 선생님 우리를 따르지 않는 어떤 자가주의 이름으로 귀신을 내쫓는 것을 우리가 보고 우리를 따르지 아니하므로 금하였나이다"(막 9:38).

"선생님, 어떤 사람들이 선생님의 이름으로 귀신을 쫓아내고 병을 고쳤습니다. 그런데 그들은 우리 편이 아니기에 그 일을 하지 말라고, 예수의 이름을 함부로 사용하지 말라고 제가 금했습니다"라는 말입니다. 요한이 이런 말을 했더니, 예수님이 아주 뜻밖의 대답을 하십니다.

"예수께서 이르시되 금하지 말라 내 이름을 의탁하여 능한 일을 행하고 즉시로 나를 비방할 자가 없느니라 우리를 반대하지 않는 자는 우리를 위하는 자니라"(막 9:39-40).

요한은 그렇게 하면 "야, 너는 우리 편에 충성심이 많구나" 하고 칭찬받을 줄 알았던 것 같습니다. 그런데 예수님은 이렇게 말씀하십니다.

"그대로 놔둬라. 그 사람도 우리 편이다."

우리는 항상 '내가 받은 은사', '내 봉사'라는 생각은 하지만 전체를 생각하지는 못합니다. 우리가 어떤 은사를 받아서 봉사한다면 하나님이 동일한 은사를 다른 사람에게 주신 것에 대해서도 인정해야 합니다. 우리에게 은사를 주어 우리를 사용하시는 주님은, 다른 사람에게는 다른 은사를 주어서 동일한 주의 일을 하게 하실 수 있습니다. 그리고 우리는 따로따로 있는 것이 아닙니다. 함께 주의 일을 하는 것입니다. 자신이 속한 부서만이 아니라, 다른 부서도 잘되어야 합니다. 우리는 함께 일하는 운명 공동체입니다.

그들이 자신의 편에 당장 속해 있지 않다는 사실 때문에 요한은 "그 사람은 우리 편이 아니에요, 선생님" 하며 편을 가르려고 했습니다. 한국 사람들에게는 이 편 가르기 의식이 아주 뿌리 깊습니다. 여기에는 문화적 원인도 크다고 생각합니다. 한국은 농경 사회라는 배경을 갖고 있습니다. 농촌에서 오래 집을 짓고 살다 보니 낯선 사람에게 친절하지 못합니다. 자신의 집을 지키기 위해서는 가족 혹은 마을 사람끼리만 친해야 하기 때문입니다. 자신들끼리는 죽고 못 삽니다. 자신들끼리는 아주 잘합니다. 그러나 낯선 사람에게는 적대감을 가집니다. 낯선 사람을 받아들이지 못하는 경향이 있습니다. 이것이 농경 문화의 전통입니다. 그래서 같은 처지끼리, 같은 출신끼리, 같은 집안끼리 뭉치는 경향이 있습니다.

그러나 외국 사람들은 상당히 다릅니다. 그들에게 인사하려고 하면, 그들이 먼저 인사합니다. 그들의 문화적 배경은 우리와 다르기 때문입니다. 그들은 유목 문화, 즉 옮겨 다니는 문화 속에서 살아왔습니다. 그들은 항상 새로운 것을 개척해야 하고, 새로운 사람을 친구로 사귀어야 했습니다. 그들의 스케일이 더 크다면 바로 이러한 점 때문일 수 있습니다.

우리는 이 좁은 파벌주의를 뛰어넘어야 합니다. 더군다나 세상을 품고 세상에 하나님의 사랑을 나누려는 진정한 세계적 그리스도인이 되기 위해서는 이 주님의 넓은 가슴을 우리가 받아들여야 합니다. 교회 전체가 하나님 앞에서 아름답게 세워져 가기 위해, 우리 사회, 우리 민족 전체가, 아니 세계 전체가 더불어 살아가는 전통을 만들어 가기 위해서는 마음을 넓혀야 합니다.

성령으로 변한다

요한은 예수님의 제자면서 오랫동안 이런 파벌주의에서 벗어나지 못했던 것으로 보입니다. 요한의 사적을 연구해 보면, 요한이 야고보와 더불어 사마리아 마을에 들어가려 했을 때 예수님의 제자 일행을 사마리아 사람들이 박대한 적이 있었는데, 그 대목에서 요한이 이렇게 말했습니다.

"선생님, 하늘에서 불을 내려서 이 사마리아 사람들을 모조리 불살라 버리시죠."

아직 변하지 않은 요한의 모습입니다. 그러나 우리가 요한에게 희망이 없다고 단언할 수 있습니까? 그렇지 않습니다.

종종 교회 안에서 교우들이 화목한 모습을 보이지 않을 때 너무너무 가슴이 아픕니다. 어떤 때는 목회에 회의까지 듭니다.

'이렇게 변하지 않는 사람들을 데리고 목회를 해야 하나? 때려치우자.'

너무 실망하거나 너무 가슴 아파하며 잠자리에 드는 때가 있습니다. 그러나 하룻밤 자고 나면 마음이 변합니다. 저는 사람이 변할 수 있다고 믿습니다.

요한이 변합니다. 어떻게 변합니까? 훗날 요한은 '요한일서, 이서, 삼서'를 씁니다. 이 요한일서, 이서, 삼서의 내용이 무엇입니까?

"사랑하는 자들아 우리가 서로 사랑하자 사랑은 하나님께 속한 것

144

이니"(요일 4:7).

이런 사랑의 편지를 쓰는 넉넉한 가슴의 사람으로 변한 것입니다. 언제부터 변했을까요? 사도행전에서부터 결정적으로 변합니다. 성령 강림 이후에, 성령 충만한 후에 그가 변합니다. 성령 충만했다고 사람이 성자가 되는 것은 아닙니다. 인간이기 때문에 그런 뒤에도 실수할 수 있습니다. 그러나 확실히 다릅니다. 복음서의 요한, 베드로, 야고보와 사도행전의 요한, 베드로, 야고보는 확실히 다릅니다.

본능대로 살면 우리는 늘 우월주의, 이기주의를 극복하지 못하고, 파벌주의를 극복하지 못합니다. 그것이 죄인의 본성이기 때문입니다. 그래서 우리는 성령 충만을 구해야 합니다. 성령이 우리에게 오시고, 성령이 우리를 붙잡아 주시고, 성령이 우리를 충만하게 하시면 우리는 넉넉한 가슴, 주의 가슴을 갖고 박해와 조롱을 받으면서도 이웃들을 섬기고, 이웃들을 주님 안에서 세워 주는 견고한 섬김의 사람으로 변할 것입니다. 우리가 사도행전의 사람들처럼 성령으로 충만하여 우리의 남은 생을 주 앞에서 진실로 섬기는 자로 살아갈 수 있기를 바랍니다.

"예수께서 거기서 떠나 유대 지경과 요단강 건너편으로 가시니 무리가 다시 모여들거늘 예수께서 다시 전례대로 가르치시더니 바리새인들이 예수께 나아와 그를 시험하여 묻되 사람이 아내를 버리는 것이 옳으니이까 대답하여 이르시되 모세가 어떻게 너희에게 명하였느냐 이르되 모세는 이혼 증서를 써 주어 버리기를 허락하였나이다 예수께서 그들에게 이르시되 너희 마음이 완악함으로 말미암아 이 명령을 기록하였거니와 창조 때로부터 사람을 남자와 여자로 지으셨으니 이러므로 사람이 그 부모를 떠나서 그 둘이 한 몸이 될지니라 이러한즉 이제 둘이 아니요 한 몸이니 그러므로 하나님이 짝지어 주신 것을 사람이 나누지 못할지니라 하시더라 집에서 제자들이 다시 이 일을 물으니 이르시되 누구든지 그 아내를 버리고 다른 데에 장가드는 자는 본처에게 간음을 행함이요 또 아내가 남편을 버리고 다른 데로 시집가면 간음을 행함이니라"(막 10:1-12).

8

가정을
지킵시다

성경에 기록된
말씀의 순리에 순종하라

미국에서 살 때, 어느 날 보석상을 지나다가 신기한 광고를 보았습니다. '결혼반지를 빌려 드립니다'라는 광고였습니다. 이것은 결혼이 오래 계속되지 않을 것이라는 그 사회의 비극을 풍자하는 광고처럼 보였습니다. 한때 미국의 보석상에는 '자유의 반지'(freedom ring)라는 것을 만드는 일이 성행했었습니다. 함께 살던 부부가 이혼한 후 반지를 가지고 보석상에 오면 일련의 의식을 치르게 됩니다. 음악이 나오며 "당신의 과거는 지나갔습니다"라는 소리가 들립니다. 그리고 망치로 반지를 부수어 버립니다. 그러고는 그것을 옆에 있는 주물 속에 집어넣어 새로운 반지를 만듭니다. 그러고 나면 "이제 당신은 자유입니다" 하는 소리가 들려오고, 새롭게 된 반지를 건네

147

받습니다. 그 반지를 '자유의 반지'라고 불렀습니다.

쉽게 이혼을 결정하는 모습은 한국에서도 흔히 볼 수 있는 풍경이 되었습니다. 최근 몇 년 동안은 조이혼율(인구 천 명당 새로 이혼한 비율)이 감소세를 보이기도 했지만, 30-40년 전에 비하면 현저히 높아진 것이 사실입니다.

본문에서 바리새인들이 예수님을 시험하기 위해 질문을 던지고 있는 것을 볼 수 있습니다.

> "바리새인들이 예수께 나아와 그를 시험하여 묻되 사람이 아내를 버리는 것이 옳으니이까"(막 10:2).

사람들이 왜 예수님을 시험했는가에 대한 학자들의 견해는 두 가지입니다. 첫째는, 그 당시 이스라엘 땅 팔레스타인을 통치하고 있던 왕은 헤롯이었습니다. 헤롯왕은 이혼을 했던 사람입니다. 그런데 세례(침례) 요한이 이를 비판하다가 목숨을 잃게 되었습니다. 그러니까 예수님이 잘못 대답하면 그것을 구실 삼아 헤롯에게 죽게 할 수도 있는, 함정이 있는 질문이었다는 것입니다.

둘째는, 그 당시 유행하던 이혼에 대한 두 가지 견해 중에 예수님이 어디에 속해 있는가를 시험하기 위한 질문이었다는 것입니다. 그 당시 유대의 종교 지도자인 랍비의 학파는 힐렐(Hillel) 학파와 샤마이(Shammai) 학파로 나뉘어서 있었습니다. 하나는 자유주의를 대표하고, 다른 하나는 보수주의를 대표합니다.

자유주의파라고 할 수 있는 힐렐파는 대단히 개방적인 이혼관을 가지고 있었습니다. 이 학파에 속한 사람들은 언제든지 아내와 이혼할 수 있었습니다. 이 힐렐파의 문서들을 보면 매우 사소하고 납득하기 어려운 이유로 그 당시의 남자들이 아내와 이혼했던 사실을 알 수 있습니다.

'아침밥을 태웠으므로, 반찬에 소금을 많이 넣었으므로, 집 안 청소가 형편없었으므로, 남편에게 심하게 말대꾸를 했으므로, 길거리에서 얼굴을 함부로 보였으므로 이혼할 수 있다.'

그러나 샤마이파는 보수주의 그룹으로, 배우자의 부정 이외에는 어떤 것으로도 이혼이 합리화될 수 없다는 생각을 가지고 있었습니다. 예수님이 이 중 어느 파에 속할까 시험해 보려는 의도가 있었다고 보는 것입니다.

이 질문을 받으며 예수님은 성경적 이혼관을 밝혀 주십니다. 그러나 예수님의 대답은 이혼 문제를 넘어서서 결혼의 신성함을 다시 한번 천명하고 있고, 더 나아가 가정이 왜 중요한 것인가를 가르쳐 주고 있습니다.

그 유명한 로마 제국이 멸망한 원인이 단순히 정치적이거나 군사적인 이유가 아니라는 것은 잘 알려진 사실입니다. 로마 제국이 멸망한 직접적인 원인 중 하나는 도덕적 문제라는 사실이 지적되고 있습니다. 성도덕의 문란, 특히 가정의 붕괴가 로마 제국의 멸망과 직접적 관련을 갖고 있다는 것은 널리 알려진 역사적 사실입니다. 그래서 그 당시의 로마 철학자인 세네카(Lucius Annaeus Seneca)는 연설할 기회가 있을 때마다 "로마의 애국자들이여, 가정으로 돌아가십시오. 그리고 가정을 지키십시오"라고 역설했습니다.

본문의 말씀에 근거하여 우리가 가정을 지키기 위해 이 시대 속에서는 무엇이 필요할지 생각해 보겠습니다.

성급한 '이혼'을 경계하라

우리는 본문의 교훈을 몇 가지로 요약할 수 있습니다. 첫째, 우리가 가정을 지키기 위해서는 무엇보다 이혼을 신중하게 생각해야 합니다. 본문 2절에서 바리새인들이 예수님 앞에 나와서 "사람이 아내를 버리는 것이 옳습니까?"라고 시험하여 물었을 때 예수님의 대답이 무엇이었습니까? 예수님은 직접적인 대답 대신에 이렇게 말씀하셨습니다.

"모세가 어떻게 너희에게 명하였느냐"(막 10:3).

오히려 그들에게 반문하셨습니다. 왜 모세의 명령을 물으셨을까요? 지금 예수님은 이 물음에 대한 대답을 주기 위해서 구약성경에 기록된 모세의 말에 호소하고 계십니다. 성경의 권위를 넘어설 수 있는 유일한 분이 있다면 바로 예수님입니다. 그러나 그러한 분이 성경의 권위 아래 스스로를 두고, 모든 문제에 대한 해답을 성경에서 구하고 계십니다. 우리가 예수님의 제자라면 우리도 인생의 어떤 문제에 대한 해답을 구할 때마다 성경의 권위로 돌아가 성경의 말씀에서 대답을 찾아야 합니다.

이 질문을 하셨을 때 그들의 대답이 무엇입니까?

"이르되 모세는 이혼 증서를 써 주어 버리기를 허락하였나이다"(막 10:4).

그들의 대답은 성경적으로 올바른 것이었습니다. 이는 신명기 24장 1-4절까지의 내용을 요약한 것입니다. 그런데 예수님이 이것을 몰라서 그들에게 물으셨습니까? 예수님은 그들이 그렇게 대답할 것을 알고 계셨습니다. 그러면서도 이 질문을 하신 중요한 이유는, 구약 시대의 모세의 법에서 '이혼할 때 이혼 증서를 써 주는 습관이 왜 있게 되었는가' 하는 그 기원을 물어봄으로써 이혼을 허락하신 하나님의 뜻이 어디에 있는지를 그들에게 밝혀 주시고자 한 것입니다.

모세의 법 이전에 유대 사람들은 아무런 증서 없이 그냥 이혼했습니다. 그런데 이혼을 한 다음에 또다시 그 여인을 데려와서 사는 일이 비일비재했습니다. 그러나 모세의 법이 반포되고 발효(發效)된 후에는 그러한 관습이 사라졌습니다. 일단 이혼 증서를 주게 되면 다시는 이혼했던 상대방과 결합할 수 없도록 되어 있었기 때문입니다. 한 번 이혼해 버리면 그 여자와의 관계가 다시는 회복될 수 없다고 생각하자, 사람들은 이혼을 심각하게 생각하기 시작했습니다. 그래서 이혼 증서를 주는 습관을 제도화하여 이혼을 심각하게 고려하도록 만든 것입니다. '이혼하고자 할 때는 심각하게 생각하고 결정하라. 이것이 얼마나 중요한 사건인 줄 아느냐'라는 의미입니다. 이 사건을 통해서 모세는 백성에게 하나님의 뜻을 전달하고자 했습니다.

이러한 제도가 설정된 이유가 무엇이었는지를 본문에서 예수님이 밝혀 주십니다.

> "예수께서 그들에게 이르시되 너희 마음이 완악함으로 말미암아 이 명령을 기록하였거니와"(막 10:5).

다시 말하면, 이혼은 본래적으로 하나님의 뜻이 아닙니다. 그러나 이것이 모세의 법에 하나의 제도로 나타난 이유가 있습니다. 그 이유가 무엇이라고 되어 있습니까? 마음의 완악함 때문입니다. 인간의 마음에 있는 죄악성 때문에 불가피하게 이 제도가 생겨날 수밖에 없었다는 것입니다.

마음이 완악하다는 것은 무슨 의미입니까? 이 단어가 자주 쓰인 사건이 성경에 기록되어 있습니다. 이스라엘 백성을 애굽에서 이끌고 나오려는 모세와 그것을 저지하려 하는 바로가 서로 대립했던 사건입니다. 모세가 바로와 대결할 때, '바로의 마음이 완악해졌다'고 언급되어 있습니다. 바로는 하나님의 뜻이 무엇인지 알고 있었습니다. 그런데도 자기 고집만을 내세웠습니다. 이것이 완악함입니다.

그런데 이혼을 하는 사람들에게 비슷한 심리가 작용한다는 사실을 알아야 합니다. 특히 결혼에 대한 하나님의 뜻이 무엇인지 모르는 그리스도인은 없을 것입니다. 그러나 결혼에 대한 하나님의 뜻을 알면서도 '나는 이제 내 갈 길을 가야겠다'며 고집을 부리는 것은 하나님의 뜻을 거스르는 완악함입니다. 이런 마음의 완악함 때문에 불가피한 필요악으로 이혼 제도가 나타났습니다. 예수님께서 이러한 사실을 환기시켜 주신 이유는, '이혼을 하는 것이 하나님의 의도는 아니다. 그리고 이것은 상당한 상처를 남긴다'는 것을 사람들에게 말씀하시면서, '이혼의 위기 앞에서 좀 더 신중하게 생각할 수는 없느냐'고 물으시기 위함이었습니다.

요즘 젊은 부부들의 이혼이 증가하고 있는 원인이 무엇일까 생각해 보았습니다. 하나님의 뜻을 모르기 때문일 수도 있습니다. 그러나 더 많은 경우가 인내심의 결핍 때문이 아닐까 생각됩니다. 요즘 젊은 세대들은 아는 것도 많고 매우 영리하지만, 기성세대와 비교해서 인내심이 상당히 결핍되어 있는 듯합니다. 구체적으로 말하자면, 너무도 중요한 일을 너무도 쉽게 결단해 버리는 '신중함의 결핍'을 지적할 수 있습니다.

저는 문득 소크라테스(Socrates)에 대한 생각이 떠올랐습니다. 그는 위대한 철학자로 널리 알려졌지만, 자신 못지않게 유명한 아내를 두었던 사람입니다. 그의 아내는 유명한 악처였습니다.

한번은 소크라테스의 집에 손님들이 찾아왔습니다. 그런데 아내가 마구 화를 내고 소리를 질렀습니다. 몹시 당황한 소크라테스가 아내에게 '손님들이 왔으니 조용히 하자'고 했습니다. 그러자 그의 아내가 더 소리를 지르면서 막 화를 내더니, 옆에 있던 물동이 하나를 집어 들어 소크라테스의 머리에 뒤집어씌웠습니다. 그녀가 잠시 사라지자 이 광경을 보고 있던 손님들이 물었습니다.

"아니, 어떻게 이런 부인하고 함께 사십니까? 이혼을 생각해야 하지 않겠습니까?"

이때 소크라테스가 이렇게 대답했습니다.

"천둥이 치면 비가 오는 것은 당연하지 않겠소?"

그다음 말이 또 걸작입니다.

"그리고 비가 오면 곧 날이 개지 않겠소?"

요즘 젊은 세대가 이런 마음의 여유를 가진다면 얼마나 많은 이혼이 예방될 수 있겠습니까? 우리가 하나님의 오래 참으심을 본받는 하나님의 자녀로서 살고자 한다면, 이런 인내심이 성령을 통해서 우리 안에 심어진다면, 수많은 이혼의 위기가 극복되리라고 믿습니다. 가정을 견고하게 지키기를 원합니까? 무엇보다 이혼을 신중히 생각해야 합니다.

창조의 계획을 신뢰하라

둘째, 가정을 지키기 위해서는 하나님의 창조 계획을 존중할 필요가 있습니다. 예수님은 이혼이란 하나님이 처음부터 의도하신 것이 아니며, 인간의 마음이 완악하기 때문이었다는 사실을 강조한 다음에 이렇게 말씀하십니다.

> "창조 때로부터 사람을 남자와 여자로 지으셨으니 이러므로 사람이 그 부모를 떠나서 그 둘이 한 몸이 될지니라 이러한즉 이제 둘이 아니요 한 몸이니"(막 10:6-8).

여기 '창조 때로부터'라는 말은, 하나님이 창조하실 때 본래의 계획이 이렇다는 말입니다. 행복한 삶이 무엇입니까? 자연스러운 삶입니다. 무엇이 자연스러운 것일까 생각해 볼 때, 하나님의 창조의 계획과 리듬을 따라가는 것이 제일 자연스러운 것이라 할 수 있습니다. 하나님의 창조의 법칙을 깨뜨리면 사고가 발생합니다. 창조의 법칙대로 사는 것이 제일 자연스러운 것이고, 그것으로 행복한 삶을 살 수 있습니다.

그렇다면 결혼에 대한 창조의 계획은 무엇입니까? 어느 날 하나님이 한 남자와 한 여자가 만나서 사랑하게 하시고, 그들로 하여금 한 몸이 되게 하십니다. 하나님께서 그렇게 짝지어 주셨다면 그것을 믿고 한평생 한 남자와 한 여자가 한 몸을 이루어 살아가는 것이 본래적인 하나님의 계획입니다. 오늘날 많은 사람을 보면, 둘이 한 몸이 되는 대신에 셋이 한 몸이 되기도 하고 넷이 한 몸이 되기도 하는 비극적인 일이 일어나곤 합니다. 오죽하면 이런 유머가 있겠습니까? 에덴동산에 살고 있던 아담이 계속 한 여자만 보고 사니까 권태가 생겼습니다. 그래서 어느 날 말없이 사라졌습니다. 며칠 후에 나타난 아담을 보고 하와가 어떻게 했겠습니까? 갈비뼈를 세어 봤다고 합니다. 갈비뼈를 빼내서 어디 다른 데다 새로운 여자를 만들어 두지 않았나 확인해 보려고 말입니다. 본문의 내용대로 하나님이 짝지어 주신 것, 즉 그 본래 하나님이 주신 그 남편, 그 아내보다 더 나은 대안은 있을 수 없습니다.

헨리 포드(Henry Ford)는 유명한 자동차 왕이었을 뿐만 아니라 아주 가정적인 사람이었습니다. 그의 50번째 생일에 많은 손님이 집으로 초대되었습니다. 생일 파티가 벌어지고 있는데 한 사람이 헨리 포드에게 물었습니다.

"당신이 가정생활, 부부 생활에도 성공한 비결이 있다면 무엇입니까?"

이때 헨리 포드는 재치 있게 대답했습니다.

"그것은 제가 자동차 산업에서 성공한 것과 거의 비슷합니다. 여러분도 알다시피, 저희 회사가 자동차 산업에 성공했던 것은 한 가지 모델만을 집중적으로 개발했기 때문이었습니다. 마찬가지로 저는 한 여자에 대해서만 온전히 집중했습니다."

그렇습니다. 바꾸어 갖고 싶은 호기심, 그것이 결코 가정을 행복하게 해 주지 못한다는 것은 통계학적인 실증입니다.

바바라 월터스(Barbara Walters)라는 미국의 유명한 언론인은 이혼녀입니다. 아주 영리한 여자입니다. 그런데 혼자 지내면서 고독해지자 재혼을 해야겠다고 생각했습니다. 그녀는 자신의 적성을 컴퓨터에 입력해 넣고 자기에게 맞는 배우자 후보를 모집한다는 광고를 냈습니다. 그러자 수많은 남자가 지원했습니다. 그녀는 그 많은 남자의 정보를 살펴보면서 자신과 가장 잘 어울리는 남자를 계속 찾아보았습니다. 드디어 최종적으로 한 후보가 남게 되었습니다. 누구였을까요? 그녀와 이혼한 남편이었습니다.

이 이야기가 주는 메시지는 무엇입니까? '갈아 봐야 소용없다'는 것입니다. 하나님의 창조의 계획을 존중해야 합니다. 그것이 가정을 지키는 길입니다.

이혼은 범죄라는 것을 기억하라

마지막으로 셋째, 이혼은 범죄라는 사실을 기억할 필요가 있습니다.

"집에서 제자들이 다시 이 일을 물으니"(막 10:10).

이것은 매우 심각한 주제이기에 제자들이 다시 물은 것입니다. 그때 예수님은 어떻게 대답하셨습니까?

"이르시되 누구든지 그 아내를 버리고 다른 데에 장가드는 자는 본처에게 간음을 행함이요 또 아내가 남편을 버리고 다른 데로 시집가면 간음을 행함이니라"(막 10:11-12).

성경 학자들은 11절 말씀이 파격적이고 혁명적이라고 말합니다. 예수님은 여성의 인권이 고려되지 않았던 시대에 "누구든지 아내를 내어 버리는 사람은 간음을 행하는 것이다"라고 말씀하셨습니다. 아내를 쉽게 내어 버리던 시대에 이런 말씀을 하신 것입니다.

물론 이혼이 합법화될 수 있는 상황이 몇 가지 있습니다. 우선, 배우자의 부정을 들 수 있습니다. 그러나 배우자가 한 번 부정했다고 해서 그것이 무조건적인 이혼 사유가 되는 것은 아닙니다. 성경에 나타난 이 부분들을 조심스럽게 연구해 보면, 부정이 습관이 되어 있는 사람의 경우에 그렇다는 것을 알 수 있습니다. 이런 경우에는 이혼이 합법화되었습니다.

이혼의 합법적인 경우 중 하나를 종교 개혁자들은 고린도전서 7장에서 찾았습니다. 부부 중 한 배우자가 불신자일 경우에 불신자인 그가 상대 배우자를 버린다면 그 이혼은 합법화될 수 있다는 내용입니다. 그 '버리는 경우' 중, 남편이 행방불명이 되었는데 그가 종적을 감춘 의도가 배우자를 버리려는 것이라면 이혼은 합법화될 수 있다고 해석했습니다. 이런 몇 가지 경우를 제외하고 남자가 아내를 버리는 것은 간음이라고 성경은 말씀합니다.

그런데 이것은 보통 일이 아닙니다. 구약성경에 보면 간음은 돌로 쳐 죽이는 형벌을 받는 죄악입니다. 즉, 남편이 아내를 버리는 것은 그처럼 심각한 범죄라는 말입니다. 예수님은 이혼이라는 범죄의 심각성을 그분의 말씀으로 여기에서 강조하신 것입니다. 구약에서도 말라기 2장 16절을 보면, 하나님은 이혼하는 것을 미워하신다고 했습니다.

그렇지만 이 말씀은 조심해서 읽어야 합니다. 하나님은 이혼한 사람을 미워하시는 것이 아닙니다. 하나님은 끝없는 애정과 긍휼히 여기는 마음으로 죄인을 사랑하십니다. 그러나 이혼 그 자체는 미워하십니다. 이혼은 가정을 파괴하고 하나님의 창조 질서를 깨뜨리며, 후손들에게는 엄청난 상처를 남깁니다. 이것은 우리 사회 그리고 이 땅에서 하나님의 뜻이 이루어지는 일에 커다란 방해가 됩니다. 그래서 하나님은 이혼하는 것을 미워한다고 말씀하십니다. 이것은 심각한 경고입니다. 성경은 왜 이렇게 심각하게 이혼을 경계하고 있을까요? 그만큼 가정이 소중하기 때문이며, 가정을 보호하는 것이 하나님의 뜻이기 때문입니다.

우리의 가정이 보호되기 위해서는 무엇보다 부부가 조건 없는 언약, 조건 없는 헌신을 통해서 조건 없는 사랑 속으로 들어가야 합니다. 조건적으로 생각하기 시작할 때 이혼의 가능성이 발생합니다. 그리스도인도 절반 이상이 상황에 따라 이혼이 가능하다고 생각하고 있는 실정입니다. 이미 우리는 상황 윤리를 받아들이고 있는 것입니다. 그리스도인들도 이런 사고를 갖기 시작한다는 말은, 우리의 생각이 이혼을 향해서 쉽게 마음을 열고 있다는 사실을 의미합니다. 조건부로 사랑하는 사람은 가정의 위기를 견딜 수 없습니다.

유명한 과학자 아인슈타인(Albert Einstein)의 집에 놀러 온 제자들이 그의 부인에게 이렇게 물었습니다.

"사모님은 상대성의 원리를 이해하시죠? 남편이 발견하고 강조한 것이니까요."

그러자 그녀는 이렇게 대답했습니다.

"상대성 원리요? 솔직히 말해서 잘 몰라요. 그러나 이것만큼은 알아요. 내가 이해하는 상대성 원리는 이렇습니다. '내가 저 사람에게 잘해 주면 저 사람도 나한테 잘하고, 또 저 사람이 나한테 잘해 주면 나도 저 사람에게 잘해 준다.' 내가 이해하는 상대성의 원리는 이것입니다."

얼마나 많은 사람이 이런 상대적 사고를 가지고 부부의 삶을 나누고 있습니까? 저 사람이 잘못하면 언제든지 깨질 수 있다는 식으로 생각하면 가정의 위기는 피할 수 없습니다.

대공황을 극복한 루스벨트(Franklin Roosevelt) 대통령은 미국의 존경받는 지도자 중 한 사람입니다. 그런데 그의 부인 또한 매우 훌륭했습니다. 부인 엘리너(Eleanor Roosevelt)는 매우 가난할 때 그와 결혼하고 여섯 자녀를 낳아서 어려움과 역경 속에서 키웠습니다. 무척이나 고생을 많이 했고, 한 아이를 잃기도 했습니다. 그러던 어느 날, 남편이 아프기 시작하더니 다리가 말라 갔습니다. 진단조차 되지 않는 원인으로 인해 다리를 절기 시작했고, 마침내 휠체어를 타야만 했습니다. 이 광경을 본 한 친척이 엘리너에게 이혼을 권유

했습니다. 그러나 엘리너는 이렇게 대답했습니다.

"제가 사랑한 것은 남편의 다리가 아닙니다. 저는 남편을 사랑했습니다. 저는 남편의 다리 때문에 결혼한 것이 아니라, 제 남편과 결혼한 것입니다. 남편의 다리가 어떻게 되느냐는 것이 우리의 관계에 아무런 영향을 미칠 수 없습니다."

이렇듯 조건을 뛰어넘은 사랑의 언약만이 가정을 지킬 수 있습니다.

가정을 회복하시는 은혜

이혼은 심각한 범죄입니다. 그러나 저는 이 한마디 말을 덧붙여야겠습니다. 이혼은 심각한 범죄지만 그리고 매우 가슴 아픈 상처를 남기지만, 용서받을 수 없는 범죄는 아니라는 사실입니다. 물론 이혼은 많은 대가를 요구합니다. 그렇지만 용서받을 수 없도록 사람을 영원히 파멸시키는 범죄는 아니라는 것을 기억할 필요가 있습니다. 이미 이혼의 경험이 있는 사람을 따뜻한 마음으로 대하며 그들이 건강한 가정을 이룰 수 있도록 도와야 합니다. 또 이혼하는 과정에 있어서 둘 중 한 사람이 억울함을 당했을 수도 있습니다. 우리는 그것을 구별해서 바라보고 그 사람의 정당성과 순결성을 이해해야 합니다. 그리고 그가 다시 정상적인 삶을 살 수 있도록 돕는 치유적 노력을 교회가 기울여야 합니다.

161

그러나 최선의 방법은 이혼을 예방하는 것입니다. 가정에 이혼의 위기가 있다고 생각됩니까? 혹 어떤 틈새가 있다고 생각됩니까? 그것을 미리 예방해야 합니다. 예방에 있어서 가장 중요한 것은 마음의 준비입니다.

성경은 사람들이 이혼하는 이유가 무엇이라고 했습니까? 마음의 완악함 때문이라고 했습니다. 그렇다면 이혼을 예방할 수 있는 마음은 무엇일까요? 완악한 마음의 반대인 부드러운 마음이라고 할 수 있습니다. 하나님의 뜻을 알고도 자신의 길을 가겠다는 고집이 완악함입니다. 부드러운 마음이란 무엇일까요? 줏대가 없는 것을 말하는 것이 아닙니다. 부드러운 마음은 하나님의 뜻을 받아들이는 마음입니다. 하나님은 가정이 위기를 극복하고 든든히 세워지기 원하신다는 것을 알고, 어려움 속에서도 이러한 하나님의 뜻을 함께 받아들이는 부부의 마음이 부드러운 마음입니다.

그러나 너무 어려운 환경과 고통 속에서 견딜 수 없을 만큼 힘들다고 생각된다면, 십자가 앞으로 나아가야 합니다. 흥미로운 것은 본문 1절에 "예수께서 거기서 떠나 유대 지경과 요단강 건너편으로 가시니"라고 되어 있습니다. 북쪽에서부터 남쪽으로, 즉 예수님은 지금 예루살렘을 향해 걷고 계십니다. 십자가를 향해 가는 길에 이 말씀을 주셨을 것입니다.

부부 사이에 피할 수 없는 역경과 고통, 위기가 있습니까? 하나님의 뜻대로 살기를 원하지만, 이것을 처리하기에는 너무나 힘이 듭니까? 그렇다면 그 갈등, 그 고통, 그 아픔을 가지고 십자가 앞으로 나아가십시오. 그리고 십자가 아래에 그 짐을 내려놓으십시오. 우리의 허물과 죄를 담당하고 십자가에 달려 돌아가신 분, 장사한 지 사흘 만에 부활하신 예수 그리스도, 그분의 능력 안에서 극복할 수 없는 위기는 없다고 믿습니다. 십자가의 거룩한 피와 성령의 능력이 우리의 가정을 회복시켜 줄 것입니다. 그러니 십자가 아래에 그 짐을 내려놓으십시오. 십자가는 가정이 다시 설 수 있는 능력을 제공할 것입니다. 우리의 가정은 또 한 번 회복될 것입니다.

저는 로마 사람들에게 가정을 지키자고 역설했던 세네카의 말을 감히 이렇게 바꾸어 보고 싶습니다.

"하나님 나라의 백성이여, 하나님의 영광을 위하여 당신의 가정을 견고하게 지킬 수 있기를 주의 이름으로 축복합니다."

"사람들이 예수께서 만져 주심을 바라고 어린아이들을 데리고 오매 제자들이 꾸짖거늘 예수께서 보시고 노하시어 이르시되 어린아이들이 내게 오는 것을 용납하고 금하지 말라 하나님의 나라가 이런 자의 것이니라 내가 진실로 너희에게 이르노니 누구든지 하나님의 나라를 어린아이와 같이 받들지 않는 자는 결단코 그곳에 들어가지 못하리라 하시고 그 어린아이들을 안고 그들 위에 안수하시고 축복하시니라"(막 10:13-16).

9

어린아이와
같이

믿음의 동기는
순수함에서 비롯된다

어른을 부끄럽게 하는 동심(童心)

오래전에 한 성도가 이런 이야기를 한 적이 있습니다. 추위와 눈보라가 며칠 계속되다가 모처럼 맑은 어느 겨울 아침, 일어나 창문을 열어 보니 날씨가 너무 좋아서 무심코 말했다고 합니다.

"야, 오늘 골프 치면 정말 좋겠다."

그러자 옆에 있던 딸이 이렇게 말하더랍니다.

"아빠, 오늘 같은 날은 꽃들도 안 춥겠지? 이제 조금 있으면 꽃이 피겠지?"

이 말을 듣는 순간, 자신과 딸의 생각이 얼마나 다른지를 보게 되

165

었다고 합니다. 자신은 그저 골프 칠 생각을 했는데, 꽃이 춥지 않을 것을 다행스러워하며 이제 곧 꽃이 피어날 것을 기다리는 딸의 순수하고 아름다운 마음을 보았을 때 자신이 얼마나 타락했는가를 생각했다는 그분의 이야기가 새롭게 떠오릅니다. 시인 워즈워스(William Wordsworth)는 "어린이는 어른의 아버지다"라는 유명한 말을 남겼습니다.

어린이는 무조건 천국으로 간다?

분문에서 예수님은 "내가 진실로 너희에게 이르노니 누구든지 하나님의 나라를 어린아이와 같이 받들지 않는 자는 결단코 그곳에 들어가지 못하리라"(막 10:15)라고 말씀하셨습니다. 이 말씀의 뜻이 무엇일까요? 이 말씀의 참된 뜻을 알기 위해서 다시 이렇게 물어보겠습니다. 본문이 의미하지 않는 것은 무엇일까요?

첫째, 이 말씀은 어린이들이 무조건 천국에 간다는 뜻이 아닙니다. 어린이들의 구원 문제에 대해서 많은 신학자가 오랫동안 논쟁을 계속해 왔습니다. 그 논쟁은 아직도 계속되고 있습니다. 이 사실은 아직도 그 문제에 대한 확실한 답을 구하지 못했다는 말입니다. 성경은 이 부분에 대해 명확히 말씀하지 않았습니다.

특히 지적 능력이 발달하지 못해서 이성적 결정을 할 수 없는 어린 나이에 죽으면 어떻게 되느냐는 것이 가장 보편적인 논쟁입니다. 이것에 대해서는 두 가지 견해가 있습니다. 하나는, 부모가 예수를 믿으면 아이들이 천국에 간다는 견해입니다. 부모를 향한 하나님의 약속 안에는 자녀들에 대한 약속도 포함되어 있다고 보기 때문입니다. 이러한 신학적 입장을 가리켜 '언약 신학'(Covenant Theology)이라고 말합니다. 이러한 견해를 주장하는 사람 중에는 이 본문을 유아 세례(침례)의 근거로 보는 경우도 있습니다. 그러나 그렇게까지 주장하는 것은 부적절하다고 생각합니다. 본문에서는 부모들이 단지 자신의 아이들이 축복을 받았으면 좋겠다는 마음으로 예수님 앞에 데리고 와서 안수를 요청한 것이고, 예수님은 이 아이들의 머리에 손을 얹어 축복하는 모습을 보여 주실 뿐이기 때문입니다. 이 내용을 바탕으로 유아 세례(침례) 문제까지 이끌어 내는 것은 지나친 논리의 비약이라고 봅니다.

또 다른 하나는, 하나님은 온전한 사랑이시므로 지적 성숙이 이루어지기 전에 세상을 떠난 아이들은 천국에 가는 것이 마땅하다고 생각하는 견해입니다. 그래서 어린아이들에 대한 보편적 구원론을 주장하는 사람도 상당히 많습니다.

우리는 정답을 알지 못합니다. 성경이 명확하게 이 문제에 관해서 시사하지 않았기 때문입니다. 그러나 이런 어린아이들의 구원 문제에 대한 바람직한 접근은 무엇입니까? 부모가 예수 믿으면 아이들은 자동적으로 구원된다고 가정하는 것보다는, 아이들이 태어났을 때부터 그 아이들의 구원 문제에 대해서 부모들이 부지런히 기도하고 되도록 빨리 아이들이 구원을 경험할 수 있도록 도와주는 것입니다.

물론 예수님이 어떤 분인지 깨닫고, 그분을 믿고 받아들이겠다는 이성적 결단을 내릴 수 있는 나이가 몇 살인지는 정확히 말하기가 어렵습니다. 아이들의 성숙과 발전의 단계에는 개인차가 있기 때문에 그것을 일반화하는 것은 매우 어려운 일입니다. 그럼에도 불구하고 저는 어린이들이 구원을 경험하는 것이 가능하다고 생각합니다. 종종 하나님이 쓰신 위대한 신앙인들의 생애에 대한 전기를 읽어 보면 네 살, 대여섯 살에 구원을 경험했다는 사람이 굉장히 많습니다. 또 바울이 디모데에게 편지를 쓸 때도 "또 어려서부터 성경을 알았나니 성경은 능히 너로 하여금 그리스도 예수 안에 있는 믿음으로 말미암아 구원에 이르는 지혜가 있게 하느니라"(딤후 3:15)라고 기록하고 있는 것을 보면, 어린아이들도 구원을 경험할 수 있다는 것을 알 수 있습니다.

그러므로 '아이들은 무조건 다 천국에 간다'는 식으로 지나치게 낙관적으로 생각하는 것은 바람직하지 않습니다. 어린아이들이 구원을 받고 하나님을 알아 어릴 때부터 신앙생활을 하면 그만큼 일생에 유익이 되기 때문에, 부모가 열정을 가지고 아이들의 신앙 교육에 뛰어드는 것이 꼭 필요합니다.

유명한 전도자인 D. L. 무디(Dwight Lyman Moody)는 전도자가 되기 전에 주일학교 교사였습니다. 그가 전도 훈련을 받을 때였습니다. 훈련받고 나가서 전도하고 돌아온 무디는 이렇게 보고했습니다. "저는 오늘 두 사람 반을 전도했습니다."

인도자는 의아해하다가 곧, "알겠습니다. 어른 두 사람, 어린이

한 사람을 전도하셨군요"라고 말했습니다. 그러자 무디는 "반대로 말하셨습니다. 저는 어린이 두 사람과 어른 한 사람을 전도했습니다. 어른은 벌써 인생을 절반 이상 살았기 때문에 엄격히 말하자면 반 사람입니다. 그런데 어린이는 살아갈 시간이 많이 남아 있기 때문에 어린이를 구원한다는 것은 그의 일생을 구원하는 것과 마찬가지가 되지 않겠습니까?"라고 했습니다.

얼마나 진지한 이야기입니까? 본문은 어린아이들이 무조건 구원을 받는다고 가르치는 것이 아닙니다. 어린아이와 같이 주님께 다가가는 것을 하나님께서 기뻐하시고, 또 어린아이와 같이 되지 않으면 하나님 나라를 받을 수 없다고 말씀하고 있습니다.

어린이는 무조건 최고다?

둘째, 본문은 어린아이들을 과보호하거나 방임주의적으로 다루는 것이 좋다고 말하고 있지 않습니다. 흔히 교회 안에서 아이들이 이리저리 뛰어다니며 소리를 지르면 안내자들이 걱정이 되어 제재를 합니다. 그런데 가끔은, "성경도 모르십니까? 아이를 데리고 예수님 앞에 나올 때 제자들이 그것을 막았더니, 예수님이 분히 여기면서 그들을 꾸짖고 하나님의 나라는 이런 자의 것이라고 말씀하셨던 것도 모르십니까?" 하고 대드는 사람들이 있습니다. 이런 경우를 가리켜 "아는 것이 병"이라고 할 수 있습니다.

물론 어린이도 어른과 동일한 인격체로 여기는 태도가 교회 안에서 특별히 필요하다고 생각합니다. 이 분야에서는 '어린이'라는 단어를 만든 방정환 선생님이 큰 기여를 했습니다. 그전까지는 어린이라는 말조차 없었는데, 어른과 마찬가지로 아이들도 하나의 인격체로서 존중해야 할 가치가 있다는 것을 사람들이 인식하는 데 기여한 것입니다. 그런데 이 사실이 '부모들이 어린아이들을 방임해도 좋다'는 것을 의미합니까? 그런 말입니까?

본문은 결코 자녀를 방임하여 키우는 부모에게 면죄부가 되는 말씀이 아닙니다. 요즘 젊은 부모들에게서 뚜렷이 볼 수 있는 성향 가운데 하나는, 방임주의적 교육이라고 생각합니다. 이것은 한국의 미래를 생각할 때 매우 불행한 경향입니다. 세계 어느 나라에도 한국처럼 자기 자녀들을 멋대로 내버려 두는 부모는 없습니다.

한국에서 15년 이상을 살았던 마이클 브린(Michael Breen)이 쓴 《한국인을 말한다》(홍익출판사 역간)라는 책에 이런 내용이 있습니다.

> 한국 아이들은 끊임없이 응석을 부린다. 특히 남자애들은 좋아하는 일을 참고 미루도록 교육을 받지 않았기 때문에 어른이 되어서도 모든 것을 즉각 마음대로 하기를 원한다. 그들은 충동적이고 단기적인 일에 몰두하고 하는 일이 마음대로 되지 않으면 성질을 부리곤 한다. 서구인들이 보기에 한국의 부모들은 아이들에게 지나치게 관대하다. 이것은 한국의 미래를 위해서 불행한 일이다.

또 일본 사람인 이케하라 마모루가 쓴《맞아 죽을 각오를 하고 쓴 한국, 한국인 비판》(중앙M&B 역간)이라는 책에는 '온상 속에서만 자라는 떡잎'이라는 장이 있는데, 그의 눈에는 한국 아이들이 온상 속에서만 자라는 떡잎으로 보인다는 말로 글이 이어집니다.

나는 어렸을 때부터 성질이 별나서 꽤 말썽을 피웠다. 어쩌다 친구랑 싸우고 집으로 들어가면, 어머니는 어김없이 내 손을 잡고 그 집을 찾아갔다. 그리고 상대방 집을 찾아가 조건 없이 사과를 해야만 했다. 내 입술이 찢어졌든, 터졌든 그것은 아랑곳하지 않으셨다. 그리고 나서야 어머니는 내 상처를 치료해 주셨다. 일본에서는 아이를 키우는 부모 대부분이 이런 식이다. 한국에서도 아이가 싸우고 들어오면 상대방을 찾아가는 것까지는 똑같다. 그러나 찾아가서는 사과를 하는 것이 아니라 아이를 어떻게 키웠기에 남의 집 귀한 자식을 이 꼴로 만들어 놓았느냐고 언성을 높인다. 그러니 아이 싸움이 곧잘 어른 싸움으로 번지곤 한다. 이런 부모 밑에서 자란 아이들은 자기 행동에 책임을 져야 한다는 것을 배우지 못한다. 설사 내가 좀 잘못했다 해도 내 뒤에는 부모가 버티고 있고 언제 어디서든지 내 편을 들어줄 것이라고 생각하는 것이다. 아이는 자기 행동의 잘잘못을 판단할 정도로 철이 드는데도 정작 부모 눈에는 아이의 잘못이 보이지 않는 경우가 너무나 많다.

이것이 얼마나 우스운 일입니까? 민주주의 교육이 생활화된 미국의 아이들은 교회에서도 아주 질서 있게 행동하는 것을 보았습니다. 그 차이가 무엇일까요? 그것은 부모의 책임에 있습니다. 미국 교회에서는 구석에서 이리저리 뛰는 아이들을 정숙하게 야단치고 행동을 바로잡아 주는 부모의 모습을 흔히 볼 수 있습니다. 달라져야 합니다. 본문의 말씀을 결코 아이들의 방종한 행동을 묵인하는 것으로 이해해서는 안 됩니다.

어린아이처럼 드리는 고백
"제가 잘못했어요"

그렇다면 본문이 진정으로 의미하는 것은 무엇입니까? 저는 두 단어가 본문을 이해하는 열쇠가 된다고 생각합니다. 첫째는 '하나님의 나라'이고, 둘째는 '어린아이와 같이'입니다.

> "내가 진실로 너희에게 이르노니 누구든지 하나님의 나라를 어린아이와 같이 받들지 않는 자는 결단코 그곳에 들어가지 못하리라"(막 10:15).

하나님 나라에 어떻게 들어갈 수 있습니까? 모든 어린아이가 들어간다는 것이 아닙니다. 어린아이와 같아야 들어간다는 것입니다. 죄인이 하나님 나라에 가는 길에 대해 정상적인 개신교 교파, 정통 교회 안에 소속해 있는 사람들이라면 신학적 차이를 초월해서 대부분 동의하는 두 가지 강조점이 있습니다. '회개'와 '믿음'입니다. 회개하고 믿지 않으면 하나님 나라에 갈 수 없습니다.

그런데 누가 회개할 수 있습니까? 누가 믿을 수 있습니까? 어린아이 같은 사람입니다. 다시 말하면, 어린아이들의 삶의 양식이나 태도에 회개와 믿음을 가능하게 하는 어떤 특성이 있을 수 있다는 말입니다. 어른과 비교해서 상대적으로 그렇게 할 수 있는 더 좋은 조건이나 자질을 어린아이들이 보여 주고 있습니다.

먼저 회개의 경우를 생각해 보십시오. 어린아이와 어른 중에 누가 쉽게 회개하겠습니까? 어린아이입니다. 어른이 되면 사고가 경직되고, 나름의 경험을 통해 인생을 보는 시야가 점차 굳어집니다. 자기 식으로 인생을 사는 것입니다. 그래서 나이 많은 사람들을 교육하는 것이 불가능하지는 않지만, 매우 어렵습니다. 그러나 어린아이에게 '어떤 잘못을 했다'고 알려 주고 타이르면, 쉽게 자기 잘못을 인정하고 행동을 교정합니다. 이것이 바로 회개할 수 있는 마음의 밭입니다.

사람들이 왜 회개하지 않습니까? '내가 뭘 잘못했어? 이 정도 잘못도 안 하는 사람이 어디 있어?'라고 생각하기 때문에 회개하지 않는 것입니다. 이에 반해 회개할 수 있는 마음 밭은 어떻습니까? 어린아이 같은 마음입니다. "네, 잘못했어요. 용서해 주세요"라고 말하면서 자기 행동을 고칩니다. 삶의 방향이 달라집니다. 이렇게 회개할 수 있는 가능성이 어린아이들에게 더 많다는 말입니다.

같은 내용의 마태복음을 보면, "너희가 돌이켜 어린아이들과 같이 되지 아니하면"(마 18:3)이라고 되어 있습니다. 이 말씀에서 어떤 단어가 강조되었습니까? '돌이켜'라는 단어입니다. 회개 없이는 하나님 나라에 갈 수 없습니다. 그런데 어린아이일수록 쉽게 회개하고, 쉽게 믿습니다. 어른이 되면 예수 믿는 것이 힘이 듭니다. 그렇지만 나이 많은 사람들도 믿을 수 있고, 아주 귀하게 쓰임 받을 수 있습니다. 단, 나이 많은 사람 중에서 어떤 사람이 믿을 수 있습니까? 어린아이 같은 마음을 가진 어른입니다. 경직된 사고를 갖지 않고, 어린아이처럼 잘못을 인정할 수 있는 사람입니다. 그리고 어린아이같이 단순하게 주님 앞으로 나아올 수 있는 사람입니다.

어린아이처럼 드리는 고백
"저는 정말로 믿고 받아들여요"

믿음의 경우도 마찬가지입니다. 누가 잘 믿을 수 있을까요? 나이가 들수록 새로운 사람을 만나면 그 사람이 쉽게 믿어지지 않습니다. 나이가 들수록 다른 이들을 의심스러운 눈초리로 보게 되고, 마음을 주지 않습니다. 그러나 어린아이들은 그렇지 않습니다. 처음 만나는 사람에게도 잘 웃고 쉽게 따라갑니다. 그러다 보니 유괴를 당하는 일이 생기기도 합니다. 어린아이들은 이러한 단순한 특성 때문에 쉽게 믿고 잘 받아들입니다.

한 가족이 봄에 길을 가다가 나비를 보았습니다. 딸이 "나비다, 나비" 하니까 아빠가 말했습니다.

"너, 나비가 어디로 간 줄 아니? 꿀을 찾아가는 거야, 꿀."

그러자 딸이 이렇게 말했습니다.

"아냐, 아빠. 저 나비는 엄마를 찾아가는 거야."

딸의 생각과 아버지의 생각이 얼마나 다른지 보십시오. 아이들은 늘 부모를 생각하고 의지합니다. 이렇게 순수하게 의지하고자 하는 마음이 중요한 이유가 있습니다. '독립성'은 신앙적 성장에 필요한 것임에도 불구하고 하나님과의 관계에서 가장 무서운 것이 될 수 있습니다. 하나님을 향해서는 의지하는 마음이 있어야 합니다. 하나님을 향한 신뢰와 의지함 없이 신앙의 세계에 들어갈 수는 없습니다. 그래서 어린아이와 같은 마음을 갖는 것은 매우 중요합니다.

본문 15절에 나오는 '받들지 않는다'는 것은 무슨 의미입니까? 이것은 '믿음'의 다른 표현입니다. 이것을 번역하면 단순히 '받아들인다'는 것입니다. 즉 15절은 "하나님의 나라를 어린아이와 같이 받아들이지 않는 자는"이라고 이해할 수 있습니다.

믿음은 받아들이는 것입니다. 믿음은 하나님을 받아들이고, 하나님의 말씀을 받아들이고, 예수 그리스도를 받아들이는 것입니다. 요한복음 1장 12절은 "영접하는 자 곧 그 이름을 믿는 자들에게는 하나님의 자녀가 되는 권세를 주셨으니"라고 말씀합니다. 예수님의 이름을 믿는다는 것은 교회에 그저 왔다 갔다 하는 것이 아닙니다. 예수님을 믿는다는 것은, 그리스도를 인격적으로 우리의 구주와 주님으로 마음속에 받아들이는 것입니다. 이것이 신앙의 시작입니다. 받아들이지 못하면 신앙은 시작되지 않습니다. 아무리 교회에 와 앉아 있어도, 아무리 예배를 드려도, 아무리 설교를 들어도 여전히 마음의 문을 닫고 예수 그리스도를 거절하는 사람은 그리스도인이 아닙니다.

제가 큰 감동을 받은 연극이 있습니다. 크리스마스 절기가 되면 많이 공연하는 이 연극은 〈빈방 있습니까?〉입니다. 예수님이 태어날 당시 모든 사람에게 호적을 하라는 황제의 영이 내려집니다. 그래서 요셉은 고향인 베들레헴으로 돌아옵니다. 이때 마리아는 임신 중이었습니다. 이들은 한 여관에 도착해서 방이 있느냐고 물었습니다. 〈빈방 있습니까?〉라는 연극에서는 요셉과 마리아가 빈방을 찾는 이 장면이 담긴 성극을 공연하기 위해 준비하는 학생들의 이야기를 보여 줍니다.

말을 심하게 더듬는 한 아이가 이 연극에 몹시 참여하고 싶어 했습니다. 사람들은 고민하다가 대사가 한마디뿐인 제일 쉬운 역할을 이 아이에게 맡기기로 했습니다. 요셉과 마리아가 와서 "방 있습니까?"라고 물으면 "방 없습니다"라고 한마디만 하고 사라지는 여관 주인(주인의 아들인 연극도 있습니다)이었습니다. 사람들은 그 아이를 데리고 열심히 연습시켰습니다.

"바, 바, 바, 바, 방 없습니다."

처음에는 말을 더듬었지만, 자꾸 연습을 시키다 보니 대사를 어느 정도 더듬지 않고 할 수 있게 되었습니다. 이후 연극이 진행되었습니다. 드디어 요셉이 문을 두드리면서 말했습니다.

"방 있습니까?"

여관 주인의 역할을 맡은 아이가 튀어 나가 연습한 대로 말했습니다. 열심히 연습했기에 "바, 방 없어요!" 하며 제대로 말했습니다. 그런데 요셉이 가지 않고 한 번 더 애원했습니다.

"제 아내가 지금 임신 중입니다. 너무너무 아프고 아기가 나올 것 같은데, 구석 자리라도 구할 수 없을까요?"

그러자 이 불쌍한 모습을 본 아이가 갑자기 대본에도 없는 말을 했습니다.

"그, 그, 그러면, 내 방에 오세요! 내 방에 오세요."

연극은 엉망이 되어 버렸지만, 사람들은 크게 감동했습니다. 이 순진한 아이는 도저히 아기 예수를 거절할 수 없어 받아들인 것입니다. 아무도 그리스도를 받아들이지 않던 상황에서 이 아이는 예수님을 초청했습니다.

"내 방에 오세요."

어린아이 같은 사람만이 누리는 행복

"제 마음대로 인생을 살아 보았습니다. 그러나 제 삶은 좌절이고, 방황이었습니다. 그것이 저의 죄요, 허물임을 인정하며, 저는 죄인인 것을 고백합니다"라고 회개할 수 있는 마음이 어린아이와 같은 마음입니다. 어린아이의 마음을 지닌 사람은 "하나님이 저를 구원하기 위해서 예수 그리스도를 보내 주셨습니다"라고 믿음으로 고백합니다. 단순한 복음에 대해서 단순한 마음으로 응답합니다.

> "볼지어다 내가 문밖에 서서 두드리노니 누구든지 내 음성을 듣고 문을 열면 내가 그에게로 들어가 그와 더불어 먹고 그는 나와 더불어 먹으리라"(계 3:20).

우리의 마음을 두드리시는 주님의 음성을 듣고 우리도 그분을 마음에 초청해야 합니다. 우리의 삶의 자리에 오셔서 우리 마음의 문을 두드리시는 예수님의 초청을 기쁨으로 받아들여야 합니다.

이처럼 구원은, 어린아이와 같은 단순한 마음으로 회개하고 예수 그리스도를 구주와 주님으로 믿을 때 받을 수 있습니다. 구원받는 순간 하나님 나라의 백성이 되는 것을 믿을 수 있습니다. 그것이 성경의 약속입니다.

그러나 예수 믿는 사람들도 구원받은 후 시간이 오래 지나다 보면 '구원의 기쁨'을 잃을 수 있습니다. 신앙생활에 더 이상 활력을 갖지 못하고 의기소침하여 영적으로 침체될 때가 있습니다. 찬송의 샘이 메말랐습니까? 삶의 발걸음이 흔들리고 있습니까? 삶에서 성령의 충만함이 떠나 하루하루를 무료하게 살고 있다면 무엇이 필요할까요? 구원의 즐거움을 회복하는 것이 필요합니다. 회복하는 것도 구원받는 것과 똑같습니다. 회개와 믿음으로 예수님 앞에 와서 하나님의 자녀가 되듯이, 우리가 하나님과의 교제를 회복하기 원할 때 하나님은 동일한 것을 요구하십니다.

회개해야 합니다. 우리가 하나님 앞에 잘못 살아왔던 것, 하나님을 우리 삶의 첫 번째 자리에 두지 못했던 것을 말입니다. "하나님, 제 마음대로, 저의 가치관을 따라 살기를 고집했습니다. 제가 잘못했습니다"라고 회개하고 자백하면서 "하나님, 다시 한번 신뢰합니다. 더 이상 저 자신을 의존하지 않겠습니다. 하나님만을 신뢰합니다"라고 다시 한번 고백해야 합니다.

그리스도인인 우리가 삶의 기쁨을 잃어버리고 흔들리는 원인이 무엇입니까? 회개하지 못하기 때문입니다. 왜 회개하지 못합니까? 어린아이 같지 않기 때문입니다. 그들처럼 단순하지 않기 때문입니다. 아이들을 붙들고 설득하고 가르칠 때, 처음에는 저항하던 아이들이 순간적으로 마음을 바꿔서 "잘못했어요, 아빠"라고 말하면 안아 주고 싶지 않습니까? 마찬가지로 우리가 주님 앞에 잘못을 회개하고 자백하는 순간, 하나님은 우리를 안아 주십니다. 그럴 때 우리 안에 하나님 나라가 회복됩니다. 주께서 우리를 통치하고 다스리십니다. 그로 인해 우리 안에서 기쁨의 샘물이 터지고, 환희의 찬양이 회복됩니다.

주님이 구원의 기쁨을 회복해 주시기를 기도하기 바랍니다. 주님은 말씀하십니다.

> "내가 진실로 너희에게 이르노니 누구든지 하나님의 나라를 어린아이와 같이 받들지 않는 자는 결단코 그곳에 들어가지 못하리라"(막 10:15).

"예수께서 길에 나가실새 한 사람이 달려와서 꿇어앉아 묻자오되 선한 선생님이여 내가 무엇을 하여야 영생을 얻으리이까 예수께서 이르시되 네가 어찌하여 나를 선하다 일컫느냐 하나님 한 분 외에는 선한 이가 없느니라 네가 계명을 아나니 살인하지 말라, 간음하지 말라, 도둑질하지 말라, 거짓 증언하지 말라, 속여 빼앗지 말라, 네 부모를 공경하라 하였느니라 그가 여짜오되 선생님이여 이것은 내가 어려서부터 다 지켰나이다 예수께서 그를 보시고 사랑하사 이르시되 네게 아직도 한 가지 부족한 것이 있으니 가서 네게 있는 것을 다 팔아 가난한 자들에게 주라 그리하면 하늘에서 보화가 네게 있으리라 그리고 와서 나를 따르라 하시니 그 사람은 재물이 많은 고로 이 말씀으로 인하여 슬픈 기색을 띠고 근심하며 가니라"(막 10:17-22).

10

그가 슬퍼하며 떠난 진짜 이유

오해를 벗어야
구원의 길을 찾을 수 있다

오해 때문에

박찬호 선수가 메이저리그에서 활동했을 당시, 어떤 부부가 박찬호 선수 때문에 부부 싸움을 했습니다. 어느 날 아침, 느닷없이 부인이 남편에게 박찬호 선수의 어머니가 일본 사람이라고 말했습니다. 그 말을 듣고 깜짝 놀란 남편이 "당신, 헛소리하는 거 아니오?"라고 말했습니다. 그러자 아내는 "헛소리라뇨? 신문에 났는데요, 신문에"라고 말하며 신문 한 장을 가지고 왔습니다. 일간 신문의 스포츠면에는 큰 글씨로, '한국인 박찬호와 일본인 노모'라고 써 있었습니다. 일본 선수 이름인 노모를 '노모'(老母)로 오해했던 것입니다.

이러한 것은 애교 있는 오해이고, 남에게 피해를 주지도 않습니다. 그런데 어떤 오해는 인생에 매우 중대하고도 돌이킬 수 없는 피해를 남깁니다. 제2차 세계대전이 종료된 직후의 일입니다. 헬리콥터가 저공비행을 하며 필리핀 산악 지대에 숨어 있던 일본군들에게 종전 방송을 했습니다.

"전쟁은 끝났습니다. 항복하고 나오면 조국 일본으로 돌아갈 수 있습니다."

그러나 산악 지대에 숨어 있던 많은 일본군은 이것을 연합군의 전술 전략으로 오해하고는 더 깊은 산속으로 들어가 버렸습니다. 어떤 일본군은 종전 후 무려 30년 동안 동굴에 들어가서 생존을 유지하다가 1970년대 말에 원시인의 모습으로 발견되기도 했습니다. 오해 때문에 30년을 잃어버린 비극입니다.

본문에도 안타깝고 슬픈 비극의 사건이 기록되어 있는데, 그 원인 역시 오해였습니다. 본문 17절은 주인공을 가리켜 '한 사람'이라고 말씀합니다. 그런데 마태복음 19장 20절은 그를 '청년'이라고 기록하고, 누가복음 18장 18절은 그를 사회의 엘리트 계층이었던 '관리'라고 기록하고 있습니다. 본문의 내용으로 봐서 그는 또한 부자였습니다.

그는 청년이었음에도 '천국이나 영생'을 인생을 거의 다 살아 버린 노인들의 망상이라고 생각하지 않았습니다. 사회적으로 성공을 거둔 관리였음에도 불구하고, 천국이나 영생을 사회적으로 실패한 사람들의 정신적 도피처 같은 것이라고 생각하지 않았습니다. 부자였지만, '천국은 가난한 사람들의 심리적 보상이며 인간의 내면에 존재하는 허구의 나라'라고 생각하지도 않았습니다. 그는 진지했으며, 경건한 구도자의 자세를 가지고 있었습니다. 그리고 자기 죄의 문제를 풀 수 있는 올바른 대상인 예수님을 찾아왔습니다. 올바른 대상을 찾아왔을 뿐만 아니라 올바른 질문을 던졌습니다. 영생에 대한 질문을 한 것입니다. 그럼에도 불구하고 본문은 비극적인 결말을 맺습니다.

> "그 사람은 재물이 많은 고로 이 말씀으로 인하여 슬픈 기색을 띠고 근심하며 가니라"(막 10:22).

이 말씀을 읽고는 그가 단지 가진 것이 많은 부자였기에 할 수 없이 예수님을 떠났다고 생각해서는 안 됩니다. 그가 예수님을 등지고 슬퍼하며 떠나간 진짜 이유는 오해 때문이었습니다. 그를 예수님으로부터 돌이켜 떠나게 한 오해는 도대체 무엇일까요?

예수님에 대한 오해

첫째, 그는 예수님이 어떤 분인지를 오해했습니다.

> "예수께서 길에 나가실새 한 사람이 달려와서 꿇어 앉아 묻자오되

선한 선생님이여 내가 무엇을 하여야 영생을 얻으리이까"(막 10:17).

여기서 그는 예수님을 '선한 선생님'이라고 불렀습니다. 이 호칭에 대해서 예수님은 어떤 반응을 보이셨습니까?

"예수께서 이르시되 네가 어찌하여 나를 선하다 일컫느냐 하나님한 분 외에는 선한 이가 없느니라"(막 10:18).

이 말씀을 피상적으로 보고는, 예수님은 당신이 선한 분이라는 것을 부인하셨다고 성급하게 결론 지어서는 안 됩니다. 예수님은 '사람 가운데는 선한 이가 없고, 인간의 선함이 구원의 조건일 수는 없으며, 자신의 선함을 들고 하나님 앞에 나아올 사람은 없다'고 말씀하신 것입니다. 로마서 3장 10-12절에는 "의인은 없나니 하나도 없으며 깨닫는 자도 없고 하나님을 찾는 자도 없고 다 치우쳐 함께 무익하게 되고 선을 행하는 자는 없나니 하나도 없도다"라고 기록되어 있습니다. 하나님 앞에 인정될 수 있는 선함을 가진 사람은 없습니다. 인간의 선은 상대적입니다. 전능하신 하나님의 안목에서 보면, 자신의 선을 가지고 주 앞에 나아올 수 있는 사람은 아무도 없습니다.

그러나 본문에서 선한 자는 하나님밖에 없다고 말씀하신 더 깊은 의도는 무엇이었을까요? 본문을 통해 예수님께서 간접적으로 시사하시려 했던 진리는 이것입니다.

'나는 선한 선생님이 아니다. 나는 참 하나님이다.'

이 점을 시사하셨던 것을 주목할 필요가 있습니다.

요즘에는 예수님을 '위대한 모델로서의 인간'으로 보는 사람이 많습니다. '존경할 만한 스승, 위대한 인류의 영웅, 위대한 휴머니스트'로 예수를 생각하는 사람이 많습니다. 그러나 이것은 예수님에 대한 올바른 관점이 아닙니다. 예수님은 스승 이상이십니다. 그분은 하나님이시고, 무엇보다 인간을 구원할 수 있는 구주이십니다. 위대한 인간이 위대한 모범일 수는 있지만, 우리를 구원하는 구세주일 수는 없습니다.

한번은 C. S. 루이스가 케임브리지 채플에서 '예수의 구주 되심'이라는 주제로 설교를 했습니다. 설교를 마쳤을 때 한 학생이 이렇게 말했습니다.

"만약 오늘 선생님께서 예수는 우리가 본받아야 할 위대한 스승이라고 말했더라면 우리는 모두 선생님에게 박수를 보냈을 것입니다. 그런데 '예수는 구세주'라는 기독교의 진부한 교리를 말씀하셨기 때문에 우리는 어떤 반응도 보이지 않았습니다."

그러자 C. S. 루이스는 그에게 이렇게 말했습니다.

"자네는 정말 예수가 완벽한 모델이라고 생각하는가?"

"그렇게 생각하죠."

"그러면 이 완벽한 모델 예수를 따라가는 것이 중요하다고 믿는가?"

"그렇죠."

"그러면 자네에게 묻겠네. 자네는 도덕적으로 완벽한 모델이신 예수를 자네가 완전히 따라갈 수 있다고 생각하는가?"

청년은 한참 생각하다가 대답했습니다.

"완전히 따라갈 수는 없겠죠."

"그러면 자네도 도덕적 실패를 인정하는군. 자네의 삶 속에서 실수가 있었고, 죄가 있었다는 것을 인정하겠는가?"

"인정합니다."

"그렇다면 자네에게 필요한 것은 도덕적 모델로서의 예수가 아니네. 자네의 도덕적 실패와 죄로부터 자네를 구원할 수 있는 구세주 예수가 먼저 필요하다네. 죄인에게는 모델로서의 예수가 아니라 구세주로서의 예수가 필요하니 말일세. 구주이신 그리스도를 만난 다음에 비로소 그분은 자네의 모델이 될 수 있다네."

나폴레옹(Napoléon Bonaparte)은 세계를 정복한 정복자로 유명합니다. 그런 그가 남긴 그리스도에 대한 뛰어난 명언이 있습니다.

"소크라테스가 이 방에 들어온다면, 우리는 모두 일어나 그분에게 존경심을 표하는 것이 마땅하다. 그러나 나사렛 예수가 이 방에 들어온다면, 우리는 모두 엎드려 그분을 경배하는 것이 마땅하다."

그는 예수 그리스도를 단순히 존경받을 만한 스승이 아니라, 예배를 받고 우리의 삶을 주관하시는 주님이라고 이해한 것입니다. 그러나 청년 관리는 예수님을 선한 선생 수준으로만 이해했습니다. 선한 선생으로서의 예수는 손익 계산이 맞지 않는다고 판단될 때 언제든지 쉽게 떠날 수 있는 사람입니다.

그가 예수를 등지고 떠나간 진짜 이유는, 예수를 알지 못했기 때문입니다. 그분을 선한 스승이라고 생각했을 뿐, 하나님이요, 자신을 구원할 수 있는 구주라는 사실은 이해하지 못했던 것입니다. 당신은 어떻습니까?

구원에 대한 오해

둘째, 그는 행위로 영생을 얻을 수 있다고 오해했습니다. 청년이 던진 질문은 영생에 대한 것으로 매우 바람직한 것이었습니다. 그러나 그 질문을 분석해 보면 신학적으로, 교리적으로 매우 그릇된 전제를 담고 있습니다. 그가 가지고 있던 전제는 많은 사람이 기독교에 대해 가지고 있는 보편적 편견입니다. 그는 예수님 앞에 꿇어앉아 이렇게 말합니다.

> "선한 선생님이여 내가 무엇을 하여야 영생을 얻으리이까"(막 10:17).

그는 영생을 얻기 위해 자신이 무엇인가를 해야 한다는 전제를 가지고 있습니다. '내가 어떤 것을 해야만, 커다란 업적을 세워야만 하나님이 영생을 주실 것이다'라고 생각한 것입니다. 이는 많은 사람이 영생과 구원에 대해 가지고 있는 매우 보편적인 선입견입

니다. 그러나 예수님은 이 청년과의 계속되는 대화 속에서 구원의
근거가 행함이라는 잘못된 가정을 무너뜨리기 위한 질문을 계속하
십니다. 본문 18절의 "네가 어찌하여 나를 선하다 일컫느냐 하나님
한 분 외에는 선한 이가 없느니라"라는 말씀은 "너의 선을 들고 하
나님 앞에 접근할 수 있다고 생각하느냐? 선으로 영생을 얻을 수 있
다고 생각하느냐? 그 정도로 네가 선하다고 생각하느냐?"라는 물
음입니다. 이어지는 말씀을 보십시오.

> "네가 계명을 아나니 살인하지 말라, 간음하지 말라, 도둑질하지
> 말라, 거짓 증언하지 말라, 속여 빼앗지 말라, 네 부모를 공경하라
> 하였느니라 그가 여짜오되 선생님이여 이것은 내가 어려서부터
> 다 지켰나이다"(막 10:19-20).

청년은 도덕적인 자신감이 있었습니다. 상당히 도덕적으로 살아
온 사람이 아니라면 이런 대답을 할 수 없습니다. 그러나 예수님은
이 대답을 듣고서 그가 아직도 자신의 진정한 모습을 보지 못하는
것을 안타까워하십니다. 본문 21절을 보십시오. 그에 대한 예수님
의 아가페적 사랑을 볼 수 있습니다.

> "예수께서 그를 보시고 사랑하사 이르시되 네게 아직도 한 가지
> 부족한 것이 있으니 가서 네게 있는 것을 다 팔아 가난한 자들에
> 게 주라 그리하면 하늘에서 보화가 네게 있으리라 그리고 와서 나

를 따르라 하시니"(막 10:21).

이 말씀의 의미를 비약해서 '구원을 얻기 위해서는 재산을 다 팔아야 한다'는 뜻으로 오해해서는 안 됩니다. 그런 이야기가 아닙니다. 청년은 아직도 자신은 죄인이 아니라고 항변하고 있습니다. 예수를 구주로 만나기 위해, 영생을 얻기 위해서는 자신의 죄인 됨을 깨달아야 하기에 예수님은 그의 아픈 곳을 찌르시는 것입니다. 그의 도덕적 자부심에도 불구하고 그가 숨기고 있는 내면적 갈등의 원인, 그를 지배하고 있는 강력한 삶의 동기 중의 하나는 '재물에 대한 탐심'이었습니다. 예수님은 이 한 가지를 통해서 그의 죄인 됨을 보여 주고자 하셨습니다.

우리가 죄인이라는 것을 알기 위해 많은 계명을 파기할 필요는 없습니다. 단 한 가지 계명의 파괴로 우리는 하나님 앞에 참으로 죄인이고, 하나님의 진노와 저주를 피할 수 없는 인간이라는 사실을 깨달아야 합니다.

사람들은 자신의 죄는 가볍게 다루고 타인의 죄에만 집중합니다. 교도소에서 살인한 사람과 간음한 사람이 만난다면, 살인한 사람은 간음한 사람에게 이렇게 말할지 모릅니다.

"야, 나는 흥분하고 열 받아서 사람을 죽였지만, 여자는 건드리지 않아. 그런 치사한 짓은 안 한다고."

그러면 간음한 사람은 이렇게 말할 것입니다.

"아니, 어떻게 신성하고 거룩한 사람의 생명을 해칠 수 있어? 나는 로맨스에 빠졌을 뿐이야."

사람들은 대개 남의 죄는 지적하면서 자신의 죄는 아무것도 아니라고 말합니다. 그러나 야고보서 2장 10절은 "누구든지 온 율법을 지키다가 그 하나를 범하면 모두 범한 자가 되나니"라고 말씀합니다. 단 하나의 계명을 파괴하는 것, 단 한 번의 거짓말로도 우리는 하나님 앞에 죄인이고, 하나님의 진노를 피할 수 없다고 가르칩니다.

우리는 모두 죄인입니다. 이 말에 이런 반문을 제기하고 싶은 사람이 있을 것입니다.

"그렇다면 목사님, 도대체 누가 구원받을 수 있습니까?"

청년과 예수님의 대화를 옆에서 듣고 있던 제자들이 바로 이 의문을 제기했습니다.

"제자들이 매우 놀라 서로 말하되 그런즉 누가 구원을 얻을 수 있는가 하니"(막 10:26).

그렇다면 인간 가운데 도대체 누가 구원을 얻을 수 있겠느냐는 물음입니다. 여기에 대해 예수님은 어떻게 대답하셨습니까?

"예수께서 그들을 보시며 이르시되 사람으로는 할 수 없으되 하나님으로는 그렇지 아니하니 하나님으로서는 다 하실 수 있느니라"(막 10:27).

그렇기 때문에 결코 사람은 사람을 구원할 수 없고, 하나님만이 구원하실 수 있다고 대답하십니다. 아무리 최선을 다해도 사람은 결코 사람을 구원할 수 없습니다. 우리는 타인을 동정하거나 그에게 일시적인 도움을 줄 수는 있습니다. 그러나 사람을 구원할 수는 없습니다. 사람은 다 죄인이고, 사람은 다 그릇된 길로 갔기 때문입니다. 하나님만이 사람을 구원하실 수 있습니다. 당신은 이 사실을 믿습니까?

그래서 하나님은 구원할 때 인간의 행함에 근거를 두지 않고 선물로 주십니다. "너희는 그 은혜에 의하여 믿음으로 말미암아 구원을 받았으니 이것은 너희에게서 난 것이 아니요 하나님의 선물이라 행위에서 난 것이 아니니 이는 누구든지 자랑하지 못하게 함이라"라고 에베소서 2장 8-9절은 말씀합니다. 영생과 구원은 인간의 행함을 통해서 얻는 것이 아니라, 하나님께서 진노와 저주를 받아 마땅한 우리에게 예수 그리스도를 통하여 선물로 주시는 것입니다. 이것이 복음입니다. 그래서 로마서 6장 23절에서 '죄의 삯은 사망'이라고 했고, 하나님의 은사, 즉 선물은 '그리스도 예수 우리 주 안에 있는 영생'이라고 했습니다.

선물은 어떻게 받습니까? 그냥 받으면 됩니다. 그렇다면 선물은 누가 제일 잘 받을까요? 아이들입니다. 아이들은 선물을 주면 그냥 잘 받습니다. 하지만 어른들은 '선물인가, 아니면 뇌물인가' 하며 어떤 불순한 의도가 있는 것은 아닌지 생각합니다. 앞 장에서, 예수님은 누가 하나님 나라에 들어갈 수 있다고 말씀하셨습니까?

어린아이와 같은 자라고 하셨습니다.

　이 청년에게는 어린아이와 같은 순수함이 없었습니다. 그는 자신 안에 있는 행함의 부조리를 알면서도 여전히 자기 행위를 의존하고 있었습니다. 무엇인가를 해야 하지만 자신의 전 재산을 내놓을 수는 없다고 생각하자, 그는 예수님 곁을 떠날 수밖에 없었습니다. 당신은 어떻습니까? 당신은 이러한 오해를 하지 않습니까?

인생의 우선순위에 대한 오해

셋째, 그에게는 인생의 우선순위에 대한 오해가 있었습니다. 우선순위란 무엇이 가장 중요한지를 정하는 것입니다. 행복은 올바른 우선순위를 따라 살아가는 삶 속에 있습니다. 그렇다면 불행은 왜 올까요? 우선순위를 혼동하는 것에서부터 인생의 불행이 시작된다고 생각합니다.

　댈러스 카우보이스(Dallas Cowboys)는 전통적으로 뛰어난 성적을 거두고 있는 미국의 미식축구 팀입니다. 여러 번 우승하며 많은 팬에게 사랑받을 수 있었던 이유는 전설적인 코치가 있었기 때문입니다. 그는 명예의 전당에 들어가 있는 톰 랜드리(Thomas Wade Landry)라는 코치입니다. 그는 인기 있는 미식축구 팀 코치이자 탁월한 성경 교사이고, 행복한 가정의 가장이기도 했습니다. 어느 날 기자가 찾아와서 물었습니다.

"당신의 인생이 이렇게 행복한 이유는 무엇입니까?"

"저는 예수님을 믿기 시작한 그날부터 올바른 우선순위 가운데 살아왔습니다."

"당신의 우선순위는 무엇입니까?"

"첫 번째는 하나님, 두 번째는 가족, 세 번째는 축구입니다. 저는 이 우선순위가 한 번도 흔들린 적이 없습니다."

불행은 우선순위를 혼동하는 것에서부터 생겨납니다. 본문에 등장하는 청년은 우선순위를 혼동했습니다. 그는 영생을 얻는 것이 자신의 우선순위에서 중요하다고 생각하고 예수님 앞으로 왔습니다. 예수님에 대한 관심도 있었고, 영생을 얻고자 하는 진지한 바람도 있었습니다. 그러나 사실 영생에 대한 바람보다 그를 더욱 강하게 지배하고 있는 것은 재물에 대한 탐심이었습니다. 그래서 결국 우선순위에서 예수님과 영생의 문제가 밀려났습니다. 그렇게 그는 예수님을 등지고 떠난 슬픔의 주인공이 되고 말았습니다.

교회에 나오면서도 우선순위에 대한 혼란을 가지고 있는 사람이 얼마나 많습니까? 이런 이야기를 들었습니다. 교회에 잘 가지 않는 아이에게 부모가 교회에 나가면 천 원을 주겠다고 말하자 아이가 교회에 갔습니다. 이 아이는 '교회는 천 원짜리, 극장은 만 원짜리'라는 생각을 갖게 되었을지도 모릅니다.

당신의 가장 중요한 우선순위는 어디에 있습니까? 이 청년은 예수님도, 영생도 중요했지만, 그것보다 훨씬 더 중요한 것은 재물이었습니다. 우상은 우리와 하나님 사이에 끼어들어 하나님을 바라

보지 못하고, 하나님을 사랑하지 못하도록 만드는 것입니다. 그는 우상을 극복하지 못했습니다.

옛날에 아프리카에서 영국 해협으로 오던 배가 조난을 당했습니다. 구조선이 왔지만 파고가 높아 접근할 수 없어 조난당한 사람들에게 밧줄을 던져 주면서 구조선 가까이로 오라고 했습니다. 많은 사람이 목숨을 건졌지만, 죽은 사람도 많았습니다. 수영을 하지 못하거나 밧줄을 잡지 못해서 죽은 사람도 있었지만, 또 다른 이유로 죽은 사람들이 있었습니다. 금을 몸속에 넣고 오다가 금괴의 무게 때문에 물에 빠져 죽은 것입니다. 사람이 재물을 움켜쥔다 해도 목숨을 잃는다면 무슨 소용이 있겠습니까? 그 순간 무엇이 더 중요한지 판단력이 흐려졌던 것입니다.

당신의 삶에서 예수님보다 중요한 것이 있습니까? 예수님이 길이요, 진리요, 생명이라는 것을 믿는데도 예수님보다 중요한 것이 있습니까? 예수님은 우리의 구주이십니다. 우리를 다스리고 하나님 나라로 인도하실 예수님보다 중요한 것은 아무것도 없습니다.

구원의 문제, 영생의 문제보다 더 중요한 것이 있을까요? 성공해도 구원을 얻지 못한다면 영원한 시간을 지옥에서 보내야 할 것입니다. 구원을 얻는 것보다 중요한 것은 없습니다. 예수를 믿고 그리스도 앞에 왔을 때 주님이 우리를 용서하셨습니다. 십자가에서 피 흘린 그 거룩한 사랑을 힘입어 예수 그리스도 앞에 나아온 우리에게 영생을 선물로 주셨습니다. 이보다 더 큰 복이 어디 있을까요? 예수 믿고 구원 얻은 행복을 확인하기 바랍니다.

아직도 예수님을 모르거나 구원을 얻지 못했다면, 우선순위를 바꾸십시오. 십자가 앞에 서십시오. 하나님이 당신의 죄인 됨을 보고 깨우쳐 주셨다면, 당신의 최선이나 노력도 당신을 구원할 수 없었다면, 이제 십자가 앞에 겸손히 서십시오. 그리고 그곳에서 주님이 당신을 얼마나 사랑하셨는지 확인하십시오. 우리의 허물과 죄를 담당한 채 죽으시고 장사 된 지 사흘 만에 부활하신 그리스도는, 자신의 죄인 됨을 깨달으며 사랑의 하나님을 바라보는 모든 사람에게 영생을 선물로 주십니다. 이 행복을 받아 누리십시오. 그리스도 안에서 그리스도와 더불어 인생을 사는 기쁨 속으로 들어가기를 바랍니다.

"세베대의 아들 야고보와 요한이 주께 나아와 여짜오되 선생님이여 무엇이든지 우리가 구하는 바를 우리에게 하여 주시기를 원하옵나이다 이르시되 너희에게 무엇을 하여 주기를 원하느냐 여짜오되 주의 영광 중에서 우리를 하나는 주의 우편에, 하나는 좌편에 앉게 하여 주옵소서 예수께서 이르시되 너희는 너희가 구하는 것을 알지 못하는도다 내가 마시는 잔을 너희가 마실 수 있으며 내가 받는 세례[침례]를 너희가 받을 수 있느냐 그들이 말하되 할 수 있나이다 예수께서 이르시되 너희는 내가 마시는 잔을 마시며 내가 받는 세례[침례]를 받으려니와 내 좌우편에 앉는 것은 내가 줄 것이 아니라 누구를 위하여 준비되었든지 그들이 얻을 것이니라 열 제자가 듣고 야고보와 요한에 대하여 화를 내거늘 예수께서 불러다가 이르시되 이방인의 집권자들이 그들을 임의로 주관하고 그 고관들이 그들에게 권세를 부리는 줄을 너희가 알거니와 너희 중에는 그렇지 않을지니 너희 중에 누구든지 크고자 하는 자는 너희를 섬기는 자가 되고 너희 중에 누구든지 으뜸이 되고자 하는 자는 모든 사람의 종이 되어야 하리라 인자가 온 것은 섬김을 받으려 함이 아니라 도리어 섬기려 하고 자기 목숨을 많은 사람의 대속물로 주려 함이니라"(막 10:35-45).

11

예수 따라가는
길의 각오

삶에 대한 태도가
믿음을 증명한다

죽음까지도 각오했던 사람들

존경받는 기독교 사상가이자 언론가인 맬컴 머거리지(Malcolm
Muggeridge)의 책에는 이런 내용이 있습니다.

실용주의가 이 땅의 기독교인들에게 미치는 가장 커다란 영향
이 있다면 그것은 오늘의 기독교인들에게서 참된 결단과 헌신
을 빼앗아 간 것이다.

영국적 상황을 바탕으로 했지만, 한국의 기독교에도 그대로 적

용될 수 있는 메시지입니다. 20세기 초·중반만 해도 이 땅의 그리스도인들에게 가장 위대한 영웅은 순교자들이었습니다. 제가 어릴 적에도 교회에서 순교자들에 대한 설교를 많이 들었는데, 언제나 가슴을 설레게 하던 이야기였습니다. 그리스도인들의 간증 속에도 자주 등장했던 표현은 '나는 결심합니다, 나는 결단합니다, 각오하겠습니다'라는 말이었습니다. 그런데 요즘은 이런 말을 별로 들어볼 수 없습니다.

꽤 오래전, 주기철 목사님 아드님의 간증을 들으면서 이러한 순교적 신앙의 회복이 얼마나 중요한 것인가를 뼈저리게 느낄 수 있었습니다. 1934년, 일제 치하에서 신사 참배의 폭풍이 한국 교회에 몰아칠 때, 주기철 목사님은 평양신학교 사경회의 강사로 초청받으셨습니다. 그때 그분의 설교 주제가 그 유명한 '일사각오'(一死覺悟)였습니다. '예수를 따르는 사람마다 죽기를 결심해야 한다. 죽으면 산다. 그들에게만 부활의 영광이 약속된다'는 것이 주제였습니다.

본문은 예수님이 마지막으로 예루살렘을 향해 가시는 도상에서 일어나는 사건입니다. 본문 앞에는 세 번째 수난의 예고가 기록되어 있는데, 그중 32절은 본문의 배경을 설명하고 있습니다.

"예루살렘으로 올라가는 길에 예수께서 그들 앞에 서서 가시는데 그들이 놀라고 따르는 자들은 두려워하더라 이에 다시 열두 제자를 데리시고 자기가 당할 일을 말씀하여 이르시되 보라 우리가 예루살렘에 올라가노니 인자가 대제사장들과 서기관들에게 넘겨지매 그들이 죽이기로 결의하고 이방인들에게 넘겨주겠고 그들은 능욕하며 침 뱉으며 채찍질하고 죽일 것이나 그는 삼 일 만에 살아나리라 하시니라"(막 10:32-34).

예수님은 예루살렘에서 무엇이 그분을 기다리고 있는지 명확히 아셨습니다. 알면서도 그 길을 가셨습니다. 그리고 당신을 따라오는 제자들에게도 예루살렘에서 기다리고 있는 것에 대한 결단과 각오가 동일하게 필요하다고 생각하셨습니다. 그것을 이제 자연스러운 대화를 통해서 말씀하시는 것입니다. 십자가를 질 각오를 부탁하신 것입니다.

당시의 제자들에게 이런 각오가 필요했다면, 오늘 이 시대의 제자들에게도 동일한 각오가 있어야 하지 않겠습니까? 우리가 예수님의 제자로서 주님을 제대로 따르려면 어떤 각오가 필요할까요? 본문은 중요한 각오 몇 가지를 가르쳐 줍니다.

세속적 영광을 포기하라

첫째, 주님은 세속적 영광을 포기할 각오에 대해 말씀하십니다. 140여 년 전, 이 땅에서 처음 예수를 믿었던 사람들에게는 두 가지 중요한 동기가 있었습니다. 첫째는, 사회 개혁적 비전을 가지고 귀의한 사람들이 있었습니다. 소위 엘리트 식자층에서는 '기독교를 믿으면 역사도, 사회도, 개인도 새로워질 것이다'라는 사회 개혁적 비전을 가지고 기독교에 참여했습니다. 그러나 이러한 사람은 소수였습니다. 대다수의 군중은 구원받기 위해서 믿었습니다. 이것은 성경적인 신앙의 동기라고 할 수 있습니다.

그런데 언제부터인가 '사회 개혁적 동기'도 아니고 '복음적인 동기'도 아닌 또 다른 동기로 예수를 믿는 경우가 늘어나기 시작했습니다. 이 제3의 동기를 '축복의 동기'라고 할 수 있습니다. 언제부터인가 예수 믿으면 구원받는다는 기독교의 본질적인 메시지 대신, '예수 믿으면 복을 받고, 예수 믿으면 건강해지고, 예수 믿으면 출세하고, 예수 믿으면 부자가 될 수 있다'는 사상이 퍼졌습니다. 이것은 이 시대의 실용주의적 가치관과 물질 중심주의에서 비롯된 것이라고 생각합니다. 한국인 특유의 '기복 신앙'에 외국에서 수입된 '번영 신학'의 영향으로, 소위 '예수 믿으면 복 받는다'는 메시지가 유행하기 시작했습니다.

예수 믿으면 복을 받지 못한다는 말이 아닙니다. 예수 믿어서 병을 고치거나 복을 받는 사람은 매우 많습니다. 그러나 이것이 기독교의 핵심적인 메시지입니까? 만약 복을 받거나 건강하기 위해서만 예수를 믿는다면, 예수를 믿었음에도 복을 받지 못했거나, 병이 고쳐지거나 출세하지 못한 사람들은 언제라도 예수님을 버릴 수 있을 것입니다.

제자들은 처음에 예수님이 메시아이고, 이분을 통해 구원을 경험하고 하나님 나라의 백성이 된다는 믿음 때문에 예수님을 따랐을 것입니다. 그들은 또한 예수님의 기적을 보기 시작했습니다. 그분이 행하신 기적을 보면서 마음속에 기대가 일어났을 것입니다.

'저런 기적을 행하는 분이라면 우리의 어떤 소원도 만족시켜 주실 수 있을 것이다.'

본문 35절에서는 두 제자가 나와서 주님께 이런 이야기를 합니다.

"세베대의 아들 야고보와 요한이 주께 나아와 여짜오되 선생님이여 무엇이든지 우리가 구하는 바를 우리에게 하여 주시기를 원하옵나이다"(막 10:35).

'당신은 무엇이든지 할 수 있는 분이니, 우리가 원하는 것을 무엇이든지 만족시켜 주십시오'라는 요청입니다. 이어지는 말씀을 보십시오.

"이르시되 너희에게 무엇을 하여 주기를 원하느냐 여짜오되 주의 영광 중에서 우리를 하나는 주의 우편에, 하나는 좌편에 앉게 하여 주옵소서"(막 10:36-37).

여기서 그들은 '주의 영광'이라는 단어를 사용하고 있지만, 그들이 말하는 영광은 본래 성경적 의미가 아닌, 매우 세속적인 성격의 단어로 사용되었습니다. '주님이 온 나라와 온 세상을 통치하실 때 우리 중 한 사람은 주의 우편에, 또 한 사람은 주의 좌편에 앉게 해 주십시오'라는 뜻입니다. 이것은 분명히 순수하지 않은 마음입니다. 예수님을 따르는 동기가 변질된 것입니다.

이들이 말한 주의 영광이 세속적인 영광이라는 증거가 있습니다. 본문에서 두 제자가 하는 말을 듣고 있던 다른 열 제자가 어떤 반응을 보였습니까? 분노했습니다. '너희만 해먹을 작정이냐?' 하며 화를 냈습니다. 그래서 두 제자가 사용한 영광이라는 말은 다분히 세속적인 의미의 영광이었다고 생각할 수 있습니다.

그런데 흥미로운 것은, 마가복음에 기록된 것과 같은 내용을 마태복음에서 살펴보면, 주님께 자신들의 소원을 아뢰는 제자들에 대하여 또 다른 사실이 부각되어 있습니다. 마태복음 20장 20-21절을 보십시오.

> "그때에 세베대의 아들의 어머니가 그 아들들을 데리고 예수께 와서 절하며 무엇을 구하니 예수께서 이르시되 무엇을 원하느냐 이르되 나의 이 두 아들을 주의 나라에서 하나는 주의 우편에, 하나는 주의 좌편에 앉게 명하소서."

마태복음에서는 두 제자가 아니라 그들의 어머니가 간청한 것으로 되어 있습니다. 저는 이 사건을 치맛바람의 원조라고 말하고 싶습니다. 제자들이 간청한 것일까요, 아니면 어머니가 간청한 것일까요?

연대로 보면 먼저 기록된 것은 마가복음입니다. 그래서 마가복음을 사복음서 가운데서도 '원복음'이라고 말합니다. 마태복음은 그 후에 기록되었습니다. 나중에 기록된 것은 먼저 기록된 것을 근거로 필요한 내용을 보충하는 경향이 있습니다. 마태가 동일한 사건을 기록하면서 '어머니의 등장'을 강조한 것은 아마도 이런 의도 때문이었을 것입니다. 야고보와 요한이 주님 앞에 나아가 세속적인 요청을 한 것은 어머니의 영향이라는 것을 말하고자 한 것입니다.

자녀들이 경건한 방향으로 인생을 사느냐, 세속적 동기를 붙들고 인생을 사느냐 하는 문제에서 부모의 영향은 대단히 중요합니다. 이것이 옛날에만 있었던 일이겠습니까? 오늘날에도 이런 어머니들이 있습니다. 고등학생들이 교회에 열심히 나오면 어머니들에게서 전화가 온다고 합니다.

"제발 좀 적당히 교회 다니게 해 주세요. 일단 대학에 입학해 놓고 나서 천천히 믿어도 되지 않습니까?"

이것이 대부분의 어머니가 가지고 있는 생각입니다. 좋은 대학교에 들어가면 좋은 직업을 갖게 될 것이고, 명예도 갖게 될 것이고, 그러다 보면 이 땅에서 당당하게 살 것이라고 생각합니다. 나쁜 동기는 아니지만, 자녀들이 이 땅에서 잘살도록 힘써야겠다는 동기가 영적인 동기보다 더 강하게 자리 잡고 있다는 사실을 누가 부인할 수 있겠습니까?

예수 믿는 사람들이 세상에서 아무렇게나 살아도 좋다는 이야기가 절대 아닙니다. 저는 훌륭한 기독교 정치가, 기독교 사업가 그리고 기독교적 교육관을 가진 교육가가 사회 한복판에 있어야 한다고 믿습니다. 그러나 중요한 것은 예수 믿는 동기가 무엇이냐는 것입니다. 세상적 욕구의 성취를 신앙이 도와준다는 사실 때문에 믿습니까, 아니면 우리를 구원하고 변화시켜 주신 예수님이 너무도 좋기 때문에 주님을 따르고 있습니까? 교회에 나오고 있지만 여전히 세속적 영광에 대한 기대가 지배하고 있다면, 그러한 신앙의 동기는 아직도 순수하지 못한 것입니다.

이러한 제자들의 요청을 들은 주님은 직접적으로 그들의 요청을 지지하거나 격려하는 발언을 전혀 하지 않으셨습니다. 사랑하는 제자들이 순수하게 당신을 따르기를 기대하신 주님이라면, 오늘의 제자들에게도 이러한 순수한 동기를 원하지 않으시겠습니까?

그렇습니다. 주님이 좋아서 믿고 따르는 제자들, 결코 세속적인 영광에 대한 기대를 신앙의 가장 중요한 동기로 삼지 않는 사람들을 주님은 여전히 원하고 계십니다.

섬김을 각오하라

세속적 영광을 포기할 각오와 함께 주님은 또 하나의 각오를 부탁하십니다. 섬김의 각오를 요청하십니다. 제자들이 걸어야 할 길은 결코 지배의 길이 아닌, 섬김의 길이라는 것을 가르치십니다.

우리는 예수님을 믿고 제자가 되었습니다. 그러나 제자가 되어서도 마음속의 욕심을 극복하는 일은 결코 쉽지 않습니다. 지배의 욕구는 인간 존재의 깊은 곳에 뿌리박고 있는 강렬한 욕구 중 하나입니다. 그래서 니체(Friedrich Nietzsche)는 인간 존재의 본질을 '권력에 대한 의지'라고 말했습니다. 가정생활의 갈등, 부부의 갈등, 고부간의 갈등에서도 누가 지배자냐, 누가 다스리느냐 하는 문제가 결국 쟁점이 되는 것입니다. 직장에서도, 심지어 교회 생활에서도 이러한 문제는 얼마든지 나타날 수 있습니다.

특히 우리나라 사람은 끊임없이 윗사람과 아랫사람을 나눕니다. 우리가 사용하는 말에도 그러한 것이 얼마나 많습니까? 우리가 사용하는 일인칭 대명사도 우리가 상대하는 대상에 따라 화려한 변신을 합니다. 어떤 사람에게는 '내가'라고 말하지만, 상대방의 지위가 높다고 생각되면 '제가'라고 말합니다. 임금은 자신을 가리켜 '짐'이라고 했고, 신하는 자신을 '신'이라고 했습니다. 또 부모 앞에서 자신을 낮출 필요가 있을 때는 '불초소생'(不肖小生)이라 하기도 하고, 다른 사람 앞에서 자신을 낮출 때는 '졸자'라는 말을 쓰기도 했습니다.

여기에 더해서 우리는 신체까지도 계급화시킵니다. 우리 신체에서 제일 지체 높은 부위가 어디입니까? 머리입니다. 그래서 언론인인 이규태 씨는 "한국인들에게는 존두사상(尊頭思想)이 있다"고 말했습니다. 머리를 귀히 여기는 사상이 있다는 것입니다. 그런가 하면 제일 천하게 여기는 부분은 어디입니까? 발입니다. 손의 경우에도 오른손에 비해서 왼손이 얼마나 차별을 많이 받습니까? 심지어 좌측이나 왼쪽 등도 부정적인 의미로 사용되는 것을 볼 수 있습니다. 직장에서 어려움이 많은 자리로 내려가게 되면 '좌천'(左遷)되었다고 하지 않습니까? 그러나 우리의 신체를 받치고 있는 발이나 왼손을 다치고 나면 그제야 그것이 얼마나 중요한지를 알게 됩니다. 차별할 근거가 전혀 없습니다. 신체 중 중요하지 않은 부분은 하나도 없습니다.

주님은 당신을 따르는 제자들만은 이런 계급 의식을 극복해야 한다고 말씀하십니다. 그렇다면 책임 있는 자리는 아예 없어야 할까요? 아닙니다. 주님께 영광이 되도록 일하기 위해서는 책임 있는 자리가 필요합니다. 그러나 그리스도인에게 있어 그 자리는 섬김의 자리여야 합니다. 그 자리는 결코 우리의 지배 욕구를 충족시킬 수 있는 곳이 아닙니다. 이것이 그리스도인의 리더십과 세속적인 리더십의 본질적인 차이입니다.

다시 본문으로 돌아가 42절을 보십시오.

"예수께서 불러다가 이르시되 이방인의 집권자들이 그들을 임의로 주관하고 그 고관들이 그들에게 권세를 부리는 줄을 너희가 알거니와"(막 10:42).

세속적 특징을 나타내는 단어들이 등장합니다. '주관하다, 권세를 부리다'가 그것입니다. 이때 예수님은 그리스도인 리더십의 차별성을 어떻게 강조하십니까?

"너희 중에는 그렇지 않을지니 너희 중에 누구든지 크고자 하는 자는 너희를 섬기는 자가 되고 너희 중에 누구든지 으뜸이 되고자 하는 자는 모든 사람의 종이 되어야 하리라"(막 10:43-44).

철저하게 섬김의 리더십을 강조하십니다. 주님의 제자로 살기를 원합니까? 섬길 각오를 하십시오. 섬김의 각오가 없다면 지배하고자 하는 욕구에 빠질 수 있습니다. 주님은 한평생 당신을 제대로 따르기를 원하는 제자들에게 '섬길 각오를 하고 나를 따르라, 자기 충족감을 누리기 위해 나를 따라서는 안 된다'고 요청하십니다. 자기를 높이고 자기를 위해서 주님을 따르는 사람들에게는 이 길이 그들의 길이 아니라고 말씀하십니다. 섬길 각오는 지금도 변함없이 주님의 제자들에게 요청되는 것입니다.

고난을 각오하라

셋째, 주님은 고난의 각오를 말씀하십니다. 주님이 모든 시대의 제자들에게 요구하시는 최후의 각오 중에 하나는 고난받을 각오입니다.

"여짜오되 주의 영광 중에서 우리를 하나는 주의 우편에, 하나는 좌편에 앉게 하여 주옵소서 예수께서 이르시되 너희는 너희가 구하는 것을 알지 못하는도다 내가 마시는 잔을 너희가 마실 수 있으며 내가 받는 세례[침례]를 너희가 받을 수 있느냐"(막 10:37-38).

두 제자가 주님의 우편과 좌편에 앉게 해 달라고 부탁드리자, 주님은 "너희는 너희가 구하는 것을 알지 못하고 있다"라고 말씀하셨습니다.

그 순간 예수님은 무슨 생각을 하고 계셨을까요? 예수님은 지금 어디로 가시는 길입니까? 예루살렘으로 가시는 길이었습니다. 그때 예수님에게 가득했던 가장 중요한 생각은 분명 십자가에 대한 것이었을 것입니다. 그런데 느닷없이 제자들은 예수님의 오른편과 왼편에 있게 해 달라고 조르고 있습니다. 십자가를 향해 가고 계시는 예수님의 오른편과 왼편에 있게 하려면 한 가지 방법밖에는 없습니다. 두 강도를 대신해서 십자가에 매달리면 됩니다. 그래서 예수님께서는 이들을 향해 "너희는 너희가 구하는 것을 알지 못하고 있다"라고 말씀하십니다. 그러면서 "너희가 나의 마시는 잔을 마시고, 나의 받는 세례(침례)를 받을 수 있느냐"라고 물으십니다. 그 잔은 고난의 잔, 십자가 죽음의 잔입니다. 본문 39절은 일종의 예언이었습니다.

"그들이 말하되 할 수 있나이다 예수께서 이르시되 너희는 내가 마시는 잔을 마시며 내가 받는 세례[침례]를 받으려니와"(막 10:39).

고난은 피할 수 없다는 말씀입니다. 제자의 삶을 살거나 제자의 길을 걷고자 하는 사람에게 고난은 피할 수 없습니다.

섬김은 고난을 요청합니다. 고난 없이 어떻게 섬길 수 있겠습니까? 땀 흘리는 수고 없이, 우리 옷소매에 흙을 묻히지 않은 채 어떻게 섬길 수 있겠습니까? 진지한 섬김을 구하는 사람들에게 주님은 고난이란 피할 수 없는 과정이라는 사실을 말씀하십니다.

그러나 고난만 당하고 끝나는 것입니까? 주님은 고난 후에 얻을 영광에 대해서도 암시하고 계십니다.

> "내 좌우편에 앉는 것은 내가 줄 것이 아니라 누구를 위하여 준비
> 되었든지 그들이 얻을 것이니라"(막 10:40).

이것은 주님이 그 영광을 결정하지 않으신다는 말이 아닙니다. 최선을 다해서 섬기고 고난을 받았다면, 하나님이 보상하시는 그날에 상급과 영광을 얻을 것이라고 약속하시는 것입니다. 신앙의 선배들이 고난을 이길 수 있었던 가장 중요한 원천은, 고난 저편에 예비되어 있는 영광이었습니다. 그 영광이 지금 당장 오지 않아도 상관없습니다. 고난의 저편에 우리의 눈물과 희생, 우리의 순수한 동기를 아시는 주님께서 살아 계시고, 그분이 하늘의 영광으로 복 주신다는 사실을 확신하면서 장차 올 영광을 소망하는 것은 오늘의 고난을 극복하게 하는 힘이 됩니다.

고난을 견디면서도 영광만을 얻으려는 마음이 앞서지 않도록 주님께서는 그 영광에 대해 구체적으로 설명하지 않으셨습니다. 그

러나 성경은 고난 저편의 영광을 분명히 약속하고 있습니다. 로마서 8장 18절은 "생각하건대 현재의 고난은 장차 우리에게 나타날 영광과 비교할 수 없도다"라고 말씀하고 있습니다.

주기철 목사님의 아드님은 "아버님이 제일 좋아하는 말씀은 로마서 8장 18절이었다"라고 말했습니다. 주기철 목사님의 순교를 향해 나아갔던 그 걸음의 열정은 '영광을 바라보는 것'으로부터 나왔다고 생각합니다. 세속적 영광과는 차원이 다른 하나님의 영광을 바라보면서, 우리의 고난의 동기와 이유를 아시는 주님이 우리를 그 영광으로 들어가도록 받아 주실 것이라는 사실을 그분은 분명히 믿었습니다. 저는 이것이 고난의 길을 당당하게 걸었던 주기철 목사님의 생애의 비밀이었다고 생각합니다.

주기철 목사님이 순교 직전에 감옥에서 한 번 풀려나게 되었습니다. 일본 경찰의 시험이었습니다. '이 정도로 모진 고난을 받았으면 생각이 달라지지 않았겠는가' 해서 내보낸 것이었습니다. 만신창이의 몸으로 풀려난 목사님은 성도들이 기다리고 있는 교회로 직행했습니다. 그리고 그곳에서 사랑하는 목사님을 애타게 기다리던 온 교우들을 만나 말씀을 전했습니다. 일본 경찰대 고등계 형사들이 감시하는 그 자리에서 행해졌던 목사님의 마지막 설교 제목은 '다섯 가지 종류의 기도'였습니다.

"지금 이 순간, 나는 다섯 가지 기도의 제목을 가지고 있습니다. 첫째로, 죽음의 권세를 이기게 하옵소서."

그분은 자신에게 다가오는 죽음을 보고 있었던 것입니다. 두 번째 기도 제목은 "장기간의 고난을 견디게 하옵소서"였습니다. 다시 돌아가 고난과 투쟁할 각오를 하고 있었던 것입니다. 짧은 기간의 고난은 어떻게든 견딜 수 있겠지만, 장기간이 되면 자신도 주님을 부인할까 두렵다고 했습니다. 세 번째는 "나의 노모와 처자와 나의 사랑하는 교우들을 주님이 돌봐 주시옵소서"였습니다. 네 번째는 "의에 살고 의에 죽게 하옵소서"였으며, 마지막 다섯 번째는 "내 영혼을 주께 부탁하나이다"였습니다. 그 설교를 마친 후 그분은 돌아올 수 없는 길로 떠났습니다.

주기철 목사님에 관한 이야기를 들으면 '이분은 초인적인 사람이다'라는 생각을 하게 됩니다. 주 목사님의 아드님이 간증할 때 이런 말씀에 은혜를 받았습니다.

"우리 아버지는 그렇게 초인적인 분이 아니었습니다. 그렇게 강한 분이 아니었습니다. 마음이 약했고, 두려워하셨으며, 정이 많은 분이었습니다. 그런데 그 길을 갈 수 있었던 것은 아내의 기도가 있었고, 교우들의 기도가 있었으며, 무엇보다 하나님이 도와주셨기 때문입니다. 성령님의 도우심이 아니었다면 그 길을 가실 수 없었을 것입니다."

우리도 모두 그 길을 갈 수 있을까요? 우리 힘으로는 불가능합니다. 그러나 주님이 도와주시면 그 길을 갈 수 있다고 믿습니다. 어떤 고난도 견딜 수 있습니다. 세속적인 영광을 구했던 두 제자도 변화를 받게 됩니다. 주의 오른편과 왼편의 자리를 구했던 두 제자의 마지막을 보십시오. 야고보는 열두 제자 가운데 최초의 순교자가 되었고, 요한은 열두 제자 가운데 가장 오랫동안 살아남아 밧모섬에서 기도하면서 지내다 하늘의 감동 속에서 요한계시록을 기록했습니다. 매우 대조적인 최후입니다. 야고보는 일찌감치 순교하여 세상을 떠나갔고, 요한은 95세 이상을 살면서 세상에 끝까지 남아서 살아 있는 순교자로 교회를 지켰습니다.

얼마나 오래 사는지는 중요하지 않습니다. 두 제자의 생애를 보면, 얼마나 영광스럽게 우리의 생애가 결산될 수 있는가, 후회 없이 죽을 수 있는가가 중요할 뿐이라는 것을 알게 됩니다. 각자가 걸어가는 삶의 길은 다르지만, 자신에게 맡겨진 사명의 성취를 위해 후회 없이 살다가 영광스럽게 생을 마감할 수 있기를 바랍니다.

오늘의 교인들을 보면 이 시대를 살아가는 우리의 신앙이 너무 피상적이지 않은가 생각하게 됩니다. 우리의 신앙은 좀 더 진지할 필요가 있습니다. 예수님이 길이고 진리고 생명이라면, 사랑하는 가족이나 이웃 중 아직도 예수님을 모르는 자들과 진지하게 나누어 보십시오. 받을 박해를 두려워하지 말기 바랍니다. 필요하다면 박해받을 각오를 하십시오. 박해를 받는다 해도 주님을 사랑하는 우리의 삶의 태도를 통해 그들이 주님 앞으로 나아올 수 있습니다. 쉽게 타협하는 것을 보면서 감동할 사람은 아무도 없습니다. 십자가를 질 각오를 하고 그 대가를 지불하는 그리스도인들을 보면서 많은 사람이 감동할 것이고, 우리의 이야기에 진정으로 귀를 기울일 것입니다.

이렇게 살아야만 우리의 가정이 변화될 수 있습니다. 이렇게 살아야만 우리 민족의 삶이 새로워질 수 있습니다. 주님의 메시지는 변하지 않았습니다.

> "누구든지 나를 따라오려거든 자기를 부인하고 자기 십자가를 지고 나를 따를 것이니라"(막 8:34).

"그들이 여리고에 이르렀더니 예수께서 제자들과 허다한 무리와 함께 여리고에서 나가실 때에 디매오의 아들인 맹인 거지 바디매오가 길가에 앉았다가 나사렛 예수시란 말을 듣고 소리 질러 이르되 다윗의 자손 예수여 나를 불쌍히 여기소서 하거늘 많은 사람이 꾸짖어 잠잠하라 하되 그가 더욱 크게 소리 질러 이르되 다윗의 자손이여 나를 불쌍히 여기소서 하는지라 예수께서 머물러 서서 그를 부르라 하시니 그들이 그 맹인을 부르며 이르되 안심하고 일어나라 그가 너를 부르신다 하매 맹인이 겉옷을 내버리고 뛰어 일어나 예수께 나아오거늘 예수께서 말씀하여 이르시되 네게 무엇을 하여 주기를 원하느냐 맹인이 이르되 선생님이여 보기를 원하나이다 예수께서 이르시되 가라 네 믿음이 너를 구원하였느니라 하시니 그가 곧 보게 되어 예수를 길에서 따르니라"(막 10:46-52).

12

보기를
원하나이다

현실의 필요를 넘어
영의 채움을 구하라

"저에게 내일을 보여 주십시오"

6·25 전쟁이 한창이었을 때의 일입니다. 최전선에 있는 한 미군이
각 참호를 방문하면서 불안하고 초조한 가운데 총을 겨누고 있는
병사들을 격려하며 기도해 주었습니다. 한 병사에게 "부탁하고 싶
은 기도 제목이 있습니까?" 하고 물었더니 그 병사는 이렇게 말했
습니다.

"저에게 내일을 보여 주십시오."

볼 수 없고 들을 수 없고 말할 수 없는 삼중고의 인생을 살았던 헬
렌 켈러(Helen Keller)에게 어떤 사람이 찾아와서 물었습니다.

"앞을 보지 못하니 얼마나 답답하세요?"

그러자 그녀는 이렇게 대답했습니다.

"볼 수 없는 것은 답답한 일입니다. 그렇지만 두 눈을 뜨고도 내일을 보지 못하는 사람들보다야 훨씬 낫다고 생각합니다."

볼 수 있게 하시는 '치유'

본문에는 한 맹인에 대한 이야기가 기록되어 있습니다. 이 맹인을 생생하게 만나기를 바랍니다. 어쩌면 그는 당신 자신일 수도 있습니다. 하나님은 이사야 선지자를 보내면서 이렇게 말씀하셨습니다.

"내가 너를 보내는데, 네가 만나게 될 사람들은 보기는 보아도 볼 수 없는 사람들이다. 보기는 보아도 볼 수 없는 사람들을 향해서 내가 너를 보낸다"(사 6:9 참조).

미래가 보이지 않는 사람은 앞을 볼 수 없는 사람입니다. 죽음 후의 세계 역시 볼 수 없는 사람입니다. 교회는 다니는데 예수님이 보이지 않는 사람이 있습니까?

본문에 나오는 맹인은 깊이 절망한 채 예수님 앞에 꿇어앉아 말합니다.

"선생님, 보기를 원합니다."

맹인이 눈을 떠서 보게 되는 것은 치유의 사건입니다. 우리에게도 치유의 경험이 필요합니다. 어두웠던 눈이 열리고 새로운 세상을 보는 놀라운 경험이 있어야 합니다. 이런 치유의 사건이 일어나려면 무엇이 필요할까요?

너 자신을 알라

첫째는, 자신의 처지를 인식해야 합니다. 그는 바디매오라는 사람입니다. 히브리어에서 '바'라는 말은 아들이라는 뜻입니다. 바디매오는 디매오의 아들이었습니다.

그는 여리고 도성 안에 살고 있었습니다. 여리고는 '향내, 아름다운 냄새, 향기'라는 뜻을 가진 아름다운 도시입니다. 이스라엘 백성이 광야를 거쳐 팔레스타인 땅, 가나안 땅에 들어올 때 여리고를 통해서 들어왔습니다. 이처럼 이곳은 이스라엘 땅의 관문 역할을 합니다. 예루살렘에서 사해 쪽으로 내려가면 사막이 펼쳐지고, 그 가파른 사막길을 내려가다 보면 수목이 우거진 아름다운 도시가 나오는데, 그곳이 바로 여리고입니다. 수목이 우거진 그 도시에는 향나무, 종려나무, 돌무화과나무, 장미 등 아름다운 나무들이 자라고 있습니다. 하지만 아무리 아름다워도 그것을 볼 수 없다면 무슨 소용이 있겠습니까? 도시의 아름다움을 도무지 볼 수 없는, 어둠 속에 살고 있는 맹인 바디매오였습니다.

성경에는 이 사람이 맹인일 뿐만 아니라 거지였다고 기록되어 있습니다. 그 당시에 맹인이면 거지일 수밖에 없었습니다. 생활 능력이 없으니 구걸하는 것으로 생활을 이어 갈 수밖에 없었습니다. 그는 맹인이면서 거지인 불쌍한 사람이었습니다. 오늘 이 세상에는 자신의 처지가 말할 수 없이 불쌍하면서도 자신이 불쌍하다는 사실을 인식조차 하지 못하는 사람이 너무나 많습니다. 그러나 적어도 이 사람은 자신의 처지가 불쌍하다는 것을 알고 있었습니다.

사람들이 왜 예수님 앞으로 나아오지 않습니까? 왜 하나님 앞으로 나아오지 않습니까? 자신이 불쌍한 존재라는 것을 깨닫지 못하기 때문입니다. 예수님의 구원의 복음이 감격적으로 다가오지 않는 이유가 무엇입니까? 자신이 하나님의 구원을 필요로 하는 죄인이라는 것을 깨닫지 못하기 때문입니다.

사람들과 대화를 하다 보면 깨닫는 것 같으면서도 깨닫지 못하는 모습을 보게 됩니다. 다른 사람이 죄인이라는 것은 잘 깨닫는데, 자신이 죄인이라는 사실은 깨닫지 못합니다. '내가 용서받고 치료받아 나의 인생이 새로워져야 한다'는 사실을 깨닫지 못하는 사람이 얼마나 많은지 모릅니다.

우리 안에도 미움이 있고, 죄가 있고, 절망이 있고, 불안이 있습니다. 하나님의 용서가 없이는 새로워질 수 없는 인생이며, 주님의 자비가 아니고는 구원받을 수 없는 인생입니다. 주님의 은혜가 없다면 하나님 나라를 바라볼 수 없는 어둠 속의 인생입니다. 이 불쌍한 처지를 당신은 인식하고 있습니까? 적어도 바디매오는 그 사실을 인식하고 있었습니다. 그래서 그는 예수님 앞에 엎드려 말했습니다.

"저를 불쌍히 여겨 주십시오. 제가 보기를 원합니다."

눈을 떠서 보려면 자신의 불쌍한 처지를 인식하는 것이 가장 중요합니다. 자신 안에 있는 죄와 어둠, 하나님의 긍휼을 필요로 하는 불쌍한 존재임을 인식할 때 하나님의 은혜가 임합니다.

오직 예수님만이 치유하신다

둘째는, 예수님만이 치유자라는 사실을 믿어야 합니다.

> "나사렛 예수시란 말을 듣고 소리 질러 이르되 다윗의 자손 예수여 나를 불쌍히 여기소서 하거늘"(막 10:47).

그는 사람들이 "나사렛 예수다. 예수가 왔다. 예수가 우리 도성 여리고를 지나가신다. 예수다"라고 외치는 소리를 들었습니다. 그는 그렇게 예수님을 소개받았습니다. 그런데 그가 주님 앞에 엎드려 도움을 청할 때는 '나사렛 예수'라고 하지 않았습니다. 어떤 호칭을 사용했습니까? '다윗의 자손 예수'라고 했습니다.

이 부분을 주목해서 보십시오. 그는 '나사렛 예수'라고 소개받았습니다. 그 당시 예수님을 부를 때 가장 많이 사용했던 표현이 나사렛 예수였습니다. 그러나 나사렛 예수라는 말의 밑바탕에는 경멸과 조소의 의미가 들어 있습니다. "나사렛에서 무슨 선한 것이 날 수 있느냐"(요 1:46)라는 말에서도 이러한 편견을 볼 수 있습니다. 나사렛에는 무역로가 있었기에 유대인과 이방인의 접촉이 많아 국제결혼이 성행했습니다. 그러다 보니 이 지역 사람들에 대한 편견이 많았습니다. 그러나 나사렛 예수가 왔다는 소식을 듣고도 그는 예수님을 '다윗의 자손 예수'라고 불렀습니다. 여기에 무슨 의미가 있습니까?

구약성경은 메시아가 다윗의 후손에서 나온다고 말씀합니다. 인류를 구원하는 능력이 있는 메시아, 우리의 삶을 치료하며 구원할 수 있는 놀라운 메시아가 다윗의 후손으로 오신다는 것을 그는 알고 있었고, 그의 마음속에는 '예수가 메시아'라는 믿음이 있었습니다.

이사야 35장 5절에서는 메시아의 왕국이 펼쳐질 때 그분이 친히 다스리시는 놀라운 세계의 경험을 이렇게 말씀합니다.

"그때에 맹인의 눈이 밝을 것이며 못 듣는 사람의 귀가 열릴 것이며."

메시아가 하시는 일 중의 하나가 맹인의 눈을 밝게 하고 못 듣는 사람의 귀를 열어 준다는 것입니다. 또한 마태복음 11장에서는 감옥에 갇힌 세례(침례) 요한이 사람을 보내어 예수님께 이렇게 묻습니다.

"우리가 기다려야 할 분이 당신입니까?"

요한은 예수님보다 앞서 와서 광야에서 외치는 자의 소리의 역할을 했습니다. 그럼에도 불구하고 어떤 회의를 갖게 된 것 같습니다. 그래서 확인하고 싶어 물은 것입니다. 이때 예수님은 아주 흥미로운 대답을 하셨습니다. "그래, 내가 바로 메시아다"라고 직접적으로 대답하지 않고, "가서 요한에게 맹인이 눈을 뜨고 못 듣는 자가 듣는다고 전해라"라고 하셨습니다. 이것이 바로 예수님이 메시아라는 증거이고, 메시아의 사역이 시작되었다는 증거입니다.

바디매오는 '저분이 맹인의 눈을 뜨게 하는 메시아라면 내 눈도 뜨게 할 수 있지 않겠는가' 생각하고, 예수를 자신의 삶을 바꿀 수 있는 메시아라고 믿고 엎드려 말합니다.

"다윗의 자손 예수여."

이 사람이 예수님을 메시아로 믿었다는 증거를 본문 안에서 찾아볼 수 있습니다.

> "예수께서 이르시되 가라 네 믿음이 너를 구원하였느니라 하시니 그가 곧 보게 되어 예수를 길에서 따르니라"(막 10:52).

예수님은 그의 믿음이 그를 구원했다고 하셨습니다. 그의 믿음을 인정하셨습니다. 그가 고침 받을 수 있었던 것은, 그의 믿음이 그를 구원했기 때문입니다. 그 믿음은 예수님만이 자신을 구원하사 새롭게 하기 위해 보내심을 받은 메시아라는 것을 믿는 믿음입니다.

왜 사람들이 교회에 나와도 변화되지 않습니까? 이렇게 예수를 구주로 믿는 믿음이 없기 때문입니다. 당신의 인생이 새롭게 되기를 원합니까? 예수를 구주로 믿으십시오. 그분만이 우리 인생을 새롭게 할 뿐 아니라 구원하실 수 있습니다. 그분을 진정으로 믿을 때, 당신의 눈을 열어 새로운 세상을 보게 해 주실 것입니다. 예수님의 구세주 되심을 믿으면서 그분 앞에 엎드려 이렇게 말해 보십시오.

"주여, 내 눈을 떠서 보기를 원하나이다."

오래도록 참을 수 있어야 한다

어떻게 어두웠던 눈이 밝히 보게 될 수 있습니까? 어떻게 새로운 삶이 우리에게 임할 수 있습니까? 셋째로, 장해물을 극복할 인내심을 가져야 합니다.

예수를 잘 모르는 사람이 진정 참된 신앙을 찾고 싶다는 마음으로 구도의 길을 걸을 때도 장해물이 있습니다. 쉽게 길을 가기 어려운 장해물이 있습니다. 그 장해물을 잘 극복해야 마침내 진리를 발견하며, 예수를 믿고 구원을 체험하게 됩니다. 그러나 많은 사람이 이런 장해물을 넘지 못하고 포기합니다. 신앙생활을 하는 사람도 쉽게 응답받지 못하면 몇 번 기도하다가 포기해 버리곤 합니다.

우리는 본문에서 맹인 바디매오가 단 한 번의 요청으로 응답받은 것은 아니라는 사실을 볼 수 있습니다.

"나사렛 예수시란 말을 듣고 소리 질러 이르되 다윗의 자손 예수여 나를 불쌍히 여기소서 하거늘"(막 10:47).

예수님을 부르자마자 응답받은 것은 아니었습니다. "나를 불쌍히 여기소서"라고 큰 소리로 외쳤지만, 불러도 불러도 대답 없는 이름이었습니다. 예수님의 이름을 불렀지만 아무런 소식이 없었습니다. 오히려 장해 요인이 나타나는 장면을 본문 48절에서 볼 수 있습니다. 어떤 장해 요인이었습니까?

"많은 사람이 꾸짖어 잠잠하라 하되 그가 더욱 크게 소리 질러 이르되 다윗의 자손이여 나를 불쌍히 여기소서 하는지라"(막 10:48).

그에게는 많은 사람이 장애 요인이었습니다. 그들은 소리치고 있는 그에게 잠잠하라고 소리를 질렀습니다. 많은 무리의 압력 때문에 돌아서 버릴 수도 있었습니다. 포기할 수도 있었습니다. 그러나 그는 포기하지 않았습니다. 오히려 어떻게 했습니까? 위의 구절에는 이 사람의 구도의 자세를 잘 보여 주는 두 단어가 있습니다. 무리의 압력과 무시에도 불구하고 '더욱 크게' 소리 질렀습니다.

이렇게 다시 소리쳤을 때 상황이 변하기 시작합니다. 단 한 번의 기도와 단 한 번의 구도에는 응답이 없었습니다. '한번 진지하게 찾아봤지만 예수를 모르겠다, 믿음이 생기지 않는다, 계속 답답함이 나를 짓누른다'고 생각된다 해서 포기해서는 안 됩니다. 기도할 때도 문제가 즉각 해결되지 않았다 해서 '그럼 그렇지. 기도한다고 무슨 일이 일어나겠어? 혹시나 했는데 역시나였어'라고 생각하며 포기해서는 안 됩니다. 많은 사람이 이럴 때 포기해 버립니다.

성경 어디에도 단 한 번의 기도만 드리면 주님이 반드시 응답하실 것이라는 약속은 없습니다. 구하면 주실 것이라는 약속은 있지만, 이것이 한 번만 구하라는 것은 아닙니다. 이 단어에 사용된 헬라어의 현재 시제에는 지속성의 의미가 있습니다. 계속해서 구하라는 뜻입니다. 한 번 찾고 포기하는 것이 아니라 계속해서 찾으면 얻을 것이고, 문을 한 번만 두드리고 돌아서는 것이 아니라 계속해서 두드리면 열릴 것이라 하셨습니다.

한 번 두드리자마자 열리면 얼마나 좋겠습니까? 자동판매기처럼 동전을 집어넣자마자 원하는 것이 나오면 얼마나 좋겠습니까? 그러나 이렇게 곧바로 응답하시지 않을 때가 더 많습니다. 그 이유는 저도 잘 모르겠습니다. 다만 우리 믿음의 진실성을 알아보시려는 의도가 있지 않은가 생각합니다.

맹인 바디매오는 "불쌍히 여겨 주세요, 도와주세요"라고 요청했습니다. 주변 사람들이 물러가라 해도 물러가지 않고 또 구했습니다. 이것은 '주님은 마침내 저를 만나 주시리라는 사실을 알고 있습니다. 주님은 마침내 제 기도에 응답하시고, 마침내 저에게 당신을 보여 주시고, 마침내 제 눈을 열어 인생을 새롭게 하실 것을 믿습니다'라는 확고한 믿음의 태도입니다. 아직 확실한 깨달음은 없다 하더라도 믿음을 향해 온 마음으로 나아가는 자세를 발견할 수 있습니다.

기도 생활도 마찬가지입니다. 기도해 봤지만 아무 일도 없더라면서 기도 이야기만 나오면 입에 거품을 물고 흥분하는 사람들이 있습니다. 반면 기도의 풍성한 기적을 체험하며 기적의 삶을 사는 사람들도 있습니다. 이런 사람들의 특징은, 오래도록 기도한다는 것입니다. 예전에는 '기도의 질이 중요하지 양이 중요한가' 하는 생각을 많이 했는데, 신앙생활이 거듭되면서 생각이 조금씩 달라졌습니다. 역시 기도를 많이 하는 것이 중요합니다. 계속 기도하는 사람들, 계속 엎드리는 사람들에게서 기도의 기적이 나타나고, 기도의 놀라운 모습들이 증거되는 것을 자주 볼 수 있습니다.

주님은 기도를 어떻게 가르치셨습니까? "항상 기도하고 낙심하지 말아야 할 것을 비유로 말씀하여"(눅 18:1)라고 했습니다. 단 한 번의 기도로 상황이 바뀌거나 문제가 해결되지 않아도 계속 엎드리는 사람들에게 마침내 주님은 응답해 주실 거라 믿습니다. 모든 장해물을 극복하고 주님을 믿어 그분을 만나기 바랍니다.

언제나 우리를 만나 주시는 은혜

인내심을 가지고 장애물을 넘어 주님 앞에 나아간 바디매오에게 예수님은 어떻게 응답하셨습니까? 머물러 서서 그를 만나 주셨고, 불러 주셨습니다.

> "예수께서 머물러 서서 그를 부르라 하시니 그들이 그 맹인을 부르며 이르되 안심하고 일어나라 그가 너를 부르신다 하매"(막 10:49).

225

우선 예수님이 머물러 서 계셨습니다. 예수님은 지금 어디로 가시는 중입니까? 예루살렘으로 가고 계십니다. 예루살렘에는 십자가가 기다리고 있습니다. 주님은 십자가 고통의 정체를 분명히 알고 계셨습니다. 그분은 예루살렘에서 기다리고 있는 모욕과 모멸과 고통스러운 사건을 다 알면서도 그 길을 가고 계셨습니다. 고통을 당할 때보다 고통을 기다릴 때가 더 힘겨울 수 있습니다. 예루살렘에서 기다리고 있는 십자가 고통의 정체를 알면서도 무거운 발걸음으로 한 걸음, 한 걸음 옮기실 때, 한 맹인이 엎드려서 빌고 있는 것입니다.

"나를 불쌍히 여겨 주십시오."

그것을 보고 다행스럽게도 주님이 걸음을 멈추셨습니다. 그리고 그를 가까이 오라고 부르셨습니다. 그분은 큰 고통이 기다리고 있는 예루살렘을 향해 가면서도 고통 받는 사람의 부름을 외면하지 않고 머물러 서서 그의 호소를 들어 주셨습니다.

저는 이런 말씀을 들을 때마다 양심의 가책을 느낍니다. 성도들이 만나자고 할 때 만나지 못하는 경우가 얼마나 많은지 모릅니다. 우리는 예수님을 언제든지 만날 수 있습니다. 그분은 우리 고통의 신음에 귀를 기울이고 계십니다. 그분은 언제나 그렇게 하십니다. 그분의 마지막 순간을 보십시오. 십자가에 달렸을 때, 예수님은 고통의 극한을 겪으셨습니다. 온몸에서 진액을 쏟아 내며 피와 땀이 흐르는 절정의 고통을 겪으셨습니다. 사람이 정말로 고통스러우면 자신이 고통스럽다는 것밖에는 달리 아무것도 느끼지 못한다고 합니다. 그런데 그러한 고통 속에서도 예수님은 옆에 있는 강도의 소리를 듣고 계셨습니다. 메시아의 나라가 임할 때 자기 같은 사람도 기억해 달라는 그의 말을 듣고, 고통과 처절하게 싸우는 중에도 뭐라고 말씀하셨습니까?

"안심하거라. 그 나라가 임할 때 너는 나와 함께 낙원에 있게 될 것이다."

그분은 언제나 우리를 위해 시간을 내십니다. 그리고 우리의 말을 들으십니다. 사람들이 외치는 고통의 소리를 듣고 가던 길을 멈추던 주님은 지금, 이 순간에도 그러십니다.

예수님은 부활한 후 승천하여 하나님 우편에 계십니다. 놀라운 영광 가운데 천사들의 경배와 찬양을 받고 계십니다. 그런데 하나님 우편에 앉아 영광의 찬양을 받다가도 주님은 이렇게 말씀하실 것이 틀림없습니다.

"쉿, 잠깐만! 저 땅에서 사랑하는 어린양의 고통 소리가 들려온다. 아파하며 괴로워하고 있구나. 천사야, 네가 내려가서 도와줘야겠다."

주님이 우리의 고통의 소리를 들으시면, 그분은 언제나 머물러서서 우리를 불러 주십니다.

가장 필요한 것을 주시는 은혜

주님은 맹인에게 이렇게 물으셨습니다.

"네가 무엇을 원하느냐? 내가 무엇을 하여 주기를 원하느냐?"

머물러 서신 채 두 번째로, 그가 무엇을 원하는지를 물으셨습니다. 이 순간은 매우 중요합니다. 그에게는 구할 것이 많았습니다. 구하고 싶은 것도 많고, 필요한 것도 많은 사람이었습니다. 그러나 이 결정적인 순간에 그는 시시한 것을 구하지 않았습니다. 돈이나 현실적으로 필요한 많은 것을 구할 수 있었지만, 그는 본질적으로 있어야만 하는 것, 이것 없이는 저 영원한 나라를 향해 갈 수 없는 것을 구했습니다. 그는 보기를 원했습니다. 그는 '나의 구세주를 보고 싶고, 주님이 주신 그 나라도 보고 싶고, 주님이 예비하신 새로운 삶도 보고 싶습니다'라는 마음으로 보기를 원한다고 말씀드렸습니다. 이렇게 절박한 요청이 주 앞에 드려지는 순간, 예수님은 그의 믿음이 그를 구원했다고 하셨고, 그는 즉시로 보게 되어 예수님을 따랐습니다.

그는 예수님을 계속 따랐을 것입니다. 그때부터 시작해서 평생토록, 저 영광의 나라에 도달하기까지 예수님을 따랐을 것입니다. 그리고 지금도 그는 주님 앞에 있을 것입니다.

어두웠던 삶을 밝히시는 은혜

주님을 만나는 순간, 그의 눈이 열리고 새로운 인생이 시작되었습니다. 주님을 만나는 사람마다 이런 놀라운 사건을 경험합니다.

찬송가에 보면 작곡가 중에서 패니 크로스비(Fanny Crosby)라는 이름을 많이 보게 됩니다. 그녀는 태어난 지 6개월 만에 시각장애인이 되었습니다. 어릴 때부터 매우 영리했던 그녀에게는 시를 아름답게 지으며 노래를 잘 부르는 능력이 있었습니다. 이러한 뛰어난 재능에도 불구하고 시각장애인이 된 그녀가 무엇을 할 수 있었겠습니까? 무력함에 시달리면서 길고 긴 어둠의 세월을 보냈습니다. 그러다 그녀의 나이 30세가 되던 어느 날, 뉴욕의 전도 집회에 참석했다가 찬송가를 부르게 되었는데, 우리가 잘 아는 〈웬 말인가 날 위하여〉(새찬송가 143장)라는 찬송을 반복해서 부르는 가운데 갑자기 그녀의 눈에서 눈물이 흘렀습니다. 복음의 은혜를 깨달은 눈물이었습니다. 예수님이 정말 자신을 위해 돌아가셨다는 사실이 믿어졌습니다. 그리고 흐르던 눈물은 어두웠던 과거를 씻어내 버렸습니다. 그러면서 새로운 인생이 열렸습니다. 이 찬송에서 "몸밖에 드릴 것 없어 이 몸 바칩니다"라는 부분을 부르다가 이런 물음을 갖게 되었습니다.

'주님, 저도 주님을 위해 일할 수 있나요?'

주님은 그녀에게 '내가 너에게 재능을 주지 않았느냐, 너는 시를 쓰고 노래를 만들 수 있지 않느냐'라는 음성을 들려주셨습니다. 그녀는 '그래요, 주님. 제가 주님을 위해서 시를 짓고 노래를 만들겠습니다'라고 응답했습니다. 그때부터 그녀는 95세가 되기까지 8천여 곡의 찬송시를 작사했습니다.

예수님을 만난 후 육신의 눈은 그대로였지만, 영적인 눈이 열리는 순간 두 가지 일이 일어났습니다. 영적인 눈이 열렸을 때 구원을 체험하게 되었고, 자신의 사명을 보게 되었습니다. 주님을 위해 노래를 부르고 시를 지을 수 있다는 것을 깨달으며 주님께 쓰임 받는 위대한 생애를 살기 시작했습니다.

바울의 경우도 마찬가지였습니다. 사울은 예수 믿는 사람들을 붙잡기 위해 길을 가던 중에 정오의 빛나는 태양처럼 밝은 빛으로 포박을 당합니다. 그리고 그 빛 가운데 쓰러진 순간 한 음성을 듣습니다.

"사울아, 사울아, 네가 어찌하여 나를 박해하느냐?"

"주여, 당신은 누구십니까?"

"나는 네가 박해하는 예수다."

사울이 예수님을 만나는 순간 두 가지 일이 일어납니다. 사도행전 26장에서 그는 자신의 체험을 이렇게 말합니다.

"나는 새로운 눈을 뜨게 되었다. 주께서는 나를 어둠에서 빛으로 옮겨 주셨고, 사탄의 권세에서 하나님께로 돌아가게 하셨다. 뿐만 아니라 영생의 기업을 주셨고, 그분은 나를 이방인을 위한 사도로 세워 주셨다."

그는 예수를 보고 믿어 구원을 경험하게 되었고, 사명의 눈이 열려 자신이 해야 할 일을 보게 되었습니다. 전 세계를 다니면서 복음을 전해 믿지 않는 사람들을 주님께로 인도하는 이방인의 사도가 된 것입니다.

앞이 보이지 않습니까? 미래가 보이지 않습니까? 답답합니까? 예수님을 새롭게 만나십시오. 그리고 주님이 당신을 위해 준비하신 미래를 보십시오. 교회에 다니고 있지만 아직도 예수님을 보지 못했다면, 주님 앞에 엎드려 "주여, 보기를 원합니다"라고 기도하십시오. 그리고 예수의 구세주 되심을 믿으십시오. 주님이 오늘 당신의 눈을 열어 주시기를 바랍니다. 십자가의 보혈을 보게 되기를 바랍니다. 우리의 허물과 죄를 담당하사 보혈을 흘리신 그분이 우리의 구주요, 생명이요, 부활인 것을 믿기 바랍니다. 그분을 믿으면 살 것입니다. 새로운 인생이 시작될 것입니다.

-
"그들이 예루살렘에 가까이 와서 감람산 벳바게와 베다니에 이르렀을 때에 예수께서 제자 중 둘을 보내시며 이르시되 너희는 맞은편 마을로 가라 그리로 들어가면 곧 아직 아무도 타 보지 않은 나귀 새끼가 매여 있는 것을 보리니 풀어 끌고 오라 만일 누가 너희에게 왜 이렇게 하느냐 묻거든 주가 쓰시겠다 하라 그리하면 즉시 이리로 보내리라 하시니 제자들이 가서 본즉 나귀 새끼가 문 앞 거리에 매여 있는지라 그것을 푸니 거기 서 있는 사람 중 어떤 이들이 이르되 나귀 새끼를 풀어 무엇 하려느냐 하매 제자들이 예수께서 이르신 대로 말한대 이에 허락하는지라 나귀 새끼를 예수께로 끌고 와서 자기들의 겉옷을 그 위에 얹어 놓으매 예수께서 타시니 많은 사람들은 자기들의 겉옷을, 또 다른 이들은 들에서 벤 나뭇가지를 길에 펴며 앞에서 가고 뒤에서 따르는 자들이 소리 지르되 호산나 찬송하리로다 주의 이름으로 오시는 이여 찬송하리로다 오는 우리 조상 다윗의 나라여 가장 높은 곳에서 호산나 하더라"(막 11:1-10).

13

왕이
오셔야 합니다

나를 향한
왕의 계획을 신뢰하라

진정한 왕은 누구인가

옛 독일, 프러시아 제국 시절에 있었던 일입니다. 프리드리히 대왕
이라고도 불리는 프리드리히 2세(Friedrich II)가 어느 날 시골길을 행
차하게 되었습니다. 그런데 왕의 행차에도 전혀 관심을 기울이지
않는 한 노인이 있었습니다. 왕은 행렬을 멈추게 하고 그 노인에게
말을 건넸습니다.

"노인장은 누구시오?"

그랬더니 뜻밖에도 그는 "나는 왕이오"라고 대답했습니다. "어느
나라의 왕이시오?" 하고 물었더니, "나는 나 자신의 왕국을 거느리

는 왕이오"라고 대답했습니다. 그 뜻을 알아차린 왕이 빙그레 웃으면서 물었습니다.

"나라 살림은 잘되어 가십니까?"

그러자 노인은, "바로 그것이 문제라오"라고 대답했습니다. 그 말을 들은 프리드리히 2세는, "노인장은 나와 똑같은 문제를 갖고 있군요"라고 말했습니다.

예수님 당시 유대 땅에는 로마가 임명한 왕, 헤롯이 있었습니다. 예수님이 태어나셨을 때의 왕은 헤롯 대제였고, 예수님의 공생애 기간에는 헤롯 필립 1세가 왕이 되어 그 땅을 통치하고 있었습니다. 그리고 로마는 티베리우스(Tiberius Julius Caesar Augustus)라고 불리는 유명한 황제가 통치하고 있었습니다. 이러한 상황에서 당시 팔레스타인 땅에 살고 있던 민중은 아직도 새로운 통치자, 새로운 왕을 기다리고 있었습니다. 즉 메시아를 기다리고 있었던 것입니다. 메시아를 기다린다는 것은 곧 왕을 기다린다는 의미입니다. 메시아의 직분 중에는 왕의 임무도 있었기 때문입니다. 예레미야 23장 5절을 보십시오.

"여호와의 말씀이니라 보라 때가 이르리니 내가 다윗에게 한 의로운 가지를 일으킬 것이라 그가 왕이 되어 지혜롭게 다스리며 세상에서 정의와 공의를 행할 것이며."

이러한 배경 속에서 이스라엘 백성은 왕을 기다리고 있었던 것입니다.

예수님이 예루살렘 군중의 환호 속에 입성하시던 그날, 이스라엘 민중은 이제 그분이 왕으로 등극하리라는 기대를 갖고 있었습니다. 드디어 입성 행렬이 시작되자, 그들은 찬양을 부르며 노래하기 시작했습니다. 이 사건은 마태복음에서도 볼 수 있는데, 이들이 "시온 딸에게 이르기를 네 왕이 네게 임하나니"(마 21:5)라는 내용의 찬양을 하고 있었다고 말씀합니다.

그 당시의 민중이 참된 평화와 공의로 다스릴 왕을 기다리고 있었던 것은 결코 잘못된 것이 아닙니다. 이것은 사실 오늘 이 시대를 사는 우리에게도 필요한 기대입니다. 물론 정치·사회적으로 이 나라를 이끌어 나가는 통치자들이 있습니다. 그들의 기여는 반드시 필요한 것입니다. 기독교는 국가의 지도자들을 위해 기도해야 한다는 것을 가르치고 있으며, 결코 무정부주의적인 이념에 동의하지 않습니다. 한 국가의 구성원인 우리는 나라의 지도자들을 위해 기도해야 할 필요가 있습니다.

그럼에도 불구하고 이러한 세상 통치자들의 기능은 상당히 제한적입니다. 성경에서 제시하는 진정한 왕은 단지 정치적인 기능만을 수행하는 것이 아니라, 그보다 훨씬 더 중요한 인간의 본질적인 문제까지 다스립니다. 이스라엘 백성도 이러한 왕을 기다리고 있었던 것입니다. 우리의 존재와 모든 생각까지도 다스릴 수 있는 왕, 우리의 운명을 새롭게 하고 우리의 삶을 바꿀 수 있는 진정한 왕, 심지어 세상의 왕들까지도 온전히 통치하는 왕, 이러한 왕 중의 왕인 메시아를 이스라엘 백성은 기다리고 있었습니다. 그 왕이 세상에 임할 때 자신들의 삶이 달라질 것을 알았기 때문입니다.

오늘의 우리도 이러한 왕을 기다려야 합니다. 어떻게 왕이신 예수님을 우리 삶 속에 맞이할 수 있습니까? 그분을 왕으로 맞이하기 위해 필요한 준비는 무엇입니까?

왕의 계획을 신뢰해야 한다

첫째, 우리는 왕의 계획을 믿을 수 있어야 합니다. 예수님이 예루살렘에 입성하신 사건의 내용을 자세히 보면, 우연한 행진이 아니었다는 것을 알 수 있습니다. 이것은 계획된 '섭리의 행진'이었습니다. 구약성경에는 예수님이 유월절 어린양과 같은 존재로 오실 것이라고 기록되어 있고, 신약성경에는 그것이 성취되었다고 선포되어 있습니다. 예수님은 유월절이라는 절기에 이스라엘 백성을 위하여 대신 죽어야 하는 어린양처럼, 온 세상의 죄를 짊어진 채 그 죗값을 지불하는 어린양으로 이 땅에 오셨던 것입니다.

예수님은 지금 예루살렘으로 들어가고 계십니다. 예루살렘에 들어가면 십자가 사건이 기다리고 있다는 것을 아십니다. 바야흐로 유월절이 가까이 다가오고 있었습니다. 예수님은 의도적으로 그때를 기다린 후, 정확하게 유월절이 시작되기 엿새 전에 예루살렘으로 입성하는 행진을 시작하십니다. 이 순간은 실로 하나님의 섭리

아래 준비된 '계획된 시점'이었습니다.

또한 예수님은 예루살렘에 나귀를 타고 들어가셨습니다. 이것은 우연한 일이 아닙니다. 구약성경에 예언되어 있었던 일입니다. 예수님이 이 땅에 오시기 520년 전, 스가랴 선지자를 통해서 예언된 사실이었습니다. 이 하나만을 보아도 우리는 성경의 정확성에 충격적인 놀라움을 금할 수 없습니다. 스가랴 9장 9절은 "시온의 딸아 크게 기뻐할지어다 예루살렘의 딸아 즐거이 부를지어다 보라 네 왕이 네게 임하시나니 그는 공의로우시며 구원을 베푸시며 겸손하여서 나귀를 타시나니 나귀의 작은 것 곧 나귀 새끼니라"라고 예언하고 있습니다.

본문 1절은 "그들이 예루살렘에 가까이 와서 감람산 벳바게와 베다니에 이르렀을 때에"라는 상황을 보여 주고 있습니다. 벳바게와 베다니는 예루살렘에서 약 3킬로미터 떨어진 감람산 산등성이에 위치한 마을입니다. 마을에 올라가서 보면 예루살렘이 한눈에 보입니다.

> "예수께서 제자 중 둘을 보내시며 이르시되 너희는 맞은편 마을로 가라 그리로 들어가면 곧 아직 아무도 타 보지 않은 나귀 새끼가 매여 있는 것을 보리니 풀어 끌고 오라"(막 11:1-2).

주님께서는 당신이 타야 할 나귀가 어디에 있는지를 정확히 알고 계셨습니다. 이 간단한 사건을 통해서도 예수님이 평범한 분은 아니라는 것을 알 수 있습니다. 그분은 전지한 하나님이십니다. 우리는 여기서 예수 그리스도가 신성을 지니셨다는 놀라운 사실을 다시 한번 확인할 수 있습니다. 이어지는 말씀을 보십시오.

> "만일 누가 너희에게 왜 이렇게 하느냐 묻거든 주가 쓰시겠다 하라"(막 11:3).

엄청난 사건입니다. 한 마을에 매여 있는 나귀 한 마리를 끌고 오라고 하셨고, 왜 나귀를 끌고 가느냐고 묻거든 '주가 쓰시겠다'고 답하라 하셨습니다. 그 나귀의 진정한 주인은 예수님이기 때문입니다. 예수님이 그 나귀를 만들고 나귀의 운명을 다스리는 주인이십니다. 그 나귀의 주인일 뿐 아니라, 사람을 만들고 사람의 운명을 다스리는 주인이요, 만유의 주이십니다. 그런 그분이 말씀하십니다.

"주가 쓰시겠다 하라."

계속해서 이어지는 말씀을 보십시오.

> "그리하면 즉시 이리로 보내리라 하시니 제자들이 가서 본즉 나귀 새끼가 문 앞 거리에 매여 있는지라 그것을 푸니 거기 서 있는 사람 중 어떤 이들이 이르되 나귀 새끼를 풀어 무엇 하려느냐 하매 제자들이 예수께서 이르신 대로 말한대 이에 허락하는지라"(막 11:3-6).

우리는 이 사건의 배후에 정교하고 놀라운 하나님의 계획이 있다는 것을 알 수 있습니다. 나귀 한 마리를 이렇게 예루살렘 입성에 사용하고자 계획한 분이 우리 주님이십니다. 나귀 한 마리에 대해서도 큰 계획을 가지고 계셨던 하나님이 우리 인생에 대해 소중한 계획을 가지고 계시지 않겠습니까?

우리는 이 땅에 우연히 태어났다가 우연히 사라지는 존재가 아닙니다. 많은 사람이 이 세상에 던져진 운명적 존재인 것처럼 생각하며 뚜렷한 목적과 의미를 찾는 것을 체념한 채 인생을 살아갑니다. '인생은 나그네 길'이라고 생각하는 사람이 얼마나 많습니까? 그러나 그런 태도로 살아서는 안 됩니다. 나귀 한 마리의 생애를 준비하셨던 하나님이 우리를 위해 새롭고 놀라운 계획을 준비하셨다는 사실을 믿기 바랍니다.

중요한 것은 '나를 향한 하나님의 계획을 신뢰할 수 있는가'입니다. 우리는 분명 세상에 던져진 존재가 아닙니다. 하나님은 놀라운 계획을 가지고 우리의 일생을 준비하셨습니다. 주님은 "내가 온 것은 나의 양들, 즉 양과 같은 나의 사람들이 생명을 얻게 하고 더 풍성히 얻게 하려 함이라"라고 말씀하셨습니다. 주님은 우리가 풍성한 생명, 풍성한 삶을 누릴 수 있게 해 주십니다. 의와 보람이 가득한 생애를 살게 하십니다. 우리는 고통스럽게 생존을 위해 몸부림치다가 쓰러져 버릴 존재가 절대 아닙니다.

우리의 생애가 변화되기 위해서는 우리의 왕 되신 예수님이 우리를 향한 놀라운 계획을 준비하셨다는 사실을 믿는 것이 중요합니다. 믿으십시오. 이러한 '왕의 계획'을 신뢰하고 받아들이는 것이 인생을 새롭게 하는 첫 번째 단계입니다.

왕의 구원의 뜻을 분별해야 한다

둘째, 우리는 왕의 구원을 분별할 수 있어야 합니다. 첫 번째는 왕의 계획을 수용하는 것이고, 두 번째는 왕이신 주님께서 우리에게 주시기로 약속한 구원의 뜻이 무엇인지를 분별하는 것입니다.

그분이 드디어 예루살렘을 향해서 행진해 가십니다. 본문 8절은 "많은 사람들은 자기들의 겉옷을, 또 다른 이들은 들에서 벤 나뭇가지를 길에 펴며"라고 말씀합니다. 사람들은 길에 나뭇가지를 펴고 겉옷도 벗어서 깔았습니다. 이는 왕에 대한 예의입니다. 예루살렘의 군중이 예수가 왕이라는 기대를 가졌다는 증거입니다. 이때 군중 사이에서는 어떤 찬양이 들렸습니까?

> "앞에서 가고 뒤에서 따르는 자들이 소리 지르되 호산나 찬송하리로다 주의 이름으로 오시는 이여"(막 11:9).

아마도 이 찬송은 어린아이들에게서 먼저 터져 나왔을 것입니다. 찬송의 내용은 '호산나, 호산나'입니다. 히브리어로는 '호시안나'(hosianna)입니다. '기도하옵나니 우리를 지금 구원해 주시옵소서'라는 뜻입니다. 그들은 예수님께 구원의 기대를 가졌습니다. 구원의 노래를 부르며 구원의 주님을 바라보고 있습니다. 사람들이 그분에게 구원을 기대한 것은 지극히 당연합니다. 그래야 마땅합니다.

그러나 중요한 것은, 그 시대의 민중이 예수님에게서 기대했던 구원이 과연 올바른 구원이었느냐는 것입니다. 구원이라는 말은 자주 듣지만, 성경이 말씀하는 구원의 확신, 구원의 진정한 기쁨 속에서 인생을 살지 못하는 사람이 얼마나 많습니까? 아직도 구원을 체험하지 못한 사람이 많습니다. 어쩌면 많은 사람이 구원의 뜻을 오해하고 있는지도 모릅니다. 마치 그 시대의 사람들이 그랬듯이 말입니다.

그들은 메시아를 기다렸고, 예수님을 메시아로 믿었습니다. 그러나 그들은 예수님을 단순한 정치적 메시아로만 생각했습니다. 그 당시 로마의 지배를 받고 있던 이스라엘 사람들은 '이분이라면 우리에게 자유와 독립을 주실 것이다'라고 믿었던 것입니다. 박해받는 민족이 정치적인 자유와 독립을 추구하는 것은 당연합니다.

오래전 3월 1일, 우리 민족도 그렇게 일어났습니다. 정치적 자유와 독립은 한 민족에게 있어서 매우 중요합니다. 하나님은 기도하는 사람들에게 자유와 해방을 주신다고 믿습니다. 그러나 예수님이 하실 수 있는 일은 그것뿐이 아닙니다. 그보다 더 깊고 본질적인 자유와 해방을 약속하십니다. 하지만 불행히도 이스라엘 사람들은 단순히 정치적 자유와 독립을 주는 메시아만을 생각했습니다. 그래서 그 당시 정치 지도자 중에는 '메시아가 왔다'는 말을 듣고 예수님을 라이벌로 생각하며 오해한 사람들도 있었습니다. 이는 예수님이 잡히고 체포된 이유 중의 하나였습니다.

예수님은 빌라도의 법정에 끌려 오셨습니다. 빌라도는 "네가 왕이냐?"라고 물었습니다. 그때 예수님께서는 "내 나라는 이 세상에 속한 것이 아니다"라는 대답을 하셨습니다. 주님의 나라, 하나님 나라는 이 세상과 관련이 없다는 뜻이 아닙니다. 주님의 나라는 이 세상 속에 임하고 이 세상 속에서 확장되지만, 세속적인 것과는 다릅니다. 본질적으로 세상의 나라와는 다른 나라입니다. 왕이신 예수님은 사람들의 내면에서부터 그 통치를 시작하여 한 사람을 새롭게 하실 뿐 아니라, 많은 사람을 새롭게 하실 수 있습니다. 나아가 한 나라를 다스리는 왕의 마음까지도 바꾸실 수 있습니다. 예수님은 왕 중의 왕이시기 때문입니다. 예수님은 이 세상 속에 보이지 않는 영적인 나라를 확장해 가는 영적인 메시아이십니다.

그러나 그 당시의 민중은 이러한 예수님을 알아보는 눈을 뜨지 못했습니다. 그들의 맹목적인 추종은 단순히 물리적 힘을 행사해서 독립을 주는 메시아에게만 향해 있었습니다.

만약 예수님이 그들의 기대처럼 정치적인 메시아로 오셨다면, 주님은 군대를 거느리고 군마에 올라탄 채 예루살렘에 입성하시는 것이 맞을 것입니다. 이에 반해 나귀를 타고 오신 예수님은 얼마나 접근하기 쉬운 분입니까? 겸손하신 주님은 어린아이나 노인도 접근할 수 있는 분입니다. 유식한 사람도, 무식한 사람도, 지체 높다

하는 왕도, 거리에서 구걸하는 거지도 쉽게 접근할 수 있는 분입니다. "나는 마음이 온유하고 겸손하니"(마 11:29)라고 말씀하신 그분은 사람들의 기대와 생각의 틀을 깨고 오시는 놀라운 분입니다. 이 놀라운 예수님의 모습을 보십시오. 그분은 단순히 정치적인 압박에서 사람을 풀어 주는 메시아가 아닙니다.

정치적 압박보다 더욱 본질적인 압박이 있습니다. 우리가 오늘 방황하는 이유, 흔들리는 이유, 인생에서 의미를 찾지 못하고 헤매는 이유, 이 모든 것의 가장 근본적인 이유는 '죄'입니다. 죄는 우리와 하나님 사이를 단절시켰습니다. 우리와 다른 사람들을 단절시켰습니다. 인간관계의 상처, 우리의 방황과 연약함과 부조리, 이 모든 것의 깊은 원인은 죄입니다. 예수님은 이 죄에서 우리를 해방하기 위해 오신 메시아임을 믿기 바랍니다.

마리아를 통해서 잉태되었을 때 그분의 탄생은 이렇게 예고되었습니다.

> "아들을 낳으리니 이름을 예수라 하라 이는 그가 자기 백성을 그들의 죄에서 구원할 자이심이라"(마 1:21).

정치적 압박으로부터만 해방하는 분이 아닙니다. 예수님의 사역은 그보다 더 본질적이고 깊은 곳으로 들어갑니다. 죄로부터 당신의 백성을 구원하는 것입니다.

그렇습니다. 예수 그리스도를 만나는 자마다 죄 사함을 받습니다. 하나님 아버지를 부르는 순간, 인생이 달라집니다. 이 놀라운 구원을 주기 위해 오신 메시아, 만왕의 왕인 예수님을 믿습니까? 그 예수님이 당신의 왕 되심을 찬양하십시오. 그분을 통해서 삶이 새롭게 되기를 원한다면, 왕의 계획을 신뢰하십시오. 그리고 주님이 보여 주신 구원의 의미를 올바르게 분별하십시오.

삶의 모든 부조리의 원인 중 가장 중요한 것은 죄입니다. 죄로부터 자유롭게 하고, 새로운 존재로 태어나 인생을 살 수 있게 하시는 주님의 구원을 분별하기 바랍니다. 이 구원을 사모하기 바랍니다. 이 구원을 받았다면, 구원의 주님을 찬양하기 바랍니다. 왕의 구원을 분별할 수 있어야 합니다.

왕의 눈물을 이해해야 한다

마지막으로 셋째, 우리의 왕을 통해서 인생이 바뀌려면 왕의 눈물을 이해할 수 있어야 합니다. 예루살렘에 들어가기 전에 주님이 하신 일이 하나 있습니다. 마가복음에는 없지만, 누가복음에서 그 일을 볼 수 있습니다. 누가복음 19장 41절을 보십시오.

"가까이 오사 성을 보시고 우시며."

예수님은 당신을 왕으로 맞이하는 환호성과 찬양 소리를 들으면서 울고 계십니다. 이상하지 않습니까? 이 왕의 눈물이 이해됩니까? 예수님은 왜 우셨을까요? 다음 절에서 그 이유를 어느 정도 짐작할 수 있습니다.

> "이르시되 너도 오늘 평화에 관한 일을 알았더라면 좋을 뻔하였거니와 지금 네 눈에 숨겨졌도다"(눅 19:42).

이스라엘 민중이 기대한 것은 정치적 압박에서부터 물리적 힘으로 그들을 자유롭게 하는 메시아였지만, 예수님은 그러한 일을 이루기 위해 세상에 오신 것이 아니라는 것입니다. 예수님은 "너희가 평화를 알았으면 좋겠다"라고 말씀하셨습니다. 이 평화는 피상적인 것이 아닙니다. 하나님과의 평화이며, 우리의 가장 깊은 내면에 있어 우리의 존재와 운명을 바꿀 수 있는 평화입니다. 이 진정한 평화를 주시는 놀라운 분을 알았더라면 얼마나 좋았을까요? 주님은 이렇게 한탄하십니다.

"그러나 너희들의 눈에는 숨겨졌다."

이렇게 놀라운 예수님이 그들의 눈에는 보이지 않는 것입니다. 그들의 눈에는 참 평화와 영적인 구원을 주고자 메시아로 오신 예수님이 보이지 않았습니다. 이어지는 말씀을 보십시오.

> "날이 이를지라 네 원수들이 토둔을 쌓고 너를 둘러 사면으로 가두고 또 너와 및 그 가운데 있는 네 자식들을 땅에 메어치며 돌 하

나도 돌 위에 남기지 아니하리니 이는 네가 보살핌 받는 날을 알지 못함을 인함이니라 하시니라"(눅 19:43-44).

이는 슬픈 예언입니다. 주님은 지금 당신을 찬양하고 있는 예루살렘의 군중이 주님이 그들의 인간적 기대를 만족시킬 수 없다는 사실을 알게 되면 폭도로 돌변하여 찬양하던 그 입술로 "그를 십자가에 못 박으소서. 십자가에 못 박으소서"라고 외치게 될 것을 아셨습니다. 그래서 뜨거운 눈물을 흘리신 것입니다.

예수 그리스도를 거절함으로 말미암아 심판을 피할 수 없었던 사람들과 예루살렘 도성에는 예수님의 예언처럼 파멸이 임했습니다. A.D. 70년, 로마 황제가 이끌던 군대가 예루살렘에 입성해 그곳을 완전히 파괴해 버렸습니다. 예루살렘 성전은 예수님의 예언대로 돌 하나도 돌 위에 남기지 않고 모두 무너졌으며, 예루살렘의 군중은 잔혹한 로마 군인들의 말발굽에 짓밟혔습니다. 예수님의 예언이 실행된 것입니다. 예수님은 그것을 보셨습니다.

진정한 평화의 왕인 주님을 거절함으로 하나님의 심판을 피할 수 없게 된 예루살렘과 그곳의 군중을 바라보면서 예수님은 눈물을 흘리셨습니다. 눈물을 흘리시는 예수님의 얼굴에서 놀랍도록 역설적인 모습을 발견합니다. 전능하신 하나님, 그분이 울고 계십니다. 연약한 인간으로 내려와 우리의 죄를 담당하시려는 예수님이 우는 장면을 보십시오. 그분은 잠시 후에 한 번 더 우십니다. 그것은 지금보다 더한 통곡입니다.

히브리서 기자는 겟세마네 동산에 들어가신 예수님이 십자가를 바라보면서 기도할 때 심한 통곡을 하셨다고 말합니다(히 5:7 참조). 통곡하며 눈물을 쏟으셨습니다. 왜 겟세마네 동산에서 통곡하셨을까요? 다가오는 십자가의 고통이 두려우셨기 때문이 아닙니다. 그분은 당신 때문에 울지 않으셨습니다. 예수님은 "나를 위하여 울지 말고 너희와 너희 자녀를 위하여 울라"(눅 23:28)고 하셨습니다. 구원을 받아야 할 안타까운 처지에 있는 사람들을 바라보면서, 하나님의 은혜와 사랑과 용서와 그 다스리심을 경험해야 할 사람들을 바라보면서 주님은 십자가 앞에서 울고 계셨습니다.

주님께서 그렇게 눈물을 흘리셨기 때문에 우리의 인생이 바뀌게 된 것을 믿으십시오. 그분의 눈물이 우리를 살렸습니다. 그분의 눈물이 우리의 인생을 새롭게 했습니다. 그렇다면 이제는 우리가 울어야 할 때입니다. 우리가 이 민족을 위해서 울어야 할 때입니다. 우리가 울면 우리가 사랑하는 사람들이 살아날 것입니다. 예수를 알지 못하고 방황하는 안타까운 이웃들을 위해서 눈물을 흘리면 이 땅이 살아날 것입니다. 많은 사람의 삶이 곤고한 이 시대에 경제적 고통 이상으로 인간을 방황하게 하는 죄의 문제를 끌어안고 이 땅의 민족을 바라보며 한국 교회가 운다면, 이 민족이 살아날 거라고 믿습니다. 우리는 예수님의 눈물 속에서 오늘 우리가 흘려야 할 눈물을 발견할 수 있어야 합니다.

어느 미국 교회에서 한 목사님이 쫓겨나게 되었습니다. 이유는, 설교 시간마다 기독교의 초보적인 메시지만을 강조한다는 것이었습니다. 강대상에 서기만 하면 '예수 십자가, 복음'이라는 초보적인 메시지만을 전했기에 사람들은 더 이상 견딜 수가 없어 목사님을 쫓아냈습니다. 그리고 새로운 목사님이 오셨습니다. 그런데 신임 목사님도 이전에 있던 목사님과 똑같이 강대상에 서기만 하면 '예수 십자가, 복음'의 메시지를 전했습니다. 그런데 이번에는 사람들이 변화되기 시작했습니다. 교회가 부흥하기 시작했습니다. 이 목사님은 교회를 떠날 필요가 없게 되었습니다. 그러자 주변 사람들이 무척 이상하게 생각되어 그 교회의 성도에게 물었습니다.

"저는 이 교회의 성도들을 이해하지 못하겠습니다. 전에 계시던 목사님을 떠나보낸 이유가 너무나도 기독교의 초보적인 메시지만을 강조했기 때문이 아니었습니까? 그런데 새로 오신 목사님도 똑같은 메시지를 전하는데 왜 이 목사님은 떠나보내지 않습니까?"

그러자 그 말을 들은 성도가 이렇게 대답했습니다.

"그 말은 사실입니다. 새로 오신 목사님도 똑같은 메시지를 전하더군요. 동일한 예수, 동일한 십자가, 동일한 복음을 이야기하더군요. 그런데 다른 것이 하나 있습니다. 새로 오신 목사님은 눈물을 흘리면서 예수님을 전하고 있습니다. 우리는 그분의 눈물 속에서 복음의 능력을 발견합니다. 그분의 눈물 속에서 예수님의 사랑을 발견하고 있습니다."

그렇습니다. 지금은 울어야 할 때입니다. 한국 교회가 울어야 할 때입니다. 우리가 울면 이 땅이 살아날 것입니다. 우리가 울면 우리 민족이 살아날 것입니다. 새로운 역사가 이 땅에 임할 것입니다. 하나님 나라가 올 것입니다. "눈물을 흘리며 씨를 뿌리는 자는 기쁨으로 거두리로다"(시 126:5)라고 말씀하셨습니다. 주님이 우리에게 이웃을 위해서 흘릴 뜨거운 눈물을 주시기를 간절히 바랍니다.

"이튿날 그들이 베다니에서 나왔을 때에 예수께서 시장하신지라 멀리서 잎사귀 있는 한 무화과나무를 보시고 혹 그 나무에 무엇이 있을까 하여 가셨더니 가서 보신즉 잎사귀 외에 아무것도 없더라 이는 무화과의 때가 아님이라 예수께서 나무에게 말씀하여 이르시되 이제부터 영원토록 사람이 네게서 열매를 따 먹지 못하리라 하시니 제자들이 이를 듣더라 … 그들이 아침에 지나갈 때에 무화과나무가 뿌리째 마른 것을 보고 베드로가 생각이 나서 여짜오되 랍비여 보소서 저주하신 무화과나무가 말랐나이다 예수께서 그들에게 대답하여 이르시되 하나님을 믿으라 내가 진실로 너희에게 이르노니 누구든지 이 산더러 들리어 바다에 던져지라 하며 그 말하는 것이 이루어질 줄 믿고 마음에 의심하지 아니하면 그대로 되리라 그러므로 내가 너희에게 말하노니 무엇이든지 기도하고 구하는 것은 받은 줄로 믿으라 그리하면 너희에게 그대로 되리라 서서 기도할 때에 아무에게나 혐의가 있거든 용서하라 그리하여야 하늘에 계신 너희 아버지께서도 너희 허물을 사하여 주시리라 하시니라"(막 11:12-14, 20-25).

14

무화과나무의
교훈

기도와
용서의 열매를 드리라

한 철학자의 오해

영국의 유명한 철학자 버트런드 러셀(Bertrand Russell)의 저서 중에
《나는 왜 기독교인이 아닌가》(사회평론 역간)라는 책이 있습니다. 이
책에는 마가복음 11장에 대한 이야기가 나옵니다. 그는 예수님이
무화과나무를 저주하신 이 사건을 이렇게 말했습니다.

"이 사건은 예수 그리스도란 분이 반드시 합리적이고 상식적인
분이 아닐 수도 있다는 것을 보여 준다."

그러면서 기독교 신앙은 온전히 신뢰받을 만한 '선(善)의 신앙'이
라고 말하기 어렵다는 논리를 폈습니다. 물론 그는 탁월한 철학자

입니다. 그러나 성경에 있어서는 대단히 무지했다고 할 수 있습니다. 첫째는, 팔레스타인에서 자라나는 무화과나무의 생태를 이해해 보려 하지 않았습니다. 둘째는, 예수님이 왜 이런 기적을 행하셨는지 그 의미를 이해하려고 하지 않았습니다.

무화과나무의 특징

먼저, 무화과나무의 생태에 대해 알아봅시다. 본문을 피상적으로 보면 러셀의 말에 상당한 일리가 있는 것처럼 느껴집니다.

> "멀리서 잎사귀 있는 한 무화과나무를 보시고 혹 그 나무에 무엇이 있을까 하여 가셨더니 가서 보신즉 잎사귀 외에 아무것도 없더라"(막 11:13a).

예수님이 시장해서 무화과나무 앞으로 가 보았지만 잎사귀밖에 보지 못하셨습니다. 그래서 이 나무를 향해 말씀하셨습니다.

> "이제부터 영원토록 사람이 네게서 열매를 따 먹지 못하리라"(막 11:14).

그런데 13절 뒷부분에는 "이는 무화과의 때가 아님이라"라는 내용이 이어집니다. 얼핏 무화과가 열릴 시점이 아닌 때에 열매를 맺지 못했다는 이유로 다시는 열매를 따 먹지 못하리라고 저주하셨다는 내용을 보면, 러셀의 말이 상당히 일리 있는 것처럼 생각됩니다. 그러나 우리는 무화과나무에 대해 이해할 필요가 있습니다.

이스라엘의 본격적인 무화과 수확기는 6, 7월경입니다. 그때 많은 열매를 냅니다. 그러나 이른 봄에 열매를 맺기도 하고, 좀 늦게 열매를 맺기도 합니다. 이른 경우에는 3, 4월에도 열매를 맺습니다. 저는 이스라엘에서 3월에 아주 맛있는 무화과를 직접 따서 먹은 적이 있습니다. 그런가 하면 9월이나 10월에도 무화과를 얼마든지 따 먹을 수 있습니다. 늦은 무화과라고 하는데, 어떤 경우에는 1년에 세 차례씩 열매를 따 먹을 수도 있습니다. 그런데 무화과는 먼저 잎사귀를 냅니다. 먼저 잎사귀가 나면 다른 나무와는 달리 이미 열매를 가지고 있는 것입니다. 이것이 이 나무의 특징입니다. 잎이 있는 무화과나무에서는 열매를 기대할 수 있습니다.

본문의 때는 유월절 직전, 예수 그리스도의 수난을 앞둔 시기였습니다. 무화과나무에 잎사귀가 있었기 때문에 열매를 기대한 것은 상식적입니다. 그런데 열매가 없었습니다. 이것은 정상이 아닙니다. 이 비정상적인 나무는 창조주의 기대대로 열매를 맺어 주지 못한 나무라고 할 수 있습니다. 예수님은 이 나무를 저주하셨습니다. 여기에는 비상식적인 행동이 전혀 개입되지 않았습니다. 그러나 더 중요한 것은, 이 기적의 의미를 이해하는 것입니다. 예수님이 왜 이 나무를 저주하셨는지, 이 나무를 저주하신 것에는 어떤 뜻이 있는지가 중요합니다.

성경에 나타난 기적들을 공부해 보면, 기적은 그 자체에만 뜻이 있지 않다는 것을 알 수 있습니다. 그 기적을 통해서 전달하려는 '메시지'가 중요합니다. 그래서 복음서에서는 그러한 기적을 가리켜 '표적'(sign)이라는 특별한 단어를 사용합니다. 이 단어는 단순히 놀라운 일뿐만 아니라, 기적을 통해서 전달하려고 하는 메시지가 있다는 뜻을 담고 있습니다.

본래 이스라엘 사람들은 괴팍하기까지 한 기이한 행동으로 어떤 뜻을 전달하려 하는 경우가 종종 있습니다. 그러한 이상한 방법을 사용하는 것은 교훈을 전달하고자 하는 그들의 민족적인 특성이라고 할 수 있습니다. 그러한 경우에 그 기이한 행동 자체는 중요하지 않습니다. 그것을 통해 전달하고자 하는 메시지가 중요합니다.

이러한 사례는 성경에서 많이 볼 수 있습니다. 일례로, 열왕기상 11장 29절에는 한 선지자가 등장합니다. 그는 왕이 될 여로보암 앞에 새 의복을 가지고 나타나 그것을 열두 조각으로 찢습니다. 그리고 열 조각을 여로보암에게 바칩니다. 이것은 이스라엘이 북방 이스라엘과 남방 이스라엘로 갈라질 것인데, 북방 이스라엘 왕국에는 열 지파가 따라갈 것이고, 두 지파는 남쪽에 속하게 될 것이라는 것을 상징합니다. 열 조각을 여로보암에게 바친 것은, 북방 이스라엘의 왕이 될 그에게 열 지파가 속하게 될 것이라는 메시지를 전달하는 것입니다. 이러한 메시지를 깨닫는 것이 참으로 중요합니다.

또 예레미야 27장 1-2절에서 하나님은 예레미야에게 이상한 행동을 명하십니다. 줄과 멍에를 목에 걸고 거리를 돌아다니라는 것입니다. 목에 줄을 칭칭 감고 멍에를 메고 거리를 돌아다니는 예레미야는 목소리로 전달하는 것보다 더 크고 분명한 메시지를 많은 사람에게 전달하게 됩니다.

'저는 이렇게 줄에 칭칭 감긴 노예처럼 걷고 있습니다. 우리 민족의 상황이 얼마 후에 이처럼 될 것입니다. 우리 민족은 포로로 끌려가 노예가 될 것입니다.'

이러한 메시지를 기괴한 행동을 통해서 상징적으로 전달하는 것입니다.

예수님이 어느 날 지나가다가 길가의 무화과나무를 저주하십니다. 도대체 이 사건을 통해서 전달하시고자 하는 메시지는 무엇일까요? 세 개의 중요한 메시지가 있습니다.

창조하고, 섭리하며, 심판하시는 예수님

첫째, 이 사건을 통해 예수님이 어떤 분이신가 하는 메시지가 전달되고 있습니다. 이 사건은 예수님의 어떠한 면에 대해서 말하고 있을까요? 나무에서 기대하던 것을 얻지 못하셨을 때 길가에 있는 나무를 향해 "너는 열매를 맺지 못할 것이다"라고 하자 그대로 되었습니다. 한 번의 말씀에 나무도 복종하는 이분은 도대체 누구입니까? 그분은 이 나무를 만들고 다스리는 분이십니다. 그리고 나무가 창조주의 기대를 저버렸을 때 나무를 심판할 수 있는 분이십니다.

식물만이 아닙니다. 예수님이 바다를 향해 잠잠하라 하시자 물결치던 파도와 몰아치던 바람도 복종했습니다. 사람들은 "도대체 저분이 누구냐? 저분이 누구이기에 바람과 파도도 복종하느냐?"라고 물었습니다. 또 어느 날 귀신 들린 사람을 본 예수님은 그 사람 안에 있는 귀신에게도 명령하셨습니다. 그러자 귀신이 그 사람 밖으로 나왔습니다. 그분이 다시 귀신들에게 돼지 떼에게로 들어가라고 명령하시자 귀신들은 말씀하신 그대로 행했습니다.

복음서에는 예수님께서 병자를 고치시는 사건이 많이 기록되어 있습니다. 그뿐 아니라 죽은 사람도 살리는 분이심을 보여 줍니다. 예수님은 나인성 과부의 죽었던 아들에게 "청년아 내가 네게 말하노니 일어나라"(눅 7:14)라고 말씀하셨습니다. 그 순간 시체가 벌떡 일어났습니다. 예수님의 말씀에는 시체도 복종합니다.

이처럼 사람의 생명을 거두실 수도, 다시 주실 수도 있는 이분은 창조자요, 섭리자요, 심판자이십니다. 이것이 이 사건을 통해 전달하시고자 하는 메시지입니다. 또 하나, 하나님의 피조물인 우리가 창조주의 의도대로 살지 못하면 우리 또한 심판의 대상이 될 수 있다는 것을 기억해야 합니다.

오래전 미국에서 지구촌교회 건물을 지을 때, 미국은 한국보다 건축 규정이 훨씬 더 까다롭고 복잡했습니다. 한국에서는 준공 검사만 통과하면 되지만, 미국에서는 받아야 하는 검사가 매우 많았습니다. 콘크리트를 쳐 놓고 검사받고, 벽을 세워 놓고 또 검사를 받아야 했습니다. 이렇게 검사받을 때마다 신경 쓰였던 것이 있습니다. 검사하는 사람이 설계도를 가지고 와서 설계도대로 되어 있지 않은 부분을 지적하면 다시 다 뜯어고쳐야 했습니다. 타협도 없고 뇌물도 통하지 않는 사회라 원칙대로 해야 했습니다. 검사를 받으면서 "도면대로 안 되었네요"라는 말을 들을 때마다 이런 생각을 했습니다.

'우리 인생이 끝나고 주님 앞에 섰을 때, 혹 나의 일생에 대해 이렇게 말씀하시는 것을 듣게 되지는 않을까? "설계대로 안 되었네. 계획한 대로 안 되었어"라고 말이야.'

우리를 창조하고 다스리고 섭리하는 예수님은 창조자요, 심판자요, 섭리자이심을 믿기 바랍니다.

'열매 없는 신앙'에 대한 경고

무화과나무 저주의 사건을 통해서 전달되는 두 번째 메시지는, 이스라엘의 내용 없고 형식뿐인 종교에 대한 심판을 말씀하시는 것입니다. 무화과나무는 성경에서 이스라엘 민족에 대한 상징으로 자주 나타납니다. 그런데 본문에 나오는 무화과나무의 상태는 어떠했습니까? 잎은 있지만, 열매가 없었습니다. 잎사귀만 무성하고 열매 없는 나무, 이것은 당시 이스라엘 민족의 종교를 상징했습니다.

주님은 오늘 우리를 보면서 뭐라고 말씀하실까요? 예배도 열심히 드리고, 찬양도 잘합니다. 설교도 진지하게 듣습니다. 누가 보아도 우리는 종교 형식에 잘 적응하고 있습니다. 여기까지는 형식입니다. 그러나 예배를 잘 드리는 것도 중요하지만, 예배를 드림으로써 우리의 삶이 어떻게 변화되고 있는지가 훨씬 더 중요합니다. 우리가 참된 예배를 드렸는가 하는 것은 예배 시간만으로는 잘 알 수 없습니다. 하나님의 임재와 그 영광을 체험했으니 이제는 하나님이 주신 기쁨을 누리며 그분의 뜻대로 살겠다, 말씀을 받았으니 이제 말씀대로 살겠다 결심하고 돌아갔다면 변화가 있어야 합니다. 전보다 좀 더 친절해야 하고, 감사할 줄 알아야 합니다. 우리의 일상에서부터 신앙생활이 제대로 이루어져야 합니다.

예배 후 집에 돌아가서 은혜 받은 사람답게 아내 또는 남편을 사랑하고, 가정을 진리의 말씀 위에 세우고 있습니까? 가정생활에서 예배의 결과가 나타나고 있습니까? 예배를 드리면서 은혜를 받았고, 비전을 보았고, 용기와 새로운 힘을 얻었다면 직장에서의 태도도 달라져야 합니다. 그리스도인답게, 하나님의 백성답게 주어진 책임을 성실하게 감당하며 빛과 소금으로 살아가는 직장인의 모습이 나타나야 마땅합니다.

이것이 내용이고 열매입니다. 이것이 없다면 잎사귀뿐인 나무입니다. 잎사귀뿐인 채 열매를 맺지 못하는 무화과나무의 모습이 당시 이스라엘 종교의 모습이었고, 이스라엘 사람들의 모습이었습니다.

본문 11-14절과 20-24절 말씀은 무화과나무의 이야기와 관련된 구절입니다. 그런데 그 사이인 15-18절에 기록되어 있는 사건이 있습니다. 바로 성전 정화 사건입니다. 예수님이 예루살렘 성전에 들어가 장사꾼들을 쫓아내신 사건입니다.

그 당시 사람들이 제사를 드리기 위해서는 이방인의 뜰에서 제물을 사야 했습니다. 그런데 그 과정에서 흠 없는 제물을 사도록 권고하면서 제사장과 상인이 결탁해서 막대한 이익을 취하고 있었습니다. 심지어 외국에 사는 유대인들은 헌금을 할 때 외국 돈을 드리면 안 된다고 하여 가지고 있던 돈을 환전해야만 했습니다. 그래서 예루살렘 성전 안의 이방인의 뜰에는 환전소가 있었습니다. 제사장과 상인들은 환전에 관해서도 폭리를 취하고 있었습니다. 그러니 밤낮 제사를 집행하는 제사장이라 해도 머릿속에 무슨 생각이 가득했겠습니까? '금전적 이익'에 대한 생각뿐이었을 것입니다. 이런 예루살렘 성전 안에 올바른 신앙의 모습이 있었겠습니까? 신앙의 본질은 외면하고 그릇된 것에 지배받는 상태가 당시 예루살렘 종교의 모습이었습니다.

비슷한 상황이 오늘 우리에게도 일어날 수 있습니다. 우리에게 참으로 중요한 것은 신앙의 본질, 예배의 본질을 찾는 것입니다. 하나님의 영광을 체험하고 하나님을 만나며 그분을 예배한 결과, 얼마나 주 앞에 올바른 삶을 살고 있는지가 중요합니다. 저는 성도들이 예배를 통해 얼마나 변화된 삶을 살고 있는지에 가장 관심이 갑니다. 머릿속에 이것 이외에 다른 생각이나 의도가 있다면 버리기 바랍니다. 우리의 삶 속에 하나님의 영광과 능력이 임하여 그분이 기뻐하시는 대로 살아가는 것이 우리의 유일한 관심이 되기를 기도하십시오.

중요한 사실은, 우리의 삶이 잎사귀만 무성하게 된다면 저주의 대상이 될 수 있다는 것입니다. 이것이 본문을 통해 우리에게 다가오는 하나님의 엄숙한 경고임을 기억하기 바랍니다.

무화과나무 사건을 통해서 전달되는 세 번째 메시지는 두 번째 메시지와 연결되는 것으로, 열매를 맺을 수 있어야 한다는 가르침입니다. 내용은 없고 형식뿐인 종교에 대한 심판의 메시지가 하나님의 백성에게 전달되었습니다. 그렇다면 오늘 우리의 신앙의 모습은 어떨까요? 이미 교회에 출석하고 있으니 형식은 있습니다. 그러나 그것보다 중요한 것은 열매입니다. 우리는 얼마나 많은 열매를 맺고 있습니까?

무화과나무는 별로 멋있지 않습니다. 땔감으로 쓰기에도 적절하지 않고, 목재로도 전혀 쓰일 수 없습니다. 겉으로 볼 때는 꽃도 피지 않습니다. 무화과나무는 그저 단 한 가지 목적을 위해서만 존재합니다. 바로 열매입니다. 그리스도인들이 세상에 존재하는 유일한 목적은 우리에게 있는 꽃을 보이기 위함이 아닙니다. 우리의 존재 목적은 열매를 맺는 것입니다. 삶의 열매를 통해 주님께 영광 돌리기 위해서 우리가 존재하는 것입니다.

당신의 신앙은 열매를 맺고 있습니까? 교회에 나온 지 얼마나 되었느냐는 중요하지 않습니다. 교회에서 무슨 일을 하고 있는가도 중요하지 않습니다. 삶에서 어떤 열매를 맺고 있는지가 중요합니다.

하나님을 신뢰하라

그러나 신앙생활을 계속하고 있어도 열매 맺지 못하는 사람들이 있습니다. 가정이나 직장에서 살아가는 모습이 무력하기 그지없습니다. 실패하고 넘어집니다. 왜 이렇게도 무력할까요? 왜 이렇게 열매를 맺지 못할까요?

가장 중요한 이유는, 하나님에 대한 신뢰가 없기 때문입니다. 진정으로 하나님을 신뢰한다면 달라질 것입니다. 하나님을 신뢰하십시오. 그것이 열매를 맺는 첫 번째 길입니다.

본문에서 예수님이 무화과나무를 저주하신 후의 상황을 보겠습니다.

> "그들이 아침에 지나갈 때에 무화과나무가 뿌리째 마른 것을 보고 베드로가 생각이 나서 여짜오되 랍비여 보소서 저주하신 무화과나무가 말랐나이다 예수께서 그들에게 대답하여 이르시되 하나님을 믿으라"(막 11:20-22).

예수님은 '하나님을 믿으라'고 하셨습니다. "내가 말한 대로 되지 않았느냐? 너는 말씀을 믿느냐?"라고 물으시는 것입니다. 당신은 이 말씀이 진리라고 믿습니까? 생명이라고 믿습니까? 능력이라고 믿습니까? 그렇다면 이 말씀을 신뢰하십시오. 전심으로 하나님을 신뢰하십시오. 그래야 열매를 맺을 수 있습니다. 하나님을 신뢰하지 않으면 열매는 없습니다.

기도하라

그러면 어떤 성도들은 이렇게 말할 것입니다.

"목사님, 저는 하나님을 신뢰합니다. 저는 하나님을 분명히 믿습니다. 그런데도 열매가 없습니다. 뭐가 문제일까요?"

하나님을 신뢰하는데도 열매가 없다면, 하나님 앞에 문제를 놓고 기도하고 있는지 점검하십시오. 기도하지 않으면 열매가 없습니다. 이어지는 말씀은 이러한 사실을 잘 말해 줍니다.

> "내가 진실로 너희에게 이르노니 누구든지 이 산더러 들리어 바다에 던져지라 하며 그 말하는 것이 이루어질 줄 믿고 마음에 의심하지 아니하면 그대로 되리라 그러므로 내가 너희에게 말하노니 무엇이든지 기도하고 구하는 것은 받은 줄로 믿으라 그리하면 너희에게 그대로 되리라"(막 11:23-24).

"너희가 하나님을 믿는데도 열매가 없다면, 그것은 기도가 없기 때문이다. 살아 계신 하나님, 전능하신 하나님, 말씀대로 이루시는 하나님, 무에서 유를 창조하시는 하나님을 참으로 믿는다면, 그 하나님 앞에 기도하라"라고 말씀하십니다. 왜 삶이 무력합니까? 왜 삶에 열매가 없습니까? 왜 기쁨이 없습니까? 기도가 사라졌기 때문입니다. 기도하십시오. 살아날 것입니다. 기도하는 순간 살아 계신 하나님의 능력이 임할 것입니다. 기도하면 그대로 될 거라 하셨고, 기도의 내용이나 우리에게 베푸실 능력을 제한하지도 않으셨습니다.

생각해 보십시오. 무엇이든지 구하면 이루어진다는 것보다 세상에 더 신나는 일이 어디 있겠습니까? 무엇이든지 구하는 대로 다 이루어진다면 눈이 휘둥그레지지 않겠습니까? 누군가가 와서 "무엇이든지 말해 보세요. 내가 다 이루어 드릴게요"라고 한다면, 그 순간 졸고 있을 수 있습니까?

성경은 '우리가 얻지 못함은 구하지 않기 때문'이라고 했습니다. 온 마음으로 진지하게 기도하지 않기 때문에 삶에서 하나님의 능력과 영광을 경험하지 못하는 것입니다. 기도하십시오. 삶이 달라질 것입니다. 진지하게 기도하기 바랍니다. 기도할 수 있는데 왜 염려합니까? 왜 불안해합니까?

용서하라

그러나 이렇게 말하는 성도들도 있을 것입니다.

"목사님, 열심히 기도하는데도 기도의 응답을 경험하지 못했습니다. 저에게는 기적도 임하지 않습니다."

그렇다면 기도의 파이프라인이 막혔는지도 모릅니다. 그러면 기도해도 소용없습니다. 기도의 파이프라인을 막아 버리는 것 중에서 가장 중요한 것은 인간관계의 갈등입니다. 우리가 누군가와 갈등이 있어서 마음속에 이웃에 대한 미움이나 용서하지 못하는 마음이 있다면, 그것이 우리의 기도를 막아 버립니다. 그러면 아무리 기도해도 소용없습니다.

"서서 기도할 때에 아무에게나 혐의가 있거든 용서하라 그리하여야 하늘에 계신 너희 아버지께서도 너희 허물을 사하여 주시리라 하시니라"(막 11:25).

기도해도 만약 열매가 없다면, 누군가를 용서하지 못해서 그렇다는 것입니다. 이 말씀을 보면 주기도문의 한 부분이 생각나지 않습니까?

"우리가 우리에게 죄지은 자를 사하여 준 것같이 우리 죄를 사하여 주시옵고."

우리가 미움을 포기하고 이웃을 용서하는 순간 하늘의 문이 열릴 것입니다. 우리의 기도가 역사할 것입니다. 하나님의 능력이 임할 것입니다. 삶이 달라질 것입니다.

예전에 고위 관리 출신인 한 유명 인사를 구치소에서 만난 적이 있는데, 그가 성경을 읽으면서 그 옆에 써 놓은 기도 제목을 보며 참 감사했습니다. 그는 자신이 용서해야 할 사람의 이름을 불러 가며 기도하고 있었습니다.

그렇습니다. 우리가 용서하면 하늘의 문이 열립니다. 우리의 삶이 새롭게 생동하면서 권능으로 임하시는 주님의 역사가 느껴지기 시작합니다. 기도가 막혔거든 용서하십시오. 당신의 주변과 이웃을 돌아보고 용서하지 못한 사람은 누구인지, 받아들이지 못하는 사람은 누구인지를 찾아 그들을 깨끗이 용서하고 사랑하십시오. 그 순간부터 당신의 믿음과 기도가 살아 움직일 것입니다.

풍성한 열매를 맺어야 할 책임

신앙이 살아 있지 않다면 죽은 것과 다름없는 삶입니다. 살았으나 끝난 인생입니다.

어떤 책에서 이런 이야기를 읽었습니다. 깊은 동굴에 조그마한 호수가 있었습니다. 거기에 물고기들이 있었는데, 어떤 학자가 관찰해 보니 앞을 볼 수 없는 물고기가 많았습니다. 그 이유를 연구해 보니, 깊은 동굴의 어둠 속에서 빛을 보아야 할 필요를 느끼지 못한 물고기들이 시간이 흘러가면서 점차 볼 수 없게 되고 말았다는 것입니다. 눈이 있어도 그 필요를 느끼지 못했다는 것입니다. 그 존재 가치를 망각해 버렸다는 것은 그 존재가 종료 시점에 도달했다는 것입니다.

우리는 얼마나 가치 있는 인생을 살고 있습니까? 이웃에게 필요한 존재로 사는 인생, 쓰임 받는 인생, 열매 맺는 인생을 살기 원합니까? 그렇다면 길은 하나밖에 없습니다. 창조주 하나님 앞에 나아와 굴복하고, 그분을 신뢰하십시오. 그 하나님 앞에 나아와 기도하기 바랍니다. 기도해도 응답이 없다면, 삶을 돌아보고 용서하지 못한 사람이 누구인지 살핀 후 그를 용서하십시오. 그 순간 하늘의 문이 열리며 주님의 능력이 쏟아져 내릴 것입니다. 삶이 살아 움직일 것입니다. 열매 맺게 될 것입니다. 만약 우리 인생이 열매를 맺지 못하는 잎사귀만 무성한 나무라면, 예수님은 우리에게 와서 말씀하실 것입니다.

"너는 존재할 필요가 없으니, 너로부터 영원히 열매를 따 먹지 못할 것이다."

열매 맺는 인생을 위해 새롭게 태어나십시오. 기도하기 바랍니다. 하나님을 신뢰하기 바랍니다. 그리고 성령으로 충만해지기 바랍니다.

하나님을 신뢰하는데도 열매가 없다면,
하나님 앞에 문제를 놓고 기도하고 있는지 점검하십시오.
기도하지 않으면 열매가 없습니다.

"예수께서 비유로 그들에게 말씀하시되 한 사람이 포도원을 만들어 산 울타리로 두르고 즙 짜는 틀을 만들고 망대를 지어서 농부들에게 세로 주고 타국에 갔더니 때가 이르매 농부들에게 포도원 소출 얼마를 받으려고 한 종을 보내니 그들이 종을 잡아 심히 때리고 거저 보내었거늘 다시 다른 종을 보내니 그의 머리에 상처를 내고 능욕하였거늘 또 다른 종을 보내니 그들이 그를 죽이고 또 그 외 많은 종들도 더러는 때리고 더러는 죽인지라 이제 한 사람이 남았으니 곧 그가 사랑하는 아들이라 최후로 이를 보내며 이르되 내 아들은 존대하리라 하였더니 그 농부들이 서로 말하되 이는 상속자니 자 죽이자 그러면 그 유산이 우리 것이 되리라 하고 이에 잡아 죽여 포도원 밖에 내던졌느니라 포도원 주인이 어떻게 하겠느냐 와서 그 농부들을 진멸하고 포도원을 다른 사람들에게 주리라 너희가 성경에 건축자들이 버린 돌이 모퉁이의 머릿돌이 되었나니 이것은 주로 말미암아 된 것이요 우리 눈에 놀랍도다 함을 읽어 보지도 못하였느냐 하시니라 그들이 예수의 이 비유가 자기들을 가리켜 말씀하심인 줄 알고 잡고자 하되 무리를 두려워하여 예수를 두고 가니라"(막 12:1-12).

15

최후로 아들을
보내었더니

주님은 우리 인생의
머릿돌이 되신다

성경 안에 있는 것

인류의 역사가 지속되는 동안 성경은 영원한 베스트셀러로 기억될
것입니다. 그러나 성경은 가장 가까이 있는 책이면서도 그리스도인
들조차 많이 읽지 않는 책은 아닐까 하고 심각하게 생각해 봅니다.
가장 익숙하면서도 가장 생소한 책이 성경입니다.

어떤 주일학교 선생님이 학생들에게 질문을 던졌습니다.

"어린이 여러분, 성경 안에는 뭐가 들어 있을까요?"

그랬더니 한 아이가 "우리 형 성경 안에는 애인 사진이 들어 있어
요"라고 대답했다고 합니다.

성경 안에는 무엇이 들어 있을까요? 성경의 메시지는 한마디로 무엇일까요? 간단한 표현으로 성경의 성격을 규정해 본다면, 관계의 책이라고 할 수 있을 것입니다. 하나님과 사람의 관계를 다루고 있는 '관계의 책'입니다.

아침에 일어나 성경을 보며 묵상하는 경건의 시간에 두 가지 빼놓을 수 없는 주제가 있습니다. 첫째는 하나님, 둘째는 사람입니다. '이 본문은 하나님에 대해 무엇을 말하고 있는가? 사람에 대해서는 무엇을 말하고 있는가?' 이 두 가지를 반드시 살펴보아야 합니다. 이에 덧붙여 또 하나의 중요한 주제가 있다면, 예수 그리스도입니다. 앞에서 성경은 '하나님과 인간 사이의 관계'에 대한 책이라고 했습니다. 성경은 하나님과 인간의 관계에 문제가 생겼다는 것을 누누이 강조하고 있습니다. 죄는 하나님과 인간의 관계를 단절시키고 말았습니다. 이러한 죄의 문제를 해결하고 하나님과 인간의 관계를 화목하게 하고자 사람들에게로 찾아오신 분이 예수 그리스도입니다. 이러한 점에서 예수님은 성경의 가장 중요한 주제이자 궁극적 초점입니다.

본문의 말씀은 흔히 '악한 포도원 농부의 비유' 혹은 '포도원 소작인의 비유'라고 불립니다. 이 비유가 뜻하는 바를 파악하기 위해서는 '주제별 접근 방법'을 사용하는 것이 좋습니다. 성경의 중요한 주제는 세 가지로, 첫째는 하나님, 둘째는 인간, 셋째는 예수 그리스도라고 했습니다. 본문의 비유를 이러한 방식으로 접근해 보도록 하겠습니다.

관대하신 하나님

본문의 비유는 하나님에 대해서 무엇을 말해 주고 있습니까? 본문의 비유에 나타난 하나님은 어떤 분입니까?

> "예수께서 비유로 그들에게 말씀하시되 한 사람이 포도원을 만들어 산울타리로 두르고 즙 짜는 틀을 만들고 망대를 지어서 농부들에게 세로 주고 타국에 갔더니"(막 12:1).

이 비유에는 '한 사람'이 등장합니다. 이 '한 사람'은 하나님을 나타냅니다. 그는 포도원을 만들어 산울타리로 두르고, 즙 짜는 틀을 만들고 망대를 지은 후 농부들에게 세로 주고 먼 타국으로 떠났습니다.

이 '한 사람'의 행동을 통해 우리는 하나님이 어떤 분인지를 알 수 있습니다. 그는 아주 관대한 사람입니다. 그는 이 아름다운 포도원을 만들기 위해 많은 수고를 했을 것입니다. 하지만 정성스럽게 아름다운 포도원을 만든 후 농부들에게 거의 거저 주었습니다. 본문 1절에서 세로 주었다고 되어 있기는 하지만, 본문 2절에서 그가 받고자 했던 소출 '얼마'는 지극히 적은 양이라는 뜻입니다. 이것은 돈이 필요해서 받으려 했다기보다, 포도원의 주인이 누구인지를 확인하는 차원에서 의례적으로 받고자 했던 것으로, 이 포도원은 농부들에게 거의 선물로 주어진 것입니다.

포도원은 우리의 삶의 마당, 삶의 조건을 대표하는 상징입니다. 하나님은 온갖 아름다운 삶의 조건들을 우리에게 선물로 주셨습니다. 야고보서 1장 17절에서는 "온갖 좋은 은사와 온전한 선물이 다 위로부터 빛들의 아버지께로부터 내려오나니"라고 했습니다. 온갖 좋은 것을 하나님께 선물로 받았다는 것입니다. 우리가 사랑하는 사람들, 우리의 생명, 푸른 하늘, 맑은 공기, 이 모든 것이 하나님으로부터 받은 선물입니다. 이것은 처음부터 하나님이 계획하셨던 것입니다.

하나님이 세상을 창조할 때 인간을 언제 만드셨습니까? 여섯째 날에 만드셨습니다. 만일 둘째 날이나 셋째 날, 넷째 날에 인간이 만들어졌다면 어떠했을까요? 우선 생존이 거의 불가능했을 것입니다. 혹 살아 있다고 해도 매우 불편했을 것입니다. 하나님은 모든 만물을 지은 후에 마지막으로 인간을 만드셨습니다. 아담과 하와가 눈을 뜨고 기지개를 켜며 에덴동산에서 일어났을 때, 모든 것은 완벽하게 준비되어 있었습니다. 이것이 보여 주는 메시지가 무엇입니까? 하나님은 그들에게 이 모든 것을 선물로 주셨다는 사실입니다.

그렇습니다. 하나님은 이렇게 아름다운 포도원과 같은 삶의 터전을 준비하고 우리에게 아낌없이 주신 관대한 주인입니다. 예수님 당시에도 부유한 유대인 상인들 가운데 개척자 정신을 지닌 사람들은 바다 건너편으로 무역을 하기 위해 진출하고 있었습니다. 그러한 사람 중에 많은 경우가 믿을 수 있는 사람에게 거의 무료로 자신들이 가꾸어 놓은 땅을 맡기고 떠났습니다. 하나님은 그들처럼 우리를 믿어 풍족한 삶의 터전을 선물로 주셨습니다.

생각해 보십시오. 믿지 못하는 사람에게 소중한 것을 맡길 수 있겠습니까? 신뢰할 수 없는 대상에게 어떻게, 무엇을 맡길 수 있겠습니까? 살면서 우리는 아무도 우리 자신을 믿어 주지 않는다고 생각할 때가 가끔 있습니다. 그럴 때마다 이 사실을 기억하십시오. 하나님은 믿으십니다. 하나님은 우리를 믿고 계십니다. 그 증거는 이것입니다. 하나님은 우리에게 생명을 맡겨 주셨습니다. 뿐만 아니라 재능과 삶의 풍요로운 조건을 맡기셨습니다. 그만큼 하나님은 우리를 신뢰하고 계십니다. 우리 인생을 우리 각자에게 맡길 정도로 관대한 하나님이십니다.

인내하시는 하나님

그런데 한 걸음 더 나아가 보면, 이 비유 속에 나타난 주인은 인내하시는 하나님인 것을 볼 수 있습니다. 타국으로 떠난 주인은 때가 이르렀을 때 농부들에게 소출 얼마를 받고자 종을 보냈습니다. 이것은 소유자가 누구인가를 확인하는 행위였다고 생각합니다. 그런데 이 포도원을 관리하고 있던 사람들은 어떤 반응을 보였습니까?

"그들이 종을 잡아 심히 때리고 거저 보내었거늘"(막 12:3).

어떻게 이럴 수 있습니까? 우리 같으면 이럴 때는 강력하게 조치해야 한다고 생각할 것입니다. 그런데 이어지는 말씀을 보십시오.

"다시 다른 종을 보내니 그의 머리에 상처를 내고 능욕하였거늘 또 다른 종을 보내니 그들이 그를 죽이고 또 그 외 많은 종들도 더러는 때리고 더러는 죽인지라"(막 12:4-5).

이 주인의 인내심을 보십시오. 주인은 놀랍도록 오래 참고 있습니다. 여기서 하나님의 모습을 보십시오. 하나님은 너무나 아름다운 것들을 우리에게 선물로 주셨습니다. 우리가 이 선물을 누리면서 주님의 뜻을 이루는 삶을 살기 원하셨습니다. 그러나 우리는 하나님께 불순종했고, 하나님의 뜻을 촉구하기 위해 보내신 종들의 메시지에 귀를 막아 버렸습니다. 때로는 그 종들을 박해했습니다. 그럼에도 불구하고 하나님은 또 다른 종을 보내어 우리가 하나님을 바라보도록 계속해서 역사하십니다. 인내하고 오래 참으시는 분이라는 사실로 인하여 하나님을 찬양하십시오.

심판하시는 하나님

하나님은 이처럼 오래 참으시지만, 그저 오래 참기만 하는 분은 아닙니다. 본문은 어느 날 그분의 인내가 종결에 도달하는 순간이 있다는 것을 알려 줍니다. 이제 하나님은 심판자로 등장합니다.

> "포도원 주인이 어떻게 하겠느냐 와서 그 농부들을 진멸하고 포도
> 원을 다른 사람들에게 주리라"(막 12:9).

6절 이후에 보면 마지막에는 자신의 아들까지 보내었지만, 농부
들은 그 아들까지 죽였다고 했습니다. 이에 예수님은 이렇게 물으
십니다.

"너희가 포도원 주인이라면 어떻게 하겠느냐? 그 농부들을 진멸
하지 않겠느냐?"

마침내 진노의 순간, 심판의 순간은 도래합니다. 우리에게 많은
선물을 주며 그 선물을 통해 복된 삶을 누리기를 기대하신 하나님
께 우리가 불순종하고 반역할 때, 우리는 엄정한 심판 앞에 직면할
각오를 해야 합니다. 심판을 준비하고 행하시는 하나님, 이는 본문
의 비유 속에 나타난 하나님의 모습입니다.

이기적인 인간

본문을 이해하기 위해서 '본문의 비유 속에 나타난 하나님은 어떠
한 분이신가?' 하는 첫 번째 질문을 던졌습니다. 이제 두 번째로, 본
문의 비유 속에서 사람은 어떠한 존재로 나타나는지에 대해 생각해

보겠습니다.

우선 인간은 너무나 이기적인 존재로 나타납니다. 하나님은 포도원을 비롯해 모든 것을 선물로 맡겨 주셨습니다. 인간은 그것을 맡은 자에 불과합니다. 맡은 자, 즉 청지기이며 관리인입니다. 주인은 하나님이십니다. 그분은 우리에게 생명도 맡겨 주셨고, 남편과 아내, 자식도 맡겨 주셨으며, 재능도, 돈도, 시간도 맡겨 주셨습니다. 우리는 그것을 맡은 자에 불과합니다.

맡은 자의 탈선은 언제부터 시작됩니까? 맡은 것을 자신의 것으로 착각하는 순간부터입니다. 그것이 하나님의 것이라는 당연한 진리를 알면서도 자신의 것으로 만들기 위한 음모를 시작합니다. 본문 7절은 이러한 상황을 극적으로 묘사하고 있습니다.

"그 농부들이 서로 말하되 이는 상속자니 자 죽이자 그러면 그 유산이 우리 것이 되리라"(막 12:7).

아들을 죽이면 하나님의 것이 자기들의 것이 될 거라고 생각합니다. 인간은 하나님의 것을 자신의 것이라고 말하고 싶어 합니다. 하나님의 소유임을 알면서도 자신의 것이라고 주장하려 합니다. 이기적인 인간의 모습입니다. '어리석은 부자의 비유'도 이러한 사실을 적나라하게 보여 줍니다.

한 부유한 농부가 봄에 씨를 뿌렸습니다. 성공적인 소출을 거두기 위해 골몰하고 땀을 흘리며 열심히 일했습니다. 시간이 흘러 소출이 풍성해질 것 같자, 농부는 지금 가지고 있는 곳간으로는 곡식을 다 수용할 수 없겠다고 생각하여 곳간을 넓히는 작업을 착수했습니다. 예상은 적중하여 넓혀 놓은 곳간마다 곡식을 가득가득 채웠습니다. 그러고는 이렇게 독백했습니다.

"내 풍성한 소출을 어디에 쌓아 두면 좋을까? 내가 넓혀 놓은 곳간마다 가득가득 쌓아 두어야겠다. 내 영혼아, 여러 해 먹을 곡식을 쌓아 두었으니 이제 평안히 먹고 마시고 즐기자."

이 부자의 독백에서 강조되고 있는 단어가 무엇입니까? 바로 '나'입니다. '나', '나의', '내 물건', '내 곡식', '내가 만들어 놓은 곳간' 등 모든 것을 당연히 자기 것이라 말하고 있으며, 영혼을 향해서도 '내 영혼'이라 부르며 자신의 것이라 말합니다. 이러한 그에게 하나님이 나타나서 말씀하십니다.

"어리석은 자여! 오늘 밤에 네 것이라 주장하는 네 영혼을 내가 가져가리니, 그러면 네가 네 것이라 주장하는 것들은 누구의 것이 되겠느냐?"

이 비유의 핵심은 무엇입니까? 이 비유는 진정한 소유권의 문제를 말하고 있습니다. 우리의 목숨은 누구의 것입니까? 우리의 남편, 아내, 자녀, 재산은 모두 우리의 것입니까? 우리의 모든 것은 한순간에 날아가 버릴 수 있습니다. 이 세상을 떠나라 하시면 빈손들고 가야 합니다. 그 어느 것 하나도 우리의 것이라 할 수 없습니다. 우리의 것이라고 착각하는 것일 뿐입니다.

하나님은 종종 진정한 소유권을 확인하기 위해 당신의 종을 보내어 말씀하십니다.

"세를 내라."

우리가 드려야 할 '세'에는 헌금이 포함됩니다. 교회 강단에서 축복의 메시지가 선포될 때 사람들은 얼마나 흥분합니까?

"하나님은 당신을 사랑하십니다. 하나님은 우리를 축복하고자 하십니다. 하나님의 축복을 누리시기 바랍니다."

사람들은 이러한 메시지를 들으며 감격하고 흥분합니다. 그러나 만약 이러한 메시지를 듣는다면 어떻게 반응하겠습니까?

"우리를 축복하시는 하나님이 이렇게 말씀하십니다. '내가 너에게 모든 것을 주었으니 이제는 너 자신을 나에게 주겠느냐? 네 몸은 내 것이다. 나에게 주어라. 네 시간은 이제 내 것이다. 나를 위해 쓰거라.'"

헌신하는 것까지는 어느 정도 괜찮아 보입니다. 헌신의 심각한 의미를 정확히 알지 못하기 때문일지도 모릅니다. 그러나 목사가 헌금에 대해서 말하면 갑자기 알레르기 반응을 일으키는 사람이 많습니다.

왜 성경 말씀은 헌금을 강조할까요? 이것은 소유권의 문제입니다. 십일조에 대한 가장 무서운 착각은 '나에게 있는 것 중에서 10분의 1이 주님의 것이기 때문에 그것을 주님께 드린다'는 생각입니다. 그러나 절대 그렇지 않습니다. 10분의 1만 주님의 것이 아닙니다. 10분의 10 모두가 주님의 것입니다. 다 주님의 것인데, 그중에서 10분의 1을 드리며 이 모든 것이 하나님의 것이라는 사실을 우리가 상기하는 것입니다. 우리는 십일조를 드리며 모든 것이 주님의 것이라고 고백해야 합니다.

그러면 이렇게 말하는 성도가 있습니다.

"목사님, 저는 주일에 열심히 참석합니다. 바쁜 일정 가운데서도 주일 아침에 와서 예배드리는 것이 얼마나 힘든 일인지 알아주시기 바랍니다. 저로 말씀드릴 것 같으면 헌금도 합니다. 요즘은 십일조도 하려고 합니다. 저는 충분히 하고 있으니 더 이상은 요구하지 마십시오."

이것이 아마 이 시대를 살아가는 현대인들의 정신 자세인지도 모릅니다. 하나님의 것이 분명함에도 불구하고 자신의 것으로 만들려고 하는, 우리 마음 깊은 곳에 숨어 있는 이기심의 정체를 확인하기 바랍니다.

반역하는 인간

사람은 이기적인 존재입니다. 그리고 이 비유는 인간이 단순히 이기적인 존재일 뿐 아니라 반역적인 존재라는 사실을 보여 줍니다. 농부들은 소량의 세를 받기 위해 보내어진 종들을 어떻게 대했습니까?

"그들이 종을 잡아 심히 때리고 거저 보내었거늘 다시 다른 종을 보내니 그의 머리에 상처를 내고 능욕하였거늘"(막 12:3-4).

이것은 주인에 대한 반역입니다. 이어지는 말씀에서는 이러한 반역이 극에 달합니다.

"또 다른 종을 보내니 그들이 그를 죽이고"(막 12:5).

본문 3절에서는 때렸고, 4절에서는 상처를 냈고, 5절에서는 죽였습니다. 점점 강도가 높아집니다. 박해와 능욕의 도를 더하고 있는 모습을 주목해 보십시오. 만물을 창조하고 구원하시는 하나님을 사람들이 알도록 파송된 메신저들이 어떤 대접을 받고 있습니까? 지금도 세계 곳곳에서는 복음을 전하기 위해 애쓰는 선교사들이 박해를 받고 순교를 당합니다. 그래서 히브리서는 이러한 말씀으로 시작됩니다.

"옛적에 선지자들을 통하여 여러 부분과 여러 모양으로 우리 조상들에게 말씀하신 하나님이"(히 1:1).

하나님은 수많은 종을 보내어 우리에게 돌아올 것을 촉구하시고, 우리의 주인 되시는 하나님을 바라보도록 요구하셨습니다. 그러나 사람들은 여전히 반역하고 있습니다. 이 반역의 무서운 음모는 우리 안에도 도사리고 있을 수 있습니다. 하나님에 대한 반역이 우리 안에 숨겨진 죄성의 정체입니다. 하나님을 향한 반역적인 존재, 이것이 인간입니다.

하나님의 아들이신 예수님

우리는 비유 속에 나타난 하나님과 사람에 대해 살펴보았습니다. 이제는 세 번째로, 예수 그리스도에 대해 알아보아야 합니다. 본문의 비유 속에서 예수님은 어떤 분으로 나타나십니까? 예수 그리스도에 대한 내용이 본문의 절정을 이루고 있습니다.

> "이제 한 사람이 남았으니 곧 그가 사랑하는 아들이라 최후로 이를 보내며 이르되 내 아들은 존대하리라 하였더니 그 농부들이 서로 말하되 이는 상속자니 자 죽이자"(막 12:6-7).

아들을 최후로 보냈다는 말씀에서 예수님은 다른 종들과 구별된다는 것을 알 수 있습니다. 그분은 종이 아닌 아들입니다. 예수님은 종의 모습으로 오셨고, 종의 역할을 감당하신 것이 사실입니다. 그러나 그 본질은 종과 구별됩니다. 그분은 주인의 사랑하는 아들, 하나님의 아들이라고 본문은 분명히 말씀하고 있습니다.

사랑받는 하나님의 아들, 예수님은 이 땅에 내려와 30년 동안의 개인적인 삶을 지내고 공생애를 시작할 때, 요한에게 나아가 요단강에서 세례(침례)를 받으셨습니다. 그분이 물에서 나오셨을 때 하늘의 문이 열리면서 메시지가 선포되었습니다.

"이는 내 사랑하는 아들이다."

그분은 하나님의 사랑받는 아들이십니다. 이슬람교에서는 아직도 예수님을 선지자 중의 한 명으로만 보고 있습니다. 즉 종으로만 보고 있는 것입니다. 그러나 그렇지 않습니다.

고난 받으며 죽임을 당하시는 예수님

그분은 하나님의 아들이십니다. 그리고 한 걸음 더 나아가 보면, 이 비유 속에는 사랑받는 아들로 오신 예수님이 고난을 받고 죽임을 당할 사실이 예견되어 있습니다. 어떻게 표현되어 있습니까?

> "그 농부들이 서로 말하되 이는 상속자니 자 죽이자 그러면 그 유산이 우리 것이 되리라 하고 이에 잡아 죽여 포도원 밖에 내던졌느니라"(막 12:7-8).

이 이야기를 지금 누가 하고 있습니까? 예수님입니다. 이 이야기를 하신 시점은 십자가의 죽음을 며칠 앞둔 때였습니다. 이 말씀을 하시는 예수님의 심정을 헤아려 보십시오. "그 아들을 죽여 포도원 밖에 버렸느니라"라는 비유를 말하면서 예수님은 무슨 생각을 하셨을까요? 틀림없이 당신이 며칠 후에 포도원 밖, 성문 밖의 갈보리에 버려질 광경을 바라보고 계셨을 것입니다.

어떤 고난이 다가올지 모르고 있다가 갑작스럽게 힘겨운 일이 닥치는 경우라면 어느 정도 견뎌 낼 수 있습니다. 그러나 어떠한 아픔을 겪을지 미리 알고 경험하는 것은 너무나 고통스럽고 괴로운 일입니다. 예수님은 당신 앞에 닥쳐올 예리한 아픔을 친히 알고 계셨습니다. 사람들에게 모욕을 받고 침 뱉음을 당하며, 슬픔의 길을 걷는 동안 몇 번이나 쓰러질 당신의 모습을 알고 계셨습니다. 양손에 못이 박히고 옆구리에 창이 박히는 등, 십자가에 고통스러운 모습으로 달리게 될 것을 이미 알고 이 말씀을 하셨던 주님의 심정은 어떠했을까요? 예수님은 이 고난의 무게와 깊이, 그 상처의 아픔을 알고 계셨습니다. 고난 받고 죽임을 당하리라는 것이 이 비유 속에 나타난 예수님의 모습입니다.

사망을 이기고 부활하시는 예수님

그러나 이 비유는 여기서 끝나지 않습니다. 죽음을 이기고 부활하신다는 사실이 예언되어 있습니다.

"너희가 성경에 건축자들이 버린 돌이 모퉁이의 머릿돌이 되었나니 이것은 주로 말미암아 된 것이요 우리 눈에 놀랍도다 함을 읽어 보지도 못하였느냐 하시니라"(막 12:10-11).

　놀라운 예언입니다. 건축자들이 버린 돌은 예수님 당신을 가리키는 말입니다. 예수님은 마치 건축자들이 버린 돌처럼 버림받으실 것입니다. 십자가에서 버림받으실 것입니다. 그러나 그렇게 버림을 받고 거절을 당하는 것으로 그분의 생명은 끝나지 않습니다. 건축자들이 버린 돌이 모퉁이의 머릿돌이 된다고 하셨습니다. 그 버린 돌이 한 건물을 견고하게 세우는 머릿돌이 될 것이라 하셨습니다. 역사를 새롭게 세우기 위해, 구원받은 사람들로 이루어진 공동체인 그리스도의 교회를 세우는 위대한 기초가 되기 위해, 그분은 부활할 것이라고 말씀하셨습니다. 새로운 생명을 주고 인생을 새롭게 만들어 하나님 나라의 위대한 도구로 쓰임 받게 하는 놀라운 분이 부활하신 예수 그리스도입니다.

　본문 11절에 "이것은 주로 말미암아 된 것이요 우리 눈에 놀랍도다"라고 되어 있는데, 무엇이 놀랍겠습니까? 죽은 줄 알았는데 부활해서 사람들을 구원하는 주님으로 나타나시는 예수님은 놀라운 분입니다. 부활의 놀라움과 신비가 여기서 선포되고 있습니다. 이 말씀은 시편 118편 22-24절에 대한 예언의 성취입니다.

　　"건축자가 버린 돌이 집 모퉁이의 머릿돌이 되었나니 이는 여호와께서 행하신 것이요 우리 눈에 기이한 바로다 이날은 여호와께서 정하신 것이라 이날에 우리가 즐거워하고 기뻐하리로다."

장사한 지 사흘 만에 죽음 가운데서 일어나고 부활하사 우리의 부활, 우리의 구원이 되신 놀라운 역사가 일어났습니다. 이토록 위대한 부활이 예언 속에 나타나고 있는 것을 보십시오. 오순절에 성령께서 오셨습니다. 그리고 주님의 복음이 전파되기 시작하는 성령의 놀라운 역사의 현장에서 사도들은 정확하게 이 말씀을 다시 한번 인용합니다.

> "이 예수는 너희 건축자들의 버린 돌로서 집 모퉁이의 머릿돌이 되었느니라"(행 4:11).

드디어 여기서 사도들이 이 건축자들의 버린 돌로서 집 모퉁이의 머릿돌이 되신 그분이 누구인지를 밝히고 있습니다. 이 예수는 버린 돌이었으나 이제 집 모퉁이의 머릿돌이 되셨다고 말합니다. 그다음 구절에는 우리가 잘 알고 있는 놀라운 말씀이 이어집니다.

> "다른 이로써는 구원을 받을 수 없나니 천하 사람 중에 구원을 받을 만한 다른 이름을 우리에게 주신 일이 없음이라 하였더라"(행 4:12).

그렇습니다. 집 모퉁이의 머릿돌이 된 부활하신 예수 그리스도께서 우리의 구원이 되셨습니다. 그분이 살아나셨으므로 우리의 구원이 가능하게 되었습니다. 그분의 고난은 우리를 위한 고난이었고, 그분의 부활은 우리를 위한 부활이었습니다. 그분이 사셨으므로 우리도 살 것입니다. 부활의 주님이 새로운 생명을 주셨으므로, 우리는 고난의 골짜기 같은 인생도 승리의 기쁨을 누리며 걸어갈 수 있습니다. 그런 주님을 찬양하십시오. 그리고 고난을 이기고 부활하신 예수 그리스도의 발자취를 따라가기 바랍니다.

제가 당신과 함께 성지 순례를 떠난다면, 예루살렘 한복판에 있는 '슬픔의 길'(via dolorosa)을 걷게 될 것입니다. 틀림없이 전 세계의 순례자들이 와서 그 피 묻은 십자가의 길을 걸어갈 것입니다. 성지를 방문하면, 그때의 일을 재현하기 위해 십자가를 지고 이 길을 걸어가는 사람들의 모습을 종종 볼 수 있습니다. 이 피 묻은 십자가의 길에 있는 문에는 이런 글자가 새겨져 있습니다.

'에케 호모'(ecce homo).

'이 사람을 보라'는 뜻입니다. '슬픔의 사람, 고난의 사람, 십자가를 진 채 비틀거리면서 걸어가던 이 사람을 보라'는 말입니다. 영원히 죄에서 해방될 수 없었던 우리를 불쌍히 여겨 우리의 죄와 허물을 짊어지고 성문 밖 골고다를 향해 걸어가시던 하나님의 아들 예수 그리스도, 그분을 보십시오. 그분이 오셨기 때문에 우리에게 새로운 삶이 가능했습니다. 그분이 죽으셨기 때문에 우리가 구원받아 새로운 생명을 누리면서 삶의 길을 걸어갈 수 있게 되었습니다.

'에케 호모!' 하나님의 아들, 그리스도를 보십시오. 그분을 높이십시오. 그분 앞에 엎드려 감사하십시오. 그분이 우리의 구원의 주가 되셨습니다. 그분에게 사랑과 감사를 드리며, 이제 주님을 따라가 그리스도의 제자답게 살겠다고 고백하기 바랍니다.

—

새로운 생명을 주고 인생을 새롭게 만들어
하나님 나라의 위대한 도구로 쓰임 받게 하는
놀라운 분이 부활하신 예수 그리스도입니다.

"부활이 없다 하는 사두개인들이 예수께 와서 물어 이르되 선생님이여 모세가 우리에게 써 주기를 어떤 사람의 형이 자식이 없이 아내를 두 고 죽으면 그 동생이 그 아내를 취하여 형을 위하여 상속자를 세울지니 라 하였나이다 칠 형제가 있었는데 맏이가 아내를 취하였다가 상속자 가 없이 죽고 둘째도 그 여자를 취하였다가 상속자가 없이 죽고 셋째도 그렇게 하여 일곱이 다 상속자가 없었고 최후에 여자도 죽었나이다 일 곱 사람이 다 그를 아내로 취하였으니 부활 때 곧 그들이 살아날 때에 그중의 누구의 아내가 되리이까 예수께서 이르시되 너희가 성경도 하 나님의 능력도 알지 못하므로 오해함이 아니냐 사람이 죽은 자 가운데 서 살아날 때에는 장가도 아니 가고 시집도 아니 가고 하늘에 있는 천 사들과 같으니라 죽은 자가 살아난다는 것을 말할진대 너희가 모세의 책 중 가시나무 떨기에 관한 글에 하나님께서 모세에게 이르시되 나는 아브라함의 하나님이요 이삭의 하나님이요 야곱의 하나님이로라 하신 말씀을 읽어 보지 못하였느냐 하나님은 죽은 자의 하나님이 아니요 산 자의 하나님이시라 너희가 크게 오해하였도다 하시니라"(막 12:18-27).

16

부활의
오해와 이해

잠든 믿음을 깨워
부활의 삶을 살아 내라

부활 신앙의 부활

미국의 41대 대통령이었던 조지 부시(George Herbert Walker Bush)의 전기에서 이런 대목을 보았습니다. 그가 부통령 시절에 소련 브레즈네프(Leonid Brezhnev) 수상의 장례식에 미국 대표로 참석했습니다. 장례식은 공산당의 관례대로 진행되었습니다. 모든 것은 죽음을 상징하는 검은색이나 붉은색으로 덮여 있었습니다. 장례식의 말미에는 고인을 위한 마지막 경의를 표하는 순서가 있었고, 이때 고인의 부인이 앞으로 나왔습니다. 그녀는 품에 간직했던 백합 한 송이를 꺼내어 관 위에 놓았습니다. 백합은 전통적으로 러시아 정교회에서 예수님의 부활을 상징하는 꽃입니다. 그리고 미망인은 남편의 시신 앞에서 무릎을 꿇었습니다. 그 순간 식장은 정적에 휩싸였습니다. 여인은 기도하고 있었습니다. 잠시 후 일어선 그녀는 성호를 그었습니다. 그때 여기저기서 미망인을 따라 성호를 긋는 사람들이 있었습니다. 그것은 충격이었습니다. 이 광경을 지켜보던 조지 부시는 이렇게 말했습니다.

"나는 이 얼어붙은 소련 땅에서 기독교 신앙은 완전히 죽어 버린 줄 알았다. 그런데 이 순간 부활 신앙이 부활하고 있는 것을 목격했다."

반대로 오늘날 우리는 교회를 드나드는 수많은 사람 가운데서 오히려 부활 신앙이 죽어 있는 비극적인 모습들을 발견합니다. 교회에 왔다 갔다 하며 예배는 드리지만, 부활 신앙은 잊어버리고 사는 사람이 얼마나 많습니까? 본문에는 그런 부류에 해당하는 사람들의 이야기가 기록되어 있습니다.

부활 신앙을 포기한 사람들

예수님 당시의 종교 그룹은 대표적으로 세 개로 나누어져 있었습니다. 바리새파와 에세네파 그리고 본문에 나오는 사두개파였습니다. 그중 사두개파는 제일 소수의 그룹이었습니다.

제사장 계급 출신이었던 이들은 유대 사회의 상류층이었습니다.

물론 하나님을 믿고, 종교 의식도 집행하고, 모세의 토라, 율법도 열심히 읽는 사람들이었습니다. 그러나 그들은 로마의 권력과 결탁해서 상당한 사회적 특권과 부를 누리고 있었습니다. 이러한 부가 그들을 타락시켰는지도 모릅니다. 그들은 지극히 세속적이고 현실주의적인 관점을 갖기 시작하면서 부활 신앙을 포기해 버렸습니다. 하나님을 믿으면서도 부활 신앙을 잃어버렸습니다. 그래서 본문의 첫 구절은 이렇게 시작합니다.

"부활이 없다 하는 사두개인들이"(막 12:18).

부활 신앙을 포기한 그들은 자신들이 부활을 믿지 않는 것을 합리화시키기 위해 어느 날 예수님께 괴상한 질문을 던집니다.

"선생님, 모세가 우리에게 써 준 법에 의하면, 어떤 사람의 형이 자식이 없이 아내를 두고 죽거든 그 동생이 그 아내를 취하고 형을 위해 후사를 세워야 한다고 되어 있습니다."

그들이 말한 대로 장남이 죽은 후에는 그 동생이 형수를 데리고 사는 관습이 있었는데, 그것은 두 가지 이유 때문이었습니다. 하나는 장자권 계승 때문이었고, 다른 하나는 그 당시의 여자들이 미망인이 되면 세상을 살아갈 방법이 없었기 때문입니다. 여자들은 직업을 가질 수 없었기 때문에, 일종의 사회 보장적 차원에서 동생이 형의 아내를 돌보는 것이었습니다. 이것에 대해 이상한 발상을 하는 것은 바람직하지 않습니다. 말한 대로 그 당시 일종의 사회 보장 제도의 역할이라고 생각하면 됩니다.

　그래서 일곱 형제가 모두 죽어, 한 여자가 일곱 형제와 더불어 나란히 사는 경험을 하게 되었다고 가정해 봅시다. 이 경우에 부활하게 되면 남편이 일곱이나 되니 누구와 더불어 살아야 하느냐고 예수님께 묻고 있습니다. 대단히 궤변적인 질문입니다. 그런데 예수님은 이 질문을 통해 부활 신앙을 부정하는 그들에게 부활에 대한 오해를 풀어 주면서, 부활을 소망하는 것이 얼마나 영광스러운 일인지를 이해시켜 주십니다.

　저는 오늘을 살아가는 사람 중에도 상당히 많은 '사두개인'이 있다고 생각합니다. 하나님을 믿고 교회를 드나들면서도 부활 신앙을 갖지 못하는 사람이 많습니다. 누가 부활 신앙을 갖지 못했는지는 쉽게 알 수 있습니다. 부활 신앙을 갖지 못한 사람들은 교회에 오면 그저 죽은 듯이 잠들어 버립니다. 교회에 와서 그저 잠 속으로 빠져드는 것은 그 사람에게 부활 신앙이 없다는 증거입니다. 부활 신앙이 없는 사람에게는 부활을 이야기해도 감격이 없습니다. 계속 죽어 있을 뿐입니다.

성경에 대한 무지 때문에

그러면 사람들은 왜 부활 신앙을 갖지 못하는 것일까요? 사두개인들이 부활 신앙을 갖지 못한 이유는 무엇이었습니까? 예수님은 그 오해의 원인을 본문 24절에서 지적하십니다.

> "예수께서 이르시되 너희가 성경도 하나님의 능력도 알지 못하므
> 로 오해함이 아니냐"(막 12:24).

두 가지 원인이 있었습니다. 첫째는 성경을 몰랐고, 둘째는 하나님의 능력을 몰랐기 때문입니다.

먼저 하나님의 말씀에 대한 무지, 성경에 대한 무지 때문에 사람들이 부활 신앙을 갖지 못합니다. 그러나 사두개인들은 성경을 알고 있었습니다. 토라, 소위 모세 오경을 읽고 있었습니다. 그런데 이 사두개인들은 바리새인들과 달리 모세 오경만을 인정하고 구약 성경의 다른 부분들은 인정하지 않았습니다. 그러면서 '모세 오경에 보면 부활이 직접적으로 언급된 부분이 없지 않느냐'고 했습니다. 피상적으로는 그럴듯해 보이는 이야기입니다. 그들은 부활이 없다는 주장의 논거로서 모세 오경을 들고 있습니다. 이렇게 나름대로 논거를 내세우며 자신들의 생각을 주장하는 사두개인들에 대한 예수님의 대답을 보십시오.

> "죽은 자가 살아난다는 것을 말할진대 너희가 모세의 책 중 가시
> 나무 떨기에 관한 글에 하나님께서 모세에게 이르시되 나는 아브
> 라함의 하나님이요 이삭의 하나님이요 야곱의 하나님이로라 하
> 신 말씀을 읽어 보지 못하였느냐 하나님은 죽은 자의 하나님이

아니요 산 자의 하나님이시라 너희가 크게 오해하였도다 하시니라"(막 12:26-27).

모세를 통해서 계시하신 하나님은 이렇게 말씀하셨습니다.

"나는 이삭의 하나님, 아브라함의 하나님, 야곱의 하나님이다."

예수님은 "하나님은 죽은 자의 하나님이 아니라 산 자의 하나님이다"라고 말씀하셨습니다. 아브라함, 이삭, 야곱은 이미 과거에 죽었던 인물들입니다. 그런데 그들이 모두 죽었다면, 그들의 하나님은 죽은 자의 하나님이지 어떻게 산 자의 하나님이라고 할 수 있습니까? 아브라함과 이삭과 야곱이 죽었음에도 불구하고 그들의 하나님을 산 자의 하나님이라고 선포할 수 있는 것은 부활이 전제되었기 때문입니다. 부활을 전제로 하여 그들은 살아 있으며, 그들의 하나님은 곧 산 자의 하나님이시라고 선포됩니다. 이것이 예수님의 대답입니다.

성경을 읽어 보면 장마다 부활 신앙이 깊이 배어 있는 것을 발견할 수 있습니다. 아브라함을 보십시오. 하나님은 아브라함에게 아들을 약속하셨습니다. 그는 100세가 다 되도록 아들이 없었고, 아내 사라는 이미 생산 능력을 잃어버린 상태였습니다. 그런데도 하나님은 어느 날 천사를 통해 "내가 너에게 아들을 주겠다"라고 말씀하셨습니다. 이미 아들을 포기한 그는 깜짝 놀랐습니다. 그러한 아브라함에게 하나님은 이렇게 말씀하셨습니다.

"너는 나를 전능하다고 믿느냐? 그렇다면 전능한 나에게 능히 하지 못할 일이 있겠느냐?"

이 말을 들은 아브라함은 생각이 바뀌었습니다.

'하나님께서 전능하시다면 가능할 수 있다.'

그 순간 갑자기, 아브라함의 마음속에서 하나님에 대한 신앙이 살아나고 회복되었습니다. 그래서 그 순간 "하나님, 제가 믿습니다"라고 답했습니다. 하나님은 그의 믿음을 통해서 죽은 것이나 다름없던 사라의 태를 열어 새로운 생명을 주셨습니다. 이것이 부활 사건 아닙니까? 이 사건을 통해 부활의 의미를 어떻게 파악할 수 있는지가 로마서 4장에 나와 있습니다.

> "기록된바 내가 너를 많은 민족의 조상으로 세웠다 하심과 같으니 그가 믿은 바 하나님은 죽은 자를 살리시며 없는 것을 있는 것으로 부르시는 이시니라"(롬 4:17).

아브라함이 믿는 하나님은 어떤 분입니까? 죽은 자를 살리시는 하나님, 없는 것을 있는 것 같게 하시는 하나님입니다. 이어지는 말씀을 보십시오.

> "아브라함이 바랄 수 없는 중에 바라고 믿었으니 이는 네 후손이 이같으리라 하신 말씀대로 많은 민족의 조상이 되게 하려 하심이라 그가 백 세나 되어 자기 몸이 죽은 것 같고 사라의 태가 죽은 것 같음을 알고도 믿음이 약하여지지 아니하고 믿음이 없어 하나님

의 약속을 의심하지 않고 믿음으로 견고하여져서 하나님께 영광을 돌리며 약속하신 그것을 또한 능히 이루실 줄을 확신하였으니 그러므로 그것이 그에게 의로 여겨졌느니라"(롬 4:18-22).

사라의 죽은 듯한 태를 열어 새 생명을 주고 이삭을 탄생하게 하신 것은 일종의 부활 사건입니다. 이것을 근거로 24절 말씀이 이어집니다.

"의로 여기심을 받을 우리도 위함이니 곧 예수 우리 주를 죽은 자 가운데서 살리신 이를 믿는 자니라"(롬 4:24).

사라의 태를 열고 아브라함에게 새로운 생명을 주신 하나님은 부활의 하나님입니다. 우리는 동일한 하나님이 예수를 죽은 자 가운데서 살리신 것을 믿습니다. 이렇게 부활 신앙의 근거가 아브라함의 사건을 통해서 선포되는 모습을 볼 수 있습니다.

그 후 아브라함에게 기적의 아들, 이삭이 주어졌습니다. 그런데 하나님은 어느 날 이삭을 바치라고 말씀하십니다. 아브라함에게는 엄청난 갈등이 생깁니다. 하나님은 아브라함에게 기적 같은 생명으로 이삭을 주셨고, 그 아들은 하늘의 별과 바닷가의 모래알처럼 수많은 사람의 조상이 될 것이라 말씀하셨습니다. 그 아들을 통해서 또 다른 믿음의 자손이 이 땅에 가득하게 될 것이라 하셨습니다. 이것이 하나님의 유효한 약속인데, 그렇게 약속하신 하나님께서 이제 그 아들을 죽여 제단에 바치라고 말씀하십니다. 그가 죽는 다면 어떻게 그 아들의 후손이 있을 수 있습니까? 아브라함이 얼마 나 많이 주저하고 망설였겠습니까? 그러나 마침내 순종하고는 자 기 아들을 제단 위에 올려놓습니다.

아브라함은 어떻게 그럴 수 있었습니까? 그 이유를 설명하는 대 목에 있어서 성경은 놀라운 메시지를 주고 있습니다.

> "그에게 이미 말씀하시기를 네 자손이라 칭할 자는 이삭으로 말미 암으리라 하셨으니 그가 하나님이 능히 이삭을 죽은 자 가운데서 다시 살리실 줄로 생각한지라 비유컨대 그를 죽은 자 가운데서 도 로 받은 것이니라"(히 11:18-19).

아브라함이 이삭을 죽음의 제단에 바칠 수 있었던 이유는 무엇 때문이었습니까? 그는 하나님이 능히 죽은 자 가운데서 다시 살리 실 것을 믿었기 때문입니다. 하나님은 이삭을 통해 또 다른 자손이 태어나고, 뒤이어 축복의 자손이 계속 세상에 나오게 될 것이라 약 속하셨는데, 그렇게 약속하신 하나님이 이삭을 죽음의 제단에 올 려놓으라고 하십니다. 그러면 하나님의 약속이 무효가 되는 것입 니까? 아닙니다. 하나님의 약속은 무효화될 수 없습니다.

그러면 그 약속이 이루어지기 위해서는 이 아들이 어떻게 되어야 합니까? 죽더라도 다시 살아나야 합니다. 순종하기 위해 그 아들을 죽음의 제단에 바치면서도 아브라함은 하나님이 그 아들을 다시 살려 주실 것을 믿었습니다. 이것이 부활 신앙입니다.

구약성경에도 이렇게 부활의 신앙이 드러나 있습니다. 사실 성경의 모든 장마다 부활 신앙은 선포되고 제시됩니다. 창세기부터 요한계시록까지 성경 전체는 부활에 대한 증언으로 가득 차 있습니다. 성경을 읽으면서 부활을 믿지 못한다면, 성경을 제대로 읽지 않은 것입니다. 성경을 제대로 읽은 사람이라면 부활의 엄청난 증거 앞에 압도당할 것입니다. 그리고 마침내 부활 신앙을 수용하리라 믿습니다.

하나님의 능력에 대한 불신

둘째는, 하나님의 능력을 모르기 때문에 부활 신앙을 갖지 못합니다. 부활을 불신하는 사람은 궁극적으로 하나님을 불신하는 사람이라고 생각합니다. 하나님을 안 믿는 사람은 하나님의 능력을 믿지 못합니다. 하나님을 믿는다면 당연히 하나님의 전능하신 능력을 믿을 것입니다. 하나님의 전능하신 능력을 믿는데 부활하게 하시는 능력을 못 믿겠습니까? "태초에 하나님이 천지를 창조하시니라"(창 1:1)라는 말씀을 믿을 수 있다면 부활을 믿을 수 있다고 생각합니다.

여기서 창조라는 말은 무에서 유를 만들어 낸다는 뜻입니다. 아무것도 없었지만 만들어 내신 것입니다. 무에서 유를 창조한 전능자께서 죽은 사람을 살리지 못하시겠습니까?

일본의 유명한 과학자이자 그리스도인인 우치무라 간조는 무교회주의자이기는 하지만 훌륭한 그리스도인이었습니다. 어느 날 한 대학생이 그에게 찾아와 이렇게 말했습니다.

"선생님, 저는 성경을 믿고 싶고 또한 성경을 믿습니다. 그런데 성경 안에서 초자연적인 것, 기적적인 것, 사람의 상식으로는 쉽게 납득할 수 없는 것도 믿어야 합니까? 예컨대, 예수가 물 위를 걸어갔다든지, 죽었다가 살아났다든지 하는 것을 믿으라고 강요하실 필요가 있습니까? 그러한 것들을 믿지 않으면 성경을 믿을 수 없는 것입니까?"

이 질문을 받은 우치무라 간조는 이런 대답을 했습니다.

"젊은이, 성경에 나오는 첫 번째 말씀이 무엇인 줄 아는가? 창세기 1장 1절 말이야. '태초에 하나님이 천지를 창조하셨다'고 말씀하고 있지 않은가? 그것은 기적이 아닌가? 무에서 유를 만들어 내신 놀라운 기적이지. 그러면 성경의 마지막 말씀은 무엇인 줄 아는가? '아멘 주 예수여 오시옵소서'라고 되어 있어. 부활하고 승천하신 예수님께서 다시 역사 속에 돌아와 만물을 심판하신다는 것은 기적이 아닌가?"

이렇게 성경은 기적으로 시작해서 기적으로 끝납니다. 우치무라 간조는 이 젊은이에게 "여보게 젊은이, 성경에서 기적을 다 빼 버리면 꼭 두 가지가 남아. 한쪽 표지와 반대쪽 표지지"라고 말했다고 합니다.

기적을 믿지 않고는 성경을 받아들일 수 없습니다. 창세기 1장 1절을 믿을 수 있다면, 무에서 유를 창조한 하나님이 인간에게 새로운 생명을 주신다는 것과 부활을 믿을 수 있습니다. 인간을 당신의 모습으로 만들어 그 속에 생기를 불어넣으신 하나님의 역사가 창조입니다. 창조의 하나님이라면 죽은 자에게 생명을 불어넣지 못하시겠습니까?

에스겔서는 이스라엘 민족이 포로로 끌려가 민족적으로 죽음을 경험한 상황을 배경으로 쓰였습니다. 하나님은 이스라엘 민족의 부활을 약속하면서 환상을 보여 주십니다. 골짜기에 흩어져 있는 뼈다귀들이 서로 붙고 사람의 모습을 이룹니다. 그러나 아직은 사람의 형체뿐입니다. 이때 에스겔 선지자를 향해 이렇게 말씀하십니다.

"네가 그것들에게 생기를 불어넣어라."

생기가 들어가자마자 그것들이 갑자기 사람이 되고 군대가 되어 일어나기 시작합니다. 이것이 부활입니다. 우리에게 생명을 주신 하나님은 우리를 부활하게 하실 수 있는 분이라는 사실을 믿기 바랍니다.

부활로 얻게 되는 완전한 모습

그러면 '부활의 몸을 갖는다, 부활체를 갖는다'는 것은 무엇을 뜻할까요? 우리는 어떤 몸을 가지고 부활할까요?

"사람이 죽은 자 가운데서 살아날 때에는 장가도 아니 가고 시집도 아니 가고 하늘에 있는 천사들과 같으니라"(막 12:25).

예수님의 대답은 '천사들과 같다'는 것입니다. 그러나 부활할 때 우리가 천사들과 같이 된다고 하신 것이지, 천사가 된다고는 하지 않으셨습니다. 천사는 천사고, 인간은 인간입니다. 성경은 천사와 인간이 다른 부류의 피조물이라고 가르칩니다. 그러니까 인간이 천사가 되는 것은 아닙니다. 천사는 천사의 특성이 있고, 인간은 인격이 있습니다. 부활한다 해도 우리의 부활체는 인격적 특성을 지닌 몸입니다. 인격적 존재에게 있어 가장 중요한 인격적 기능은 사랑이라고 생각합니다. 천국에 가면 장가가고 시집가는 일은 없다 해도, 그것 때문에 심심할 것이라고 가정할 필요는 없습니다. 천국에는 사랑이 있기 때문입니다.

고린도전서 13장에서는 방언도 그치고 예언도 폐할 것이지만, 사랑은 영원하다고 가르쳐 주고 있습니다. 그렇게 사랑이 영원할 수 있다면 결혼 제도가 없어도 결혼을 초월한 어떤 모습으로 우리의 사랑은 계속된다고 볼 수 있습니다. 사실 이 땅에서의 결혼을 통해 많은 행복과 위로를 받는 것은 사실입니다. 그러나 한편으로 생각해 보면, 결혼 때문에 받는 상처가 얼마나 많습니까? 상처를 주기도 하고 받기도 하고, 속이 상하기도 하고 괴로워하기도 합니다. 그러나 천국은 이런 인간의 한계와 모든 불행이 바로잡히고 영원한 사랑, 성숙한 사랑, 완전한 사랑을 나눌 수 있는 곳입니다. 그러니 천국에 가서 심심하지 않을까 걱정할 필요 없습니다. 완벽하고도 영원한 로맨스가 보장된 부활의 몸을 소유할 거라는 사실을 믿기 바랍니다. 부활은 인간이 추구하는 존재의 완전한 상태라고 할 수 있습니다. 우리는 그 부활의 몸을 얻을 것입니다.

이 부활 신앙을 가진 사람들은 '우리는 어느 날 완벽해진다. 완벽한 몸을 얻고 완벽한 사랑을 하면서 놀라운 세계에서 살게 될 것이다'라고 믿습니다. 이 부활 신앙이 있다면 지금 이 땅에서 불완전한 것이 있어도, 다소 불만스러운 것이 있어도, 아프고 괴로운 것들이 있어도 실망할 필요가 없습니다. 그 완벽한 세계에서 완전한 사랑과 기쁨을 누릴 수 있도록 약속되어 있다면, 지금 우리가 살고 있는 이 자리에서 겪는 시련과 고난은 극복할 수 있다고 믿습니다. 이 부활의 신앙을 품으십시오.

부활 신앙에 대해 말할 때마다 기억나는 이야기가 있습니다. 제가 예수님을 믿고 나서 선교사님을 섬기면서 통역을 했었는데, 선교사님이 이런 말씀을 하셨습니다.

"나는 한국 교회 교인들을 보면 참 이해가 안 되는 것이 하나 있습니다. 예배당 밖에서 친구들을 만나면 신나게 이야기하고 떠들다가, 예배당 안으로만 들어오면 갑자기 인상을 쓰면서 분위기가 처집니다. 그 이유를 모르겠습니다."

저는 할 말이 없어서 이렇게 대답했습니다.

"그것은 아마 한국 교회 교인들이 예배당 안에서 주님의 고난을 묵상하는 데 전념하기 때문인 것 같습니다."

그랬더니 선교사님이 이렇게 말씀하셨습니다.

"아니, 그러면 고난을 당한 예수님께서 부활하신 것은 잊어버렸나요?"

부활절이 되면 제가 미국 교회에서 들었던 어느 목사님의 감동적인 이야기가 떠오릅니다. 어느 주일학교 3학년 학생 중에 필립이라는 정서 장애아가 있었습니다. 정상적인 학생들과의 통합 교육 원칙에 따라 교회 주일학교에서도 이 장애아를 정상적인 아이들과 함께 교육하고 있었습니다. 미국이 장애아를 위한 시설과 교육적 배려는 잘되어 있지만, 철없는 아이들은 필립을 놀리고 조롱하기도 했습니다. 그래도 필립은 항상 웃었습니다.

그런데 필립은 다른 여러 면에서는 부진했지만, 놀랍게도 성경 말씀만 들려주면 눈동자가 반짝였습니다. 부활절 아침에 주일학교 선생님이 학생들에게 플라스틱으로 된 달걀 모형을 하나씩 선물로 주었습니다. 그 모형은 여닫을 수 있게 되어 있는 것이었습니다. 선생님은 그것을 아이들에게 하나씩 나누어 주면서 15분의 시간을 줄 테니 교회 뜰에 나가서 살아 있는 생명, 부활의 생명을 하나씩 담아 가지고 오라는 과제를 주었습니다. 아이들은 모두 나갔다가 15분, 20분 후에 돌아왔습니다. 선생님은 한 아이씩 발표를 시켰습니다.

"너는 무엇을 가지고 왔니?"

한 아이가 자신의 달걀 모형을 열었습니다. 거기에는 아름다운 생명의 꽃이 담겨 있었습니다. 그러자 선생님과 학생들은 크게 박수를 쳐 주었습니다. 두 번째 아이의 모형이 열렸을 때는 나비 한 마리가 나왔습니다. 살아 있는 아름다운 생명체인 나비를 담아 온 것입니다. 세 번째 아이의 모형 안에는 파릇파릇 돋아나는 잎사귀가 있었습니다.

네 번째로 필립이 나왔습니다. 모두가 가만히 필립을 지켜보고 있었습니다. 한동안 가만히 있던 필립에게 선생님이 가지고 온 것을 보여 달라고 했습니다. 한참 후에 필립이 달걀 모형을 열었습니다. 거기에는 아무것도 없었습니다. 아이들은 필립이 아무것도 가져오지 않았다면서 놀리기 시작했습니다. 그러자 갑자기 필립이 정색을 하며 이렇게 말했습니다.

"예수님의 무덤은 비어 있잖아요."

필립의 말은 장내를 압도하는 감동을 담고 있었습니다.

그렇습니다. 예수님의 무덤은 비어 있습니다. 그분은 살아나셨습니다. 그분은 무덤에 계시지 않습니다. 살아 계신 주님, 우리는 부활의 주님을 찬양하며 따라갑니다. 그분을 믿는 자들에게 승리가 있을 것입니다. 죽음으로부터 일어나 당당히 생명으로 서게 될 것입니다. 우리는 승리할 것입니다. 그분이 승리하셨기 때문입니다. 이 부활의 주님을 찬양하십시오.

—

성경을 읽으면서 부활을 믿지 못한다면,
성경을 제대로 읽지 않은 것입니다.
성경을 제대로 읽은 사람이라면
부활의 엄청난 증거 앞에 압도당할 것입니다.

"예수께서 헌금함을 대하여 앉으사 무리가 어떻게 헌금함에 돈 넣는가를 보실새 여러 부자는 많이 넣는데 한 가난한 과부는 와서 두 렙돈 곧 한 고드란트를 넣는지라 예수께서 제자들을 불러다가 이르시되 내가 진실로 너희에게 이르노니 이 가난한 과부는 헌금함에 넣는 모든 사람보다 많이 넣었도다 그들은 다 그 풍족한 중에서 넣었거니와 이 과부는 그 가난한 중에서 자기의 모든 소유 곧 생활비 전부를 넣었느니라 하시니라"(막 12:41-44).

17

가난한 과부의
헌신

참된 헌금은
하나님께 대한 순종의 응답이다

헌금을 보면 알 수 있는 것

이 장에서는 돈에 대해 이야기하려고 합니다. '돈' 소리만 들으면 긴장하는 사람이 있습니다. "교회에 갔더니 돈 이야기만 하더라" 하는 말이 교회에 대한 비판의 소리라는 것도 잘 알고 있습니다. 종교 개혁자 존 칼빈(John Calvin)은 이런 말을 남겼습니다.

"우리의 문제는 교회에서 돈에 대해 너무 많이 이야기하는 것에 있는 것이 아니라, 돈에 대해서 바르게 이야기하지 않는 것에 있다."

존 웨슬리도 비슷한 말을 남겼습니다.

"나는 주머니가 회개하지 않는 사람의 회개를 믿을 수 없다."

복음을 듣고 회개한 후 예수 그리스도를 영접하여 새사람이 되었다면, 제일 먼저 변화가 있어야 할 삶의 영역 중의 하나가 '돈의 사용처'라고 생각합니다.

경제생활은 우리의 가치관이 민감하게 반영되는 영역입니다. 더군다나 하나님에 대한 사랑이 생겼고, 하나님 앞에 정말 감사하게 자신을 드리고 싶어 한다면 그의 헌금 생활의 태도가 달라지지 않을 수 없습니다. 그래서 '헌금'은 한 사람이 어느 정도로 헌신하는지를 보여 주는 상징이라고 생각합니다. 헌금이야말로 우리의 헌신 행위의 본질을 명확하게 보여 줍니다. 돈의 씀씀이를 알면 그 사람을 알 수 있습니다. 우리의 돈 쓰임새야말로 우리의 인생관, 가치관, 세계관을 대변해 주는 삶의 영역이라고 말할 수 있습니다.

본문에는 평범한 한 여인의 비범한 이야기가 기록되어 있습니다. 본문은 이 여인을 "한 가난한 과부"(막 12:42)라고 소개합니다. 이 여인은 가난했습니다. 경제적으로 고통을 받고 있는 사람이었습니다. 게다가 과부였습니다. 외로움이 많았을 것이고, 분명히 정신적인 고통을 많이 겪고 있었을 것입니다. 그러나 이러한 고통에도 불구하고 그녀는 아름다운 헌신의 귀감을 남긴 여인이 되었습니다.

성전의 제일 바깥쪽 뜰은 소위 이방인의 뜰입니다. 이방인들은 거기까지 올 수 있습니다. 좀 더 안쪽으로 들어가면 여인의 뜰이 있는데, 그곳은 여인들이 모여서 교제를 나누는 곳입니다. 그리고 그 맞은편에는 '아름다운 문'이라는 뜻의 '미문'이 있습니다. 아마도 그날 예수님은 미문에서, 여인의 뜰을 지나 성전에 들어가는 사람들을 지켜보고 계셨던 것 같습니다. 성전 입구에는 헌금을 넣는 헌금함들이 놓여 있었습니다.

> "예수께서 헌금함을 대하여 앉으사 무리가 어떻게 헌금함에 돈 넣는가를 보실새 여러 부자는 많이 넣는데"(막 12:41).

예수님은 사람들이 헌금함에 돈 넣는 것을 보셨습니다. 위의 말씀에서 '보실새'라는 단어는 희랍어의 '미완료 시제'입니다. '미완료 시제'는 어떠한 동작을 한 번만 하는 것이 아니라, 지속적으로 하는 경우를 표현합니다. 의도를 가지고 지속적으로 보셨다는 것입니다. 즉 사람들이 헌금하는 모습을 계속 지켜보셨다는 의미입니다. 우리도 주일마다 교회에 가서 헌금을 합니다. 만일 예수님이 맞은편에서 우리가 헌금하는 모습을 보고 계신다면, 우리의 헌금하는 모습이 어떻게 달라질까요? 또 주님은 우리를 보며 무엇을 느끼실까요?

하나님만을 의식하며 드리는 참된 헌금

사람들이 헌금을 하며 들어가고 있습니다. 한순간 예수님의 시선이 한 여자에게 머물렀습니다. 그때 주님의 가슴은 설레도록 뛰고 있었을 것입니다. 참된 헌신의 모본이 되는 한 여인을 보고 너무나도 기쁘셨기 때문입니다. 어쩌면 눈물이 맺히셨을지도 모릅니다. 우리는 그녀에게서 참된 헌금의 정신, 참된 헌신이 무엇인지를 알아보고자 합니다.

우선, 참된 헌금의 정신은 오직 우리 삶의 주인이신 하나님만을 의식하는 것입니다. 이로부터 나오는 것이 참된 헌금입니다.

"예수께서 헌금함을 대하여 앉으사 무리가 어떻게 헌금함에 돈 넣는가를 보실새 여러 부자는 많이 넣는데"(막 12:41).

우리말로 번역된 성경을 보면 헌금함이 하나 있었던 것으로 보이지만, 그 당시 예루살렘 성전의 입구에는 헌금함이 열세 개나 있었습니다. 돈을 넣는 곳이 나팔 모양이었기 때문에 종종 '나팔궤'라고도 불렸습니다. 또 다양한 헌금의 목적에 따라서 헌금함이 구분되기도 했습니다. 열세 개 중 아홉 개는 제사의 종류에 따라 각종 제물을 구별하고 있었고, 나머지 네 개는 독특한 용도에 따라 구분되었습니다. '성전 보수를 위한 헌금함, 성전 수리를 위한 헌금함, 구제를 위한 헌금함'으로 구분되었고, 특별한 목적이 없는 '자유 헌금함'도 하나 있었습니다.

이 헌금함은 본래 놋쇠로 만들었습니다. 지폐가 없었던 당시, 사람들이 놋쇠로 만들어진 헌금함에 동전을 집어넣으면 동전 떨어지는 소리가 요란하게 울렸습니다. 그 소리를 들으면 대충 얼마쯤 집어넣었는지 듣는 사람들이 짐작할 수 있었다고 합니다. 이렇게 해 놓은 데는 아마도 성전 관리자의 다소 불순한 의도가 있지 않았을까 하는 생각도 듭니다.

본문 41절을 보면, 먼저 부자가 들어가면서 많은 금액의 돈을 넣었다고 되어 있습니다. 이 부자가 들어가면서 헌금함에 헌금을 집어넣는 광경을 상상해 보십시오. 어쩌면 그는 헌금을 할 때 다른 사람들이 자기를 알아주기를 바라는 마음, 자기를 과시하고 싶은 동기를 품기도 했을 것입니다. 그런 그가 되도록 많은 사람이 자신의 모습을 봐 주었으면 좋겠다고 생각하며 헌금함 속에 헌금을 집어넣습니다. 고액의 돈을 넣었기에 헌금함에 떨어지면서 나는 소리는 무척이나 크고 요란합니다. 그는 그러면서 어깨를 펴고 성전 안으로 들어갑니다. 여러 사람이 이렇게 성전 안으로 들어간 이후에 한 여인이 등장합니다. 본문은 이 여인을 가난한 과부라고 말씀하고 있습니다. 그녀는 얼마를 넣었습니까?

"한 가난한 과부는 와서 두 렙돈 곧 한 고드란트를 넣는지라"(막 12:42).

'렙돈'은 유대인들의 화폐 단위고, '고드란트'는 로마 사람들의 화폐 단위입니다. 두 개의 단위를 모두 기록해 둔 것은 그 당시 이스라엘이 로마의 식민지였으며, 특히 마가복음은 로마인들을 대상으로 쓰인 복음서였기 때문입니다. 고드란트와 렙돈은 두 나라 화폐의 최소 단위입니다. 렙돈이라는 말에는 '얇다'라는 뜻이 있는데,

아마 렙돈 동전은 아주 얇아서 헌금함에 집어넣을 때 제대로 소리도 나지 않았을 것입니다.

그녀의 입장에서 '다른 사람들을 많이 의식했다면 렙돈을 드릴 수 있었을까' 하는 생각을 해 보았습니다. 많은 돈을 헌금함에 집어넣은 사람들의 모습은 당당해 보였을 것입니다. 아마 자신을 과시하고 싶은 생각도 있었을 것입니다. 그러나 두 렙돈밖에 준비할 수 없었던 그녀는 사람들을 의식할 수밖에 없고, 만일 지나치게 의식했더라면 헌금하기가 불가능했을지도 모릅니다. 그러나 본문에서 그녀가 헌금 드리기를 주저하는 모습은 찾아볼 수 없습니다. 자신의 책임을 다하는 모습만 보입니다. 그것이 어떻게 가능했을까요? 그녀는 하나님만 생각했기 때문입니다.

다른 사람들의 시선이나 생각은 그녀에게 전혀 중요하지 않았습니다. 오직 하나님만, 참으로 하나님만 의식하고 있었던 것입니다. 사랑하는 하나님께 자신의 정성을 다해 드릴 수 있었던 이 여인을 지배하고 있는 것은 '하나님이 내 삶의 주인이시다. 그분이 나에게 은혜를 주신다. 그래서 나는 여기까지 살아왔다'는 생각이었을 것입니다. 하나님의 은혜에 대한 감사와 감격으로 자기 몫의 책임을 다할 수 있었던 것입니다. 그래서 아주 적은 돈이지만 당당하게 그리고 담담하게 헌금할 수 있었습니다. 이것이 헌금이고, 이것이 헌신입니다.

하나님만을 의식하십시오. 사람을 의식할 필요가 없습니다. 우리의 헌금에 대한 다른 사람들의 평가는 전혀 중요하지 않습니다.

하나님 앞에 최선을 드리고, 하나님께 우리의 사랑과 믿음을 고백하면 됩니다. 그렇습니다. 참된 헌금은 우리 삶의 주인이신 하나님에 대한 응답입니다. 살아 계신 하나님을 생각하는 의식의 결정체가 우리의 헌신이어야 하고, 우리의 헌금이어야 합니다. 이것이 이 여인을 통해 전해지는 첫 번째 메시지입니다.

희생이 담긴 헌금

둘째, 참된 헌금의 정신은 희생정신입니다. 희생정신이 깃들어 있어야 진정한 헌금이고, 진정한 헌신입니다. 구약 시대에는 제물을 가리켜 희생 제물이라고 했습니다. 영어로는 'sacrifice'(희생)라 할 수 있습니다. 히브리어에서도 제물과 희생이라는 말이 같습니다. 제물은 희생의 제물이어야 합니다. 진정한 헌금은 드리는 사람의 희생의 마음이 깃들어 있어야 합니다.

성도들이 솔직하게 질문할 때가 있습니다.

"목사님, 헌금에 대한 지침은 무엇입니까? 무엇을 근거로 헌금합니까?"

이런 질문을 받을 때마다 저는 두 가지를 이야기합니다. 우리가 헌금 생활을 제대로 시작할 수 있는 출발점은 십일조입니다. 그러나 십일조는 출발이어야 합니다. 보다 주님을 기쁘시게 하는 헌금을 하려면 이런 생각을 기준으로 삼아 보십시오. '이렇게 헌금하는 것은 나에게 다소 희생이 된다'는 수준으로 드려 보기 바랍니다. 전혀 희생이 되지 않는 헌금은 별로 의미가 없다고 생각합니다.

이 여인의 경우를 생각해 보십시오. 한 데나리온은 128렙돈입니다. 여기서 한 데나리온은 그 당시 노동자의 하루 품삯이었습니다. 한 렙돈이 하루 품삯의 128분의 1이니, 두 렙돈의 가치를 원화로 환산한다면 1,200원 정도입니다. 한마디로 거의 가치가 없다고 할 수 있습니다. 그러나 그 여인에게 두 렙돈은 생활비 전부였습니다. 저는 그녀가 두 렙돈 중에서 한 렙돈만 드렸어도 주님은 만족하셨을 것 같습니다. 여전히 칭찬받을 일입니다. 한 렙돈만 드려도 재산의 반을 드린 것이 아닙니까? 그러나 이 여인은 한 렙돈을 드리는 것으로는 만족할 수 없었습니다. 주님께 다 드리고 싶었습니다. 이것이 희생입니다. 그리고 이 희생이야말로 성경의 역사 속에서, 기독교의 역사 속에서 하나님을 사랑하는 믿음의 선배들의 전통이었습니다.

성경에 기록된 내용 중 매우 큰 감동을 주는 사건이 있습니다. 다윗왕의 이야기입니다. 어느 날 다윗이 아라우나라는 사람이 가지고 있는 타작마당에 당도하게 됩니다. 이 타작마당은 높은 언덕에 위치해 예루살렘이 한눈에 들어왔습니다. 훗날 이 아라우나의 타작마당은 예루살렘 성전의 아주 중요한 터가 됩니다.

이 전망 좋은 높은 언덕에 올라와 보니 다윗의 마음에 큰 기쁨이 있었습니다. 다윗은 아름답고 전망 좋은 경치를 보면서, 여기서 하나님을 예배하면 좋겠다고 생각했습니다. 그러다 문득 하나님을 찬양하고 예배하고 싶은 마음이 생겼습니다. 구약 시대적으로 표현하면 '하나님 앞에 제사드리고 싶은 마음'이 생겼습니다. 그런데 제사를 드리려면 제물이 있어야 합니다. 그러자 타작마당의 주인인 아라우나는 다윗에게 자신이 가지고 있는 소와 말을 제물로 삼아 제사를 드리라고 말합니다. 그러자 다윗은 그냥 받을 수 없다며 그의 행동을 만류합니다. 그리고 이렇게 말합니다.

"내가 값을 주고 네게서 사리라 값 없이는 내 하나님 여호와께 번제를 드리지 아니하리라"(삼하 24:24).

값을 치르지 않고는 하나님 여호와께 번제를 드릴 수 없다는 것입니다. 제물에는 자신의 땀이 들어 있어야 한다는 말입니다. 그렇습니다. 우리의 땀, 우리의 정성, 우리의 희생이 들어 있어야 합니다. 이것이 다윗이 보여 준 모범적인 태도입니다.

그 이후로 하나님의 사람들은 언제나 이런 아름다운 믿음의 전통을 지켜 왔습니다. 고린도후서 8장에도 마게도냐 교회들의 일이 기록되어 있습니다. 마게도냐 교회들은 예루살렘 성도들이 기근에 처해 있다는 소식을 듣고 헌금을 했는데, 놀랄 만큼 많이 했습니다. 바울은 이 일로 크게 감동했습니다. 그는 "환난의 많은 시련 가운데서 그들의 넘치는 기쁨과 극심한 가난이 그들의 풍성한 연보를 넘치도록 하게 하였느니라 내가 증언하노니 그들이 힘대로 할 뿐 아니라 힘에 지나도록 자원하여"(고후 8:2-3)라고 말했습니다.

힘대로만 한 것이 아니라, 힘에 지나도록 했습니다. 힘에 지나도록 하나님 앞에 드렸습니다. 이것이 희생입니다. 그렇습니다. 정말 우리가 하나님의 은혜와 사랑 그리고 복음을 아는 사람이라면, 성령을 체험한 사람이라면, 우리의 헌금에는 희생이 들어가야 합니다. 참된 헌금에는 우리의 희생이 깃들어 있어야 합니다. 희생의 정신이야말로 참된 헌금 정신의 기초입니다.

전체를 드리는 헌금

셋째, 참된 헌금의 정신은 전체를 드리는 것입니다. 이것이 이 여인이 남긴 세 번째 교훈입니다. 참된 헌금은 전체, 혹은 전부를 드리는 정신에 근거한 것이어야 합니다. 쉽게 말하면, 진짜 헌금은 다 드리는 것입니다.

긴장하지 마십시오. 어떤 성도는 '드디어 교회에서 내 재산 전체를 다 요구하는구나' 하고 충격을 받을지도 모르겠습니다. 그러나 그렇다고 해서 전 재산을 다 드리라고 요구하는 것은 아닙니다.

우리는 이 말의 의미를 잘 귀담아들어야 합니다. 우리의 모든 헌금은 전체를 다 바치는 정신에 근거한 것이어야 합니다. '정신'이라는 말이 어쩐지 위로가 되지 않습니까? 실제로 '다 드리라' 하면 겁이 나겠지만, 저는 지금 '다 드리는 정신'에 근거해서 드려야 한다고 이야기하고 있습니다. 그것이 진정한 헌금 정신입니다.

제가 자주 말해 온 것이지만, 십일조에 관해서 한국 교회가 가지고 있는 가장 큰 오해는 이런 것입니다. '십일조는 주님의 것이다.' 맞습니까? 맞기도 하고, 틀리기도 합니다. 십일조는 물론 주님의 것입니다. 그러나 10분의 1만 주님의 것입니까? 십일조는 주님의 것이지만, 십일조만 주님의 것은 아닙니다. 나머지 10분의 9도, 즉 10분의 10 전체가 다 하나님의 것입니다. 우리의 소유가 전적으로, 궁극적으로, 본질적으로 하나님의 것이라고 고백할 수 있습니까? 십일조는 10분의 1만 드리면서 전체가 하나님의 것임을 우리가 구체적으로 고백하고 인정하는 것일 뿐입니다.

그런데 사람들이 '온전한 십일조'라는 개념에 대해 토론하는 것을 보면, '세금도 포함되는 것이냐, 아니면 제외되는 것이냐' 하는 문제를 가지고 이야기하는 것을 볼 때가 있습니다. 세금을 포함해야 할지, 말아야 할지는 하나님께 여쭈어보십시오. 중요한 것은 이것입니다. '온전한 십일조'를 드리는 사람은 10분의 1을 드린 후 나머지 10분의 9도 하나님의 것이라는 것을 인식하면서, 그것을 쓰는 것에 관해서도 하나님의 인도를 받을 줄 아는 사람입니다.

제가 공부할 수 있도록 도움을 주신 분은 기독교 단체의 회장을 지낸 미국의 한 할아버지였는데, 저는 이분의 집에 가 보고 충격을 받았습니다. 아침에 회장님 부인이 무엇을 쓰고 있었는데, 알고 보니 쇼핑 목록을 작성하는 것이었습니다. 꼭 필요한 것만 사기 위해 우선순위를 매기고 기도하는 모습을 보았습니다. 이것이 진정한 신앙인의 모습입니다.

신앙은 추상적인 것이 아닙니다. 우리에게 있는 모든 것이 다 주님의 것입니다. 그렇다면 우리가 얼마를 드리든지, 우리에게 있는 모든 것이 주님의 것이라는 고백을 바탕으로 드려야 합니다. 10분의 1은 주님의 것, 10분의 9는 자신의 것이라는 생각이야말로 가장 잘못된 헌금 정신입니다.

마틴 로이드 존스(Martyn Lloyd Jones)의 책에서 매우 재미있는 실화 이야기를 보았습니다. 한 농부의 소가 새끼 두 마리를 낳았습니다. 송아지를 보자 농부는 너무 좋아서 아내에게 "여보, 우리 소가 예쁜 송아지 두 마리를 낳았어. 이 중에서 한 마리만 우리 것으로 하고, 다른 한 마리는 하나님께 드립시다"라고 했습니다. 부인도 "아멘"으로 응답했습니다. 그런데 얼마 후, 그 두 마리 중에서 한 마리가 앓기 시작하더니 병들어 죽고 말았습니다. 그러자 농부는 슬픈 얼굴로 아내에게 말했습니다.

"여보, 이를 어쩌면 좋지? 주님께 드리기로 한 송아지가 죽어 버렸어."

살아 있는 것이 아니라 죽은 것이 주님께 드리기로 했던 송아지라는 것입니다.

전체를 드리는 헌신

우리는 끊임없이 주님의 것과 우리의 것을 구분합니다. 그러나 하나님의 눈으로 볼 때는 전체가 주님의 것입니다. 돈에 대한 이야기만 하는 것이 아닙니다. 우리의 몸도 하나님의 것이라고 믿습니까? 성경은 어떻게 말씀하고 있습니까? 그리스도인의 몸을 가리켜 "너희는 너희 자신의 것이 아니라 값으로 산 것이 되었으니 그런즉 너희 몸으로 하나님께 영광을 돌리라"(고전 6:19-20)라고 했습니다. "우리의 몸은 하나님의 성령이 거하시는 전이다. 주님께서 우리를 구원하기 위해 십자가에 피 흘려 돌아가셨으며, 그 핏값으로 산 우리가 하나님의 자녀가 되었다면 우리의 몸도 하나님의 것이다"라고 말씀하고 있습니다. 그러면 우리의 몸은 누구를 위해 사용해야 합니까? 100퍼센트 하나님을 위해 우리의 육체가 쓰여야 합니다. 또 우리에게 있는 달란트는 어떻습니까? 어떤 달란트든지 모든 것의 궁극적 주인이신 하나님을 위해서 쓸 수 있습니까? 우리의 시간을 사용하는 것도 마찬가지입니다. 시간도 주님의 것이라고 믿으십시오.

인생이란 무엇입니까? 제가 읽었던 인생에 대한 가장 아름다운 정의는, '하나님의 뜻을 이루도록 하나님께서 나에게 맡겨 주신 삶의 길'이었습니다. 이것이 인생입니다. 그러므로 사는 동안 하나님께서 맡겨 주신 일을 다 하고 가면 되는 것입니다. 시간도 우리의 것이 아닙니다. 세월을 아끼며 주를 위해 시간을 사용하는 것이 중요합니다. 우리에게 주어지는 시간 중에 얼마나 많은 시간, 몇 퍼센트가 주님의 시간입니까? 100퍼센트입니다.

헌신은 언제나 100퍼센트를 뜻합니다. 유명한 신학자 한 분은 이런 말을 했습니다.

"헌신은 80퍼센트로 만족할 수 없다. 85퍼센트로 만족할 수 없다."

만약 아내나 남편이 배우자를 향해서 이렇게 말하는 장면을 상상해 보십시오.

"여보, 나는 당신에게 85퍼센트 정도는 성실할 수 있을 것 같아."

85퍼센트 정도 충실하겠다는 말에는, 나머지 15퍼센트는 자신의 마음대로 하겠다는 의도가 들어 있습니다. 그것으로 만족할 수 있는 사람은 아무도 없습니다. 사랑은 100퍼센트를 요구합니다. 사랑은 전체와 전체를 교환하는 것입니다.

하나님은 우리를 사랑하셨습니다. 얼마만큼 사랑하셨습니까?

"하나님이 세상을 이처럼 사랑하사 독생자를 주셨으니"(요 3:16).

세상을 사랑하사 독생자를 주셨습니다. 독생자를 내어 주는 사랑은 자신의 모든 것, 자기의 생명을 내어 주는 것과 같습니다. 전체를 내어 주신 그 사랑으로 인해 우리가 구원받고 하나님의 자녀가 되었다면, 하나님을 향한 우리의 사랑, 우리의 헌신도가 100퍼센트 이하여서는 안 됩니다. 전체를 드려야 합니다.

C. T. 스터드(Charles Thomas Studd)는 케임브리지대학의 우수한 장학생이었으며, 크리켓 챔피언이기도 했습니다. 보장된 수입과 미래가 있었던 사람입니다. 그런데 어느 날 캠퍼스 집회에 참석했다가 복음을 듣고 뒤집어졌습니다. 인생이 달라졌습니다. 그는 복음을 위해서 살기로 결심하고 아프리카로 떠났습니다. 학교에서는

아까운 학생 하나를 잃었다고 했습니다. 그가 헌신을 다짐하는 파송식에서 누군가가 이런 말을 했습니다.

"자네는 자네의 보장된 미래와 돈을 다 포기하고 떠나는 것이 희생이라고 생각하지 않는가?"

그때 그는 잊지 못할 중요한 고백을 남겼습니다.

"만일 예수 그리스도가 하나님이고 그가 나를 위해 죽으신 것이 사실이라면, 그분을 위한 어떤 희생도 지나친 것일 수 없습니다."

두 렙돈을 바쳤던 가난한 과부는 지금 천국에서 어떤 표정으로 우리를 내려다보고 있을까요? 그 여인은 무슨 생각을 하고 있을까요? 하나님 우편에 계신 예수님과 함께 있는 그녀가 오늘 우리의 모습을 내려다보면서 어떤 생각을 할까요? 너무 좋아할 것이라고 생각합니다.

가난한 여인의 두 렙돈이 주님의 손에 드려졌을 때, 그것은 하나님의 백성에게 진정한 헌신을 촉구하고 하나님 나라를 세우며 확장하는 데 있어 놀랍게 쓰임 받는 도구가 되었습니다. 당신의 두 렙돈은 어디에 있습니까? 당신의 작은 재능과 계획, 시간이 주님 앞에 드려진다면 당신의 렙돈은 어떻게 사용되겠습니까?

"예수께서 성전에서 나가실 때에 제자 중 하나가 이르되 선생님이여 보소서 이 돌들이 어떠하며 이 건물들이 어떠하니이까 예수께서 이르시되 네가 이 큰 건물들을 보느냐 돌 하나도 돌 위에 남지 않고 다 무너뜨려지리라 하시니라 예수께서 감람산에서 성전을 마주 대하여 앉으셨을 때에 베드로와 야고보와 요한과 안드레가 조용히 묻되 우리에게 이르소서 어느 때에 이런 일이 있겠사오며 이 모든 일이 이루어지려 할 때에 무슨 징조가 있사오리이까 예수께서 이르시되 너희가 사람의 미혹을 받지 않도록 주의하라 많은 사람이 내 이름으로 와서 이르되 내가 그라 하여 많은 사람을 미혹하리라 난리와 난리의 소문을 들을 때에 두려워하지 말라 이런 일이 있어야 하되 아직 끝은 아니니라 민족이 민족을, 나라가 나라를 대적하여 일어나겠고 곳곳에 지진이 있으며 기근이 있으리니 이는 재난의 시작이니라"(막 13:1-8).

18

마지막의
시작

종말론적 삶의 자세를
취하라

'말세'를 이야기하는 사람들

'마지막, 말세'라는 말을 들으면 어떤 느낌이 듭니까? '말세'라는 말
을 지나치게 심각하게 받아들여 말세가 오면 어떻게 할지 고민부
터 하는 사람이 있습니다. '성경 말씀은 사실인데 정말 말세가 온다
면, 지금 하는 학교 공부, 직장 일, 사업이 무슨 의미가 있나'라고 너
무 심각하게 생각한 나머지, '다 그만두고 주님 맞을 준비나 하자'
는 태도를 갖는 사람이 없지 않습니다. 1992년에 휴거 열풍이 한창
일 때 이런 모습을 보였던 그리스도인이 많았습니다. 엄청난 사회
적 물의를 빚었던 '다미선교회', '다베라선교회'를 우리는 아직도 기

억합니다.

그런가 하면 어떤 그리스도인들은 '말세'라는 단어를 상징적 구호로만 생각합니다. 그래서 교회에 나와 예배드리고 예수님을 믿으면서도 마음속으로는 말세에 대한 이야기를 부정하고 있는 교인이 없지 않습니다. '말세는 무슨 말세야, 세상은 이렇게 잘 돌아가고 있는데. 이렇게 계속되겠지'라는 생각을 갖고 있는 사람도 상당히 많을 것입니다.

예언대로 이루어지다

예수님 당시의 제자들도 세상의 마지막이라든지 말세라는 말에 대해 별로 심각하지 않게 생각하고 있었던 것 같습니다.

"예수께서 성전에서 나가실 때에 제자 중 하나가 이르되 선생님이여 보소서 이 돌들이 어떠하며 이 건물들이 어떠하니이까"(막 13:1).

이스라엘 백성은 성전이 아름답게 회복되고 재건되는 것을 매우 자랑스럽게 생각했습니다. 헤롯의 제3성전은 두 번째 성전을 다시 수리한 것이었지만, 헤롯은 유대인들의 환심을 살 목적으로 무려 46년에 걸쳐서 성전을 회복시켜 놓았습니다. 한 건물을 46년 동안 짓는다고 생각해 보십시오. 얼마나 대단한 공사였겠습니까? 요한

복음 2장에서 사람들은 "46년 동안이나 지은 성전이 무너진다니, 뭐 이런 사람이 다 있는가"라고 말합니다.

유대인 역사가인 요세푸스(Flavius Josephus)의 글에 보면, 그 당시 예루살렘 성전 재건에 사용되었던 돌 하나의 길이가 12미터, 너비가 3.6미터, 높이가 6미터였다고 합니다. 이렇게 거대한 돌들이 예루살렘 성전의 공사에 쓰였다고 기록되어 있습니다. 성전의 뜰은 대리석으로 깔아 놓았고, 문은 구리, 어떤 특수한 문은 금이나 은을 사용하기도 했습니다. 그래서 이스라엘 백성은 '이 성전만은 영원할 것이다. 메시아가 올 때까지 이 성전은 영원히 있을 것이다'라고 생각했습니다. 그리고 제자들도 "선생님, 이 성전이 얼마나 대단합니까?"라고 물었습니다. 그러자 예수님은 깜짝 놀랄 만한 선언을 하셨습니다.

"예수께서 이르시되 네가 이 큰 건물들을 보느냐 돌 하나도 돌 위에 남지 않고 다 무너뜨려지리라 하시니라"(막 13:2).

이 말을 들은 제자들의 생각이 달라졌습니다. '아니, 이 견고한 성전이 무너진다고? 이 성전이 무너진다면, 이 세상도 무너질 수 있는 것이 아닌가?' 하는 생각이 들었습니다. 그래서 본문과 비슷한 내용을 다루고 있는 마태복음 24장 3절에서는 제자 중의 한 사람이 예수님께 이렇게 묻습니다.

"어느 때에 이런 일이 있겠사오며 또 주의 임하심과 세상 끝에는 무슨 징조가 있사오리이까"(마 24:3).

이 질문을 들은 예수님은 예루살렘 성전의 최후와 함께 세상의 최후를 경고하셨습니다.

그러므로 본문은 이중 경고, 즉 성전의 최후와 세상의 최후를 함께 경고하는 메시지가 기록되어 있는 것입니다. 성전의 최후는 이 세상 최후의 서곡이 될 것이며, 성전이 무너지는 것처럼 세상도 무너질 것이라는 사실을 보여 줍니다. 그리고 성전이 무너지게 될 징조들은 세상이 무너지게 될 징조와 흡사할 것입니다.

실제로 예수님이 예언하신 대로 A.D. 70년, 당시 로마의 황제 베스파시아누스(Titus Flavius Vespasianus)의 아들이 이끄는 군대가 예루살렘을 짓밟고는 무려 100만 명의 유대인을 학살했습니다. 예루살렘 성전은 예수님의 예언대로 돌 하나도 돌 위에 남지 않고 다 무너져 서쪽 벽 일부분만 남았습니다. 그 벽을 통곡의 벽이라고 합니다. 지금 예루살렘에서는 서쪽 벽, 즉 통곡의 벽만 볼 수 있습니다. 거기서 유대인들은 기도 제목을 돌 틈에 집어넣고 울면서 기도하고 있습니다.

예수님의 말씀 그대로 성전이 무너졌다면, 예수님의 예언 그대로 이 세상의 마지막이 오지 않겠습니까? 우리가 믿거나 안 믿거나, 좋아하거나 싫어하거나, 원하거나 원치 않거나 세상의 마지막은 반드시 올 것입니다. 성경의 증언입니다. 중요한 것은, 이 마지막을 어떻게 준비해야겠느냐는 것입니다.

이미 시작된 종말

본문은 두 가지 핵심적인 것을 준비하게 합니다. 하나는 마지막 때의 징조를 이해해야 하고, 다른 하나는 마지막 때의 비밀을 이해해야 한다고 말합니다.

마가복음 13장에는 여러 가지 징조가 차례로 배열되어 있습니다. 본문 8절까지의 내용 중에서는 대표적인 세 가지 징조가 나타납니다. 마지막의 징조들입니다. 그러나 마지막의 징조들이 나타났다고 해서 곧바로 마지막이 오는 것은 아닙니다. 본문의 말씀을 주의 깊게 보십시오.

> "예수께서 이르시되 너희가 사람의 미혹을 받지 않도록 주의하라
> 많은 사람이 내 이름으로 와서 이르되 내가 그라하여 많은 사람
> 을 미혹할리라 난리와 난리의 소문을 들을 때에 두려워하지 말라
> 이런 일이 있어야 하되 아직 끝은 아니니라 민족이 민족을 나라가
> 나라를 대적하여 일어나겠고 곳곳에 지진이 있으며 기근이 있으
> 리니 이는 재난의 시작이니라"(막 13:5-8).

이것이 마지막 재난의 '시작'이라고 했습니다. 그래서 이 장의 제

목을 '마지막의 시작'이라고 정했습니다. 우선 우리는 '마지막'이라는 개념을 성경적인 의미에서 바르게 이해할 필요가 있습니다.

언제부터가 마지막입니까? 히브리서 1장 1-2절에서는 "옛적에 선지자들을 통하여 여러 부분과 여러 모양으로 우리 조상들에게 말씀하신 하나님이 이 모든 날 마지막에는 아들을 통하여 우리에게 말씀하셨으니"라고 했습니다. 구약 시대에는 여러 가지 모양으로 선지자를 통해서 말씀하시던 하나님께서 역사의 마지막에 예수님을 보내셨다는 것입니다. 그러니까 '마지막'은 예수님께서 이 땅에 오셨을 때부터 시작된 것입니다. 우리는 아무리 오래 살아도 100년 정도밖에는 살지 못하여 짧은 시간 간격 안에서 역사를 바라보지만, 역사 전체를 놓고 볼 때 그 마지막이라는 것은 예수님이 오셨을 때부터 시작되었습니다. 그때부터 마지막이 시작되었으니, 지금은 마지막 중에서도 마지막일지 모릅니다. 신앙의 선배들이 자주 사용하던 '말세지말'(末世之末)이라는 표현대로 지금이 그때일지 모르겠습니다.

마지막 때의 징조를 알라

본문에는 마지막 때의 징조들이 나옵니다. 그 징조들은 예수님의 재림 직전에만 나타나는 것이 아니라, 어느 시대에나 있는 것입니다. 어느 시대에나 이런 징조들이 있는데, 예수님의 재림이 가까울

수록 빈도수가 많아지고 규모가 커집니다. 그래서 역사의 마지막에는 창세 이후에 없었던 커다란 환난이 찾아옵니다. 마가복음 13장 19절에서는 창세 이후에 이런 환난이 없었다고 말하며, 대환난이라고 불리는 커다란 환난이 지구상에 찾아오리라고 말씀합니다. 그다음 24절은 "그때에 그 환난 후 해가 어두워지며 달이 빛을 내지 아니하며"라고 말씀하며, 26절에는 "그때에 인자가 구름을 타고 큰 권능과 영광으로 오는 것을 사람들이 보리라"라고 기록되어 있습니다. 역사의 마지막 징후들이 여기저기서 나타나다가 시간이 갈수록 가속화되며 많아질 것입니다. 그러다가 마지막 큰 환난이 온 후에, 드디어 예수님이 오실 것입니다. 이것이 마가복음 13장에서 전개하고 있는 역사의 종말적 패턴입니다.

존 F. 케네디(John Fitzgerald Kennedy)가 미국의 대통령이 되었을 때 백악관에 첫 번째 손님으로 찾아갔던 사람은 빌리 그레이엄(Billy Graham) 목사였습니다. 케네디는 빌리 그레이엄에게 이런 질문을 던졌습니다.

"목사님, 역사는 어디로 가고 있습니까?"

이때 그는 "역사는 예수 그리스도의 재림을 향해서 흘러가고 있습니다"라고 대답했습니다.

정치인으로서는 별로 와닿지 않는 대답이었을 것입니다. 종교인의 상투적인 대답이라고 생각했을지 모릅니다. 그럼에도 불구하고 빌리 그레이엄 목사의 대답은 역사의 진실입니다. 거짓을 전하지 않는 성경은 역사가 그렇게 흘러가고 있다고 기록하고 있습니다.

그 마지막을 알리는 징조로서, 본문에는 세 가지 대표적인 징조가 기록되어 있습니다.

종교적 미혹이 증가된다

첫 번째 징조는, 종교적 미혹의 증가입니다.

> "예수께서 이르시되 너희가 사람의 미혹을 받지 않도록 주의하라 많은 사람이 내 이름으로 와서 이르되 내가 그라 하여 많은 사람을 미혹하리라"(막 13:5-6).

종교적으로 우리를 미혹하는 이단이 자꾸만 많아지고, 그 교주들은 "나는 그리스도다, 나는 메시아다"라고 말할 것입니다. 사탄이 어떤 사람을 사주해서 자신이 메시아라고 말하게 할 수도 있고, 세상이 불안해지는 가운데 자신이 메시아라고 착각하는 정신적 환자가 많아질 수도 있습니다.

역사 속에는 언제나 가짜 그리스도, 적그리스도가 있었습니다. 성경에는 적그리스도가 많이 출현할 것이라고 되어 있는데, 역사의 마지막에 가면 다수의 가짜 메시아가 아니라 유일한 권위를 지닌 한 명의 적그리스도가 출현하게 될 것이라고 말씀합니다. 마귀의 평생소원이 무엇입니까? 예수님을 모방하는 것입니다. 예수님은 하나님의 아들인데 사람의 몸을 입고 오셨습니다. 마귀의 소원도 예수님처럼 사람의 모습으로 나타나는 것입니다. 성경은 이렇게 그리스도를 절묘하게 가장한 존재, 적그리스도가 세계적 영향을 끼치며 출현할 것이라고 예언하고 있습니다. 역사는 그렇게 가고 있습니다. 종교적 미혹은 계속 증가될 것입니다.

극심한 사회적 혼란이 야기된다

두 번째 징조는, 사회적 혼란입니다. 특히 전쟁의 증가를 들 수 있습니다.

> "난리와 난리의 소문을 들을 때에 두려워하지 말라 이런 일이 있어야 하되 아직 끝은 아니니라"(막 13:7).

난리와 난리의 소문을 듣는다는 것은 전쟁이 빈번히 일어난다는 뜻입니다. 역사를 보면 언제나 전쟁이 있었습니다. 지난 5천5백 년의 역사를 확인해 보아도 그동안 무려 1만 4천여 회의 전쟁이 발발했습니다. 매년 2.6회씩 발생한 셈입니다. 그러나 실제로는 시대가 흘러갈수록 전쟁의 발발 빈도가 높아져 가고 있습니다. 전쟁의 규모도 더 커지고, 파괴력도 엄청나게 증가했습니다.

한 조사에 의하면, B.C. 54년에 전쟁이 일어나 적군 한 사람을 죽이는 데 드는 비용은 75센트였다고 합니다. 그런데 나폴레옹 시대에 적군 한 사람을 죽이는 데 드는 비용은 3천 달러였다고 합니다. 제1차 세계대전 때는 2만 5천 달러, 제2차 세계대전 때는 20만 달러의 비용이 들었다고 합니다. 미래 학자들은 제3차 세계대전 때 한 사람의 적군을 죽이는 데 최소한 100만 달러 이상이 들 것이라 예상하고 있습니다.

흥미로운 것은, 1990년대에 들어서면서 공산주의가 무너지고 동구권이 무너지게 된 것입니다. 동서 냉전주의가 해체되면서 학자들은 이제 공산주의가 무너졌기 때문에 세계에는 영구적 평화의 시대, 유토피아가 찾아올 것이라고 말했습니다. 그러나 이것은 허구였습니다. 동서의 냉전 구조는 해체되었지만, 그 대신 세계 곳곳에서 국지적 전쟁이 더 많이 발발했으며, 지난 2022년에 시작된 러시아와 우크라이나의 전쟁이나 2023년에 시작된 이스라엘과 팔레스타인의 전쟁만 보아도 그 규모와 위중함이 더욱더 커지고 심각해진 것을 알 수 있습니다.

아마겟돈 전쟁을 향한 역사의 흐름이 이어지고 있습니다. 인간은 평화를 사모하지만, 평화에 대한 집요한 노력에도 불구하고 평화는 그렇게 쉽게 찾아오지 않을 것입니다. 하나님의 아들, 그리스도가 오시기 전까지 진정한 평화는 없을 것입니다.

역사는 그 마지막 전쟁을 향해서 가고 있다고 성경은 말씀합니다. 전쟁의 빈도가 잦아지고 그 규모가 커지는 것을 보며 우리는 깨어나야 합니다. 마지막 때가 가까워지고 있다는 사실을 기억하십시오.

자연 재해가 빈번히 발생한다

그다음 세 번째 징조는, 자연 재해입니다.

> "민족이 민족을, 나라가 나라를 대적하여 일어나겠고 곳곳에 지진이 있으며 기근이 있으리니 이는 재난의 시작이니라"(막 13:8).

시간이 갈수록 지진의 발생 빈도수가 증가하고 있습니다. 18세기에 일어났던 지진이 640회였는데, 19세기에는 2,119회나 일어났습니다. 더욱 놀라운 것은, 20세기에는 지진의 횟수가 2만 번, 약 열 배가 증가했습니다. 크고 작은 지진들이 세계 도처에서 일어났습니다.

기근은 어떻습니까? 멀리 가지 않아도 허리가 잘린 우리 한반도 위쪽의 북녘땅에 참담한 기근 사태가 벌어지고 있습니다. 수백만 이상의 동포가 먹지 못해 죽었습니다. 우리는 이렇게 편안히 살고 있지만, 수백만 명이 굶어 죽었다는 사실을 잊지 마십시오. 지금 이 순간에도 북한의 소년, 소녀들이 주린 배를 움켜쥔 채 방황하고 있다는 사실을 잊지 마십시오.

이러한 기근의 심각한 사태와 그 빈도수는 우리에게 무엇을 말해 줍니까? 바람이 불고 번개와 벼락이 치면 큰비가 내릴 것을 예상할 수 있습니다. 그렇다면 그 대비를 해야 마땅하지 않겠습니까? 이런 일련의 징조들을 보았다면, 우리는 마땅히 마지막을 준비해야 옳습니다. 당신은 이 마지막을 어떻게 준비하고 있습니까?

비밀스러운 마지막 때를 생각하라

우리는 마지막 때의 비밀을 이해해야 합니다.

> "그러나 그날과 그때는 아무도 모르나니 하늘에 있는 천사들도,
> 아들도 모르고 아버지만 아시느니라"(막 13:32).

그날과 그때는 아무도 모른다고 하셨습니다. 1992년에 다미선교
회 사건이 있었을 때 그 안에 있던 한 사람을 만났는데, 그때 그에
게 이 말씀을 보여 주었습니다. 그랬더니 "목사님, 잘 보세요. 그날
과 그때를 모른다고 했지, 그 연도와 달을 모른다고 하지 않았습니
다"라고 말하는 것입니다. 그러니까 1992년 10월까지는 알 수 있
다고 주장하는 것입니다. 어떻게 성경을 그렇게 궤변적으로 해석
할 수 있습니까? 이와 같은 주장에 동조하는 사람들이 더 희한하
게 생각됩니다.

성경에는 분명히 그 정확한 시간 설정에 관한 내용은 비밀이며,
우리는 알 수 없다고 되어 있습니다. 심지어 하나님의 아들, 예수
님도 모르신다고 했습니다. 육신을 입고 오신 예수님에게도 그 시
간은 비밀이라고 했습니다. 왜 그 마지막 때를 비밀로 하셨을까요?
이어지는 말씀을 보십시오.

> "주의하라 깨어 있으라 그때가 언제인지 알지 못함이라 가령 사람

이 집을 떠나 타국으로 갈 때에 그 종들에게 권한을 주어 각각 사무를 맡기며 문지기에게 깨어 있으라 명함과 같으니 그러므로 깨어 있으라 집주인이 언제 올는지 혹 저물 때일는지, 밤중일는지, 닭 울 때일는지, 새벽일는지 너희가 알지 못함이라 그가 홀연히 와서 너희 자는 것을 보지 않도록 하라 깨어 있으라 내가 너희에게 하는 이 말은 모든 사람에게 하는 말이니라 하시니라"(막 13:33-37).

한 주인이 먼 곳으로 떠나면서 종들에게 집도 맡기고, 살림도 맡기고, 사업도 맡겼습니다. 그러면서 "깨어 있어라. 내가 반드시 돌아와서 확인해 볼 것이다"라고 말했습니다. 주인이 언제 오는지는 아무도 모르지만, 반드시 올 것입니다. 주인은 왜 그렇게 말했을까요? 자신이 언제 오는지를 알리고 가면, 종들은 열심히 하지 않다가 오기 직전에 열심히 할 것입니다.

인간의 우둔함과 나태함을 잘 아는 주님은 그날을 비밀로 하셨습니다. 그날이 오늘일 수도 있다는 심정으로 살도록 하시기 위함입니다. 주님은 내일 오실 수도 있고, 오늘 밤에 오실 수도 있습니다. 오늘 밤에 오신다면 준비하고 있어야 합니다. 이것이 바로 '종말론적 삶의 자세'입니다. 종말론적 삶의 자세는 모든 생활을 내버리고 산속에 있는 기도원으로 가는 것이 아니라, 주님이 오늘 오실 수도 있다는 생각으로 주님 앞에 부끄럽지 않도록 살아가기 위해 가정생활이나 직장 생활을 단정하고 규모 있고 질서 있게 하는 것입니다. 주님이 어느 순간에 부르셔도 부끄럽지 않도록 깨어 살아가는 것이 바로 종말론적 삶의 자세입니다. 이렇게 깨어 있는 삶을 살아야 합니다.

한 유명한 문학가인 집사님이 폐암 진단을 받았습니다. 까맣게 모르고 있었는데, 입원실 밖에서 식구들이 말하는 이야기를 듣고 자신이 살 수 있는 시간이 6개월밖에 남지 않았다는 것을 알게 되었습니다. 그러나 이분은 믿음을 가지고 있었기에 그 사실로 인해 공포에 떨지 않았습니다. '6개월 동안 죽음을 준비해야지. 내가 제대로 인생을 마쳐야지' 생각하고 열심히 준비를 시작했습니다. 빚을 갚기도 하고, 서먹서먹했던 사람들을 찾아가 오해를 풀기도 했으며, 그 사람들과 화해하고 저녁 식사를 하기도 했습니다. 자녀들과 대화의 시간도 많이 가졌고, 자기가 하고 싶었던 일을 해 보기도 했습니다. 그렇게 자기 주변을 정리해 가기 시작했습니다.

그런데 시간이 흘러도 병이 악화되지 않았습니다. 주위 사람들은 다른 병원에 가서 다시 검사해 보라고 했습니다. 다른 병원에 가서 검사해 보니 암이 아니었습니다. 오진이었던 것입니다. 사람들은 그분에게 억울하지 않으냐고 물었습니다. 정리하느라 그동안 돈도 많이 쓰고 마음고생도 많이 했을 텐데 손해 본 것이라고 했습니다. 그러자 그 집사님은 아니라며 이렇게 말했습니다.

"지금까지 살면서 지난 6개월처럼 진지하게 산 적이 없었습니다. 남은 날들도 그런 마음으로 살고 싶습니다."

참으로 진지하게 하루하루 자신의 삶을 결산하는 마음으로 살아가는 것이 바로 종말론적 삶의 자세입니다. 그래서 로마의 한 지혜로운 왕은 신하들이 자신을 문안할 때마다 신하들에게 이렇게 인사할 것을 명했다고 합니다.

"폐하, 죽음을 기억하십시오."

생명이 끝나는 날이 온다는 사실을 기억하고 자신의 죽음을 준비하는 지혜로운 지도자입니다.

당신은 마지막을 준비하면서 오늘을 살고 있습니까? 제2차 세계대전 때 맥아더(Douglas MacArthur) 장군은 남태평양 필리핀 군도 사람들에게 "나는 다시 돌아온다"라는 유명한 말을 남기고 떠났습니다. 그리고 그는 그 약속을 지켜서 다시 돌아왔습니다. 일제 치하의 식민지에서 허덕이는 사람들을 해방하는 선물을 안고 다시 돌아왔습니다.

존경받는 사람도 자신의 약속을 지킬 수 있다면, 우리가 하나님의 아들인 예수 그리스도의 약속을 신뢰하는 것은 지극히 당연합니다. 그분에 관한 성경의 예언은 하나도 거짓이 없습니다. 그 많은 비평과 공격 가운데서도 생명력이 계속되는 성경의 권위로 말씀하신 "나는 다시 돌아올 것이다"라는 약속을 믿습니다. 그분은 영광 가운데 다시 오실 것입니다. 다시 오시는 그날을 바라보는 우리에게 던져지는 가장 중요한 질문은 이것입니다.

'당신은 준비되어 있습니까? 무슨 준비를 하고 있습니까?'

다시 온다고 약속하신 주님은 성령을 통해서 우리의 마음 문을 두드리고 계십니다. 우리가 회개하고 죄를 떠나 예수 그리스도를 구세주로 영접하고 그분을 주님으로 모신 구원의 삶을 살도록 마음 문을 두드리고 계십니다. 예수 그리스도께서는 우리가 예수님을 우리 마음에 구세주와 주님으로 영접하고 다시 오실 그 주님을 바라보며 그 뜻을 따라 하루하루를 살아가기 원하십니다. 주님이 언제 부르시든, 주님 앞에 나아가는 순간에도 우리의 삶이 부끄럽지 않도록 오늘 깨어 준비하는 삶을 살아야 합니다. 그분은 곧 다시 오실 것입니다.

주님은 내일 오실 수도 있고,

오늘 밤에 오실 수도 있습니다.

오늘 밤에 오신다면 준비하고 있어야 합니다.

이것이 바로 '종말론적 삶의 자세'입니다.

"이틀이 지나면 유월절과 무교절이라 대제사장들과 서기관들이 예수를 흉계로 잡아 죽일 방도를 구하며 이르되 민란이 날까 하노니 명절에는 하지 말자 하더라 예수께서 베다니 나병 환자 시몬의 집에서 식사하실 때에 한 여자가 매우 값진 향유 곧 순전한 나드 한 옥합을 가지고 와서 그 옥합을 깨뜨려 예수의 머리에 부으니 어떤 사람들이 화를 내어 서로 말하되 어찌하여 이 향유를 허비하는가 이 향유를 삼백 데나리온 이상에 팔아 가난한 자들에게 줄 수 있었겠도다 하며 그 여자를 책망하는지라 예수께서 이르시되 가만두라 너희가 어찌하여 그를 괴롭게 하느냐 그가 내게 좋은 일을 하였느니라 가난한 자들은 항상 너희와 함께 있으니 아무 때라도 원하는 대로 도울 수 있거니와 나는 너희와 항상 함께 있지 아니하리라 그는 힘을 다하여 내 몸에 향유를 부어 내 장례를 미리 준비하였느니라 내가 진실로 너희에게 이르노니 온 천하에 어디서든지 복음이 전파되는 곳에는 이 여자가 행한 일도 말하여 그를 기억하리라 하시니라 열둘 중의 하나인 가룟 유다가 예수를 넘겨주려고 대제사장들에게 가매 그들이 듣고 기뻐하여 돈을 주기로 약속하니 유다가 예수를 어떻게 넘겨줄까 하고 그 기회를 찾더라"(막 14:1-11).

19

칭찬받은
낭비

감춰 둔 가장 값진 옥합을
깨뜨리라

절약이냐, 낭비냐

절약은 성경적인 미덕입니다. 성경은 절약의 중요성을 가르칩니다. '오병이어'의 기적이 일어났던 곳에서 예수님은 제자들에게 다 거두어 남는 것이 없도록 하라고 말씀하셨습니다. 그래서 그들은 열두 바구니가 넘도록 남는 것들을 거두었습니다.

칼빈은 이 본문을 통해 저축과 절약의 정신을 배울 수 있다고 했습니다. 남는 것이 없도록 잘 거두고 모으는 것이 중요하다는 것입니다. 그는 저축 정신이 기독교적이고 성경적이라고 했습니다.

'사랑과 희락과 화평과 오래 참음과 자비와 양선과 충성과 온유와 절제'로 나타나는 성령의 열매의 마지막에 절제가 있습니다. 그래서 기독교는 '성령께서 함께하신다면 우리의 삶 속에 절제가 있어야 한다'며 강조했습니다. 기독교 선교 기관 가운데 대한기독교여자절제회가 있기도 합니다. 우리의 개화기에 해당하는 근대사에 있어서 YMCA나 YWCA 운동이 절제의 중요성을 가르쳐 왔다는 것은 기독교의 자랑이 아닐 수 없습니다.

그러나 모든 원칙에 예외가 있을 수 있다는 사실을 생각해 볼 필요가 있습니다. 예외적인 상황을 모두 무시해 버리고 원칙만을 극단적으로 강조하면 율법주의가 되어 버릴 수 있습니다. 때로는 '파격'에서 발생하는 아름다움과 그것을 허용하는 융통성이 필요합니다. 그러한 의미에서 때로는 낭비가 미덕이 될 수 있는 경우를 생각해 보려고 합니다.

언제나 근검절약하며 대단히 검소하게 살아왔던 부부가 있다고 가정해 보십시오. 어느 날 아내의 생일을 맞았습니다. 남편이 생각해 보니 자기를 위해 수고하고 고생한 아내에게 고맙고도 미안한 마음이 들어, 사랑하는 아내를 격려하고자 오랜만에 근사한 레스토랑에 가서 함께 낭만적인 저녁 식사를 했습니다. 이것을 낭비라고 할 수 있겠습니까? 아닙니다. 이것은 낭비라고 할 수 없습니다. 우리나라의 모든 남자에게 이렇게 생각할 수 있는 여유가 있으면 좋겠습니다.

이런 경우도 있을 수 있습니다. 한평생을 근검절약하며 살아온 사람이 은퇴한 후에 직장에서 신세 졌던 사람들과 고마웠던 이웃들, 친구들을 다 초청해서 성대한 은퇴연을 베풀고 그들에게 일일이 감사의 마음을 표시했다고 가정해 보십시오. 이것이 낭비일까요? 이런 경우를 낭비라고 말하고 싶지는 않습니다. 굳이 말한다면 이런 표현이 가능할지 모르겠습니다.

'아름다운 낭비.'

한 여인의 낭비를 칭찬하신 예수님

이러한 사건을 성경에서 보고자 합니다. 이 사건의 시점에 대해 본문은 이렇게 말씀합니다.

> "이틀이 지나면 유월절과 무교절이라 대제사장들과 서기관들이 예수를 흉계로 잡아 죽일 방도를 구하며"(막 14:1).

이스라엘 최대의 명절인 유월절을 앞두고 그 사회를 대표하는 정치 지도자, 종교 지도자들은 예수를 죽이려는 음모에 몰두하고 있었습니다. 그런데 이어지는 말씀을 보면, 만약 명절에 예수를 체포하면 민란이 발생할 것을 그들이 두려워하고 있었다는 것을 알게 됩니다.

> "이르되 민란이 날까 하노니 명절에는 하지 말자 하더라"(막 14:2).

그 당시 예수님은 인기가 있었습니다. 서민들에게 용기와 희망을 주었던 예수를 체포하면 민중이 난리를 일으킬 것이니 명절이 끝난 후에 하자는 것입니다. 예수님을 향해 죽음의 검은 그림자가 가까이 다가오고 있던 바로 그 시각, 한 여인이 예수님께 귀한 것을 바친 아름다운 일이 있었습니다.

> "예수께서 베다니 나병 환자 시몬의 집에서 식사하실 때에 한 여자가 매우 값진 향유 곧 순전한 나드 한 옥합을 가지고 와서 그 옥합을 깨뜨려 예수의 머리에 부으니"(막 14:3).

이 사건이 일어난 장소는 어디였습니까? 베다니 마을의 나병 환자 시몬의 집이었습니다. 시몬이라는 사람은 누구일까요? 시몬이라는 이름 앞에는 '나병 환자'라는 말이 붙어 있습니다. 그 당시 나병(한센병)은 불치의 병이었습니다. 오늘날의 후천성면역결핍증(AIDS) 이상으로 절망을 안겨 주는 병이었습니다. 아마도 이 사람은 예수님을 만난 후에 병을 고침 받은 기적을 체험했을 것입니다. 그래서 너무도 감사하여 예수님을 모시고 은혜의 잔치를 열었을 것입니다. 그러나 이 사람의 이름 앞에 나병 환자라는 호칭은 여전히 따라다니고 있습니다.

그런데 이와 동일한 사건을 기록하고 있는 요한복음 12장에는 마리아, 마르다, 나사로가 등장합니다. 마가의 입장에서 기록된 마가복음의 14장에는 마리아와 마르다, 나사로의 이름이 없는 반면에,

요한복음 12장에는 이들이 있었다고 기록되어 있습니다. 마리아와 마르다, 나사로는 오누이입니다. 그러면 이들과 나병 환자 시몬은 어떤 관계가 있을까요? 같은 베다니 마을에 살았으니 서로 잘 아는 사이였을 것입니다. 서로 인척 관계는 아니었다 해도 같은 마을에 사는 사람들로서, 두 가정의 가족들이 모두 예수님의 은혜를 체험하고 그분을 사랑했음에 틀림없습니다.

이렇게 예수님의 은혜를 입은 사람들이 예수님을 모시고 잔치를 벌이고 있었습니다. 잔치 중간에 한 여자가 매우 값진 향유 한 옥합을 가지고 나왔습니다. 동일한 사건을 기록하고 있는 요한복음 12장에는 이 여자의 이름이 '마리아'라고 기록되어 있습니다. 이 여인이 예수님 앞으로 다가오더니 옥합을 깨뜨려 인도산 향유인 나드를 예수님의 머리에 부었습니다. 그러자 그 향유는 예수님의 발등으로 흘러내렸고, 여인은 자신의 머리카락으로 예수님의 발을 씻었습니다. 이때 이런 놀라운 장면을 보면서 흥분한 사람들이 있었습니다.

"어떤 사람들이 화를 내어 서로 말하되 어찌하여 이 향유를 허비하는가"(막 14:4).

그들은 이런 고급 향유를 어떻게 이렇게 낭비할 수 있느냐고 했습니다. 그러면서 말했습니다.

"이 향유를 삼백 데나리온 이상에 팔아 가난한 자들에게 줄 수 있었겠도다 하며 그 여자를 책망하는지라"(막 14:5).

요한복음 12장을 보면, 이렇게 이 여인을 책망하고 비난하는 대표적인 사람이 가룟 유다입니다. 얼핏 보면 가룟 유다의 말이 일리 있다고 생각되기도 합니다. 그 당시 평범한 노동자의 하루 품삯은 한 데나리온이었습니다. 300데나리온이면 거의 1년 치 품삯입니다.

"그러한 고급 향유를 판 돈으로 가난한 사람을 구제할 수 있지 않겠느냐?"

설득력이 있는 말입니다. 그러나 예수님은 그의 마음 밑바닥에 숨겨진 의도를 보고 계셨습니다. 그래서 그를 칭찬하지도, 그의 편에 서지도 않으셨습니다. 예수님은 오히려 이 여인의 편에 서셨습니다. 그리고 재미있는 이야기를 하셨습니다.

"예수께서 이르시되 가만두라 너희가 어찌하여 그를 괴롭게 하느냐 그가 내게 좋은 일을 하였느니라"(막 14:6).

예수님은 "그가 내게 좋은 일을 하였느니라"라고 말씀하셨습니다. 우리말로 된 번역에는 '좋은 일'이라고 되어 있는데, 원문에는 '아름다운 일'을 했다고 나와 있습니다. '좋은 일'을 보다 적절한 표현으로 바꾸면 '아름다운 일'이라 할 수 있습니다.

표면적으로 보면 그녀는 지극히 낭비적인 일을 했습니다. 그러나 주님은 이 여인이 아름다운 낭비를 했다고 말씀하십니다. 이것은 역설적인 표현이지만, 이 '낭비의 사건'을 칭찬하면서 아름답다고 말씀하신 이유가 무엇이었을까요?

무엇이라도 드릴 수 있는 사랑

첫째, 그녀의 행동에는 아름다운 동기가 있었습니다. 그녀의 마음 깊은 곳에는 사랑의 동기가 있었습니다. 주님은 그것을 보셨습니다. 사랑의 동기는 언제나 계산을 초월해서 움직입니다. 사랑에 빠진 사람들을 보십시오. 그들은 계산하지 않습니다. 여전히 계산하고 있다는 것은 아직도 사랑하지 않고 있다는 증거입니다.

한때 사랑에 빠져 있던 당신의 모습을 생각해 보십시오. 사랑하는 사람과 함께하던 시간이 아까웠습니까? 한밤을 지새우고도 더 함께 있지 못해 아쉬워하는 것이 사랑입니다. 진정으로 사랑하는 사람들은 사랑하는 이를 위해 쓰는 시간을 낭비로 생각하지 않습니다. 사랑하는 이를 위해 어떤 것을 소모해도 그것을 낭비라 여기지 않습니다. 사랑에 빠져 있는 사람들을 관찰해 보십시오. 분명 사랑은 모든 계산을 초월합니다. 사랑은 때때로 사람을 눈멀게도 합니다. 사랑이라는 것은 이성적으로 이해하기 힘든 사건입니다. 사랑은 인간을 맹목적으로 만들고, 모든 대가를 초월하게 만듭니다.

이 사건을 가장 신랄하게 비판했던 가룟 유다를 생각해 보십시오. 그는 이 향유의 값이 얼마라고 했습니까? 300데나리온이라고 했습니다. 1년 동안 노동을 하고 얻을 수 있는 정도의 돈입니다. 그 것을 가지고 가난한 사람을 구제하는 데 얼마나 요긴하게 쓸 수 있는지 아느냐는 말은 얼마나 합리적입니까?

그러나 요한복음 12장은 이렇게 말하는 가룟 유다를 '도둑'이라고 말씀합니다. 사실은 다른 동기가 있었다는 것입니다. 겉으로는 합리적이고 정의로운 주장을 내세우지만, 그의 마음 깊은 곳에 숨어 있는 이기적인 동기를 예수님은 보셨습니다. 헌신적인 그리스도인을 정신 나간 사람이라고 비판하는 사람들에게 이러한 마음이 숨겨져 있습니다. 자신은 헌신하기 싫고, 자신의 것은 드리고 싶지 않은 것입니다. 그러나 사랑으로 이러한 모든 계산을 초월할 수 있습니다.

사랑으로 유명한 고린도전서 13장에서 바울은, "내가 천사의 아름다운 말과 대단히 설득력 있는 말을 할지라도 사랑이 없으면 아무것도 아니다. 내가 비밀스러운 것들을 알고 있고, 나에게 다른 사람들은 알지 못하는 탁월한 정보와 지식이 있어도 사랑이 없으면 나는 아무것도 아니다. 순교하는 자리에 나를 던진다 할지라도, 수 없이 많은 가난한 사람을 돕는다 할지라도 그것이 사랑이 아니라면 아무것도 아니다"라고 말했습니다. 주님이 가장 귀하게 평가하시는 것은 '사랑의 마음'입니다. 주님은, 사랑의 마음으로 하는 것은 아름다운 일이라고 말씀하십니다. 그 여인의 낭비에 가까운 행동을 칭찬하셨던 이유는, 그녀에게 있는 아름다운 사랑의 동기 때문이었습니다.

소중한 기회를 놓치지 않았던 순종

둘째, 그녀는 아름다운 기회를 포착했습니다. 이 여인은 이것이 주님께 봉사할 수 있는 그리고 사랑을 표현할 수 있는 마지막 기회일지 모른다고 생각했습니다. 놓칠 수 없는 그 기회를 포착했습니다. 아름다운 기회를 놓치지 않았던 것이 주님의 눈에 귀하게 보였던 것입니다. 그런데 이 여인은 이것이 마지막 기회라는 것을 어떻게 알았을까요? 주님도 이 사실을 인정하셨습니다.

> "그는 힘을 다하여 내 몸에 향유를 부어 내 장례를 미리 준비하였느니라"(막 14:8).

예수님은 이 여인이 당신의 장사를 미리 준비했다고 말씀하셨습니다. 이 여인이 어떻게 알았을까요? 여인 특유의 직관인지도 모릅니다. 하나님은 여성에게 특유의 직관을 주셨습니다. 칼빈은 이것을 '성령의 인도하심'이라고 말했습니다. 성령님의 인도하심을 통해서 주님의 죽음이 가까이 왔다는 것을 알았을지 모릅니다. 그리고 이 놓칠 수 없는 기회에 사랑하는 주님께 자신의 섬김을 드리고 사랑을 표현하자고 생각했던 것입니다. 그렇다면 이것은 아름다운 일입니다. 우리는 할 수 있을 때 헌신하고, 봉사해야 합니다.

고위 관료였던 한 성도를 방문한 적이 있습니다. 반신불수가 되어 누워 있던 그가 제 손을 잡고 눈물을 흘리며 말했습니다.

"목사님, 지금 제 소원은 두 가지입니다. 교회에 한 번만 더 나가서 예배드렸으면 좋겠습니다. 그리고 교회에서 봉사하다가 죽게 된다면 아무런 여한이 없겠습니다. 교회에서 봉사하고 죽었으면 좋겠습니다."

그 성도가 건강했을 때는 봉사하라고 권면했지만 듣지 않았습니다. 봉사와 헌신은 할 수 있을 때 해야 합니다. 제가 20대 때 한 부흥회에서 강사 목사님을 통해 이런 말씀을 들었습니다.

"'봉사하십시오'라고 하면 '차차 봉사하죠'라고 말하는 사람들이 있습니다. '헌신하십시오' 하면 '차차 헌신하죠' 하는 사람들이 있습니다. 그런데 여러분, 지옥이 어떤 곳인지 아십니까? '차차 믿죠, 차차 봉사하죠, 차차 헌신하죠' 했던 사람들이 '아차차' 하는 곳이 지옥이랍니다."

기회를 놓쳐서는 안 됩니다. 고대 그리스의 도시였던 시칠리아 섬의 시라쿠사 거리에는 동상이 하나 서 있는데, 앞머리는 무성한 반면 뒷머리는 대머리인데다가 발에는 날개가 달린 이상한 모습을 하고 있다고 합니다. 그리고 그 동상 아래에는 이런 글귀가 새겨져 있다고 합니다.

"나의 앞머리가 무성한 이유는 사람들로 하여금 나를 쉽게 붙잡을 수 있도록 하기 위함이고, 뒷머리가 대머리인 이유는 내가 지나가면 사람들이 다시는 붙잡지 못하도록 하기 위함이며, 발에 날개가 달린 이유는 최대한 빨리 사라지기 위함이다. 나의 이름은 '기회'(opportunity)다."

기회는 지나갑니다. 그렇기에 헌신할 수 있을 때, 봉사할 수 있을 때, 사랑할 수 있을 때 행하는 것은 매우 중요합니다.

성령님이 주신 기회를 그 여인은 놓치지 않았습니다. 그리고 즉각적으로 순종했습니다. 아름다운 기회를 포착한 것입니다. 그래서 주님은 아름다운 일이라고 말씀하셨습니다.

온전히 최선을 다했던 헌신

낭비에 가까운 그 행동을 칭찬하신 이유가 또 하나 있습니다. 마리아는 아름다운 최선을 다했습니다. 그녀는 생각했을 것입니다.

'내가 어떻게 주님을 기쁘시게 해 드릴 수 있을까? 돈으로 선물을 할까, 아니면 말로 기쁘게 해드릴까?'

그런데 이렇게 생각만 하다가 그쳤습니까? 아닙니다. 무엇을 해드리면 좋을지 생각하다가 어느 순간 깊숙이 감춰 둔 옥합이 생각났습니다. 어쩌면 그 옥합은 그녀의 결혼 준비를 위해서 소중히 장만해 둔 것이었는지도 모릅니다. 그렇지만 그 소중한 옥합을 가지고 와 그것을 깨뜨렸습니다.

옥합은 고급 향유가 들어 있을 뿐 아니라, 위에서부터 뚜껑을 조심히 열어야 하는 값진 물건이었습니다. 이런 옥합을 들고 와 향유를 조금만 부어도 그것은 주님께 드릴 수 있는 아름다운 사랑의 표현이었을 것입니다. 뚜껑을 열어 향유를 다 붓고 그 옥합을 다시 사용할 수도 있었을 것입니다. 그 옥합 자체도 비싼 것이었기 때문입니다. 그러나 그렇게 하지 않았습니다. 옥합 전체를 아낌없이 깨뜨렸습니다. 결정적으로 중요한 순간, 결정적으로 중요한 단 한 사람을 위해서만 향유를 쓰고자 할 때 사람들은 옥합의 중간 부분을 깨뜨려 사용했습니다. 그러면 옥합은 다시는 다른 목적으로 쓰일 수 없게 됩니다. 오직 이 사람에게만, 오직 이 목적을 위해서만 옥합을 깨뜨리고 향유를 붓는 것입니다.

당신은 사랑하는 주님께 최선을 다해서 자신의 모든 것을 드렸던 이 여인의 '헌신의 마음'이 이해됩니까? 그것은 그녀의 모든 것이고 최선이었습니다. 그 최선을 드리고 싶어 했던 것입니다. 주님은 그 헌신의 의미를 아셨습니다. 그래서 어떻게 말씀하셨습니까? "그는 힘을 다하여"(막 14:8)라고 말씀하셨습니다. 그것이 그 여인이 할 수 있는 최선이라는 것을 주님은 알고 계셨습니다.

주님은 우리가 할 수 없는 것들을 요구하지 않으십니다. 할 수 있는 것이 무엇이냐고 물으실 뿐, 가지고 있지 않은 것을 내놓으라고 요구하지 않으십니다. 당신이 가지고 있는 것은 무엇입니까? 당신이 주님께 드릴 수 있는 것은 무엇입니까? 당신의 최선은 무엇입니까? 그리스도인의 헌신은 '내가 가진 모든 것을 드리는 것'이어야 합니다.

앞에서도 말했지만, 십일조는 10분의 1만을 드리는 것이 아닙니다. 10분의 10을 드리는 것입니다. 십일조는 10분의 10을 상징하는 것입니다. 모든 것이 다 주님의 것인데, 10분의 1을 드리면서 전체가 주님의 것이라고 고백하는 것입니다.

우리는 주일에 예배를 드리지만, 그것이 일주일의 모든 시간을 주님께 바치는 행동은 아닙니다. 우리는 대개 일주일에 하루 혹은 그 하루 중 한 시간만을 드리면 된다고 생각하는데, 그렇지 않습니다. 시간의 한 부분을 드리면서 주님은 모든 시간의 주인이심을 고백해야 합니다. 우리가 주님께 어떠한 것을 드리는 것은 그 전체를 드리는 것의 상징입니다. 그래서 로마서 12장 1절에서는 "그러므로 형제들아 내가 하나님의 모든 자비하심으로 너희를 권하노니 너희 몸을 하나님이 기뻐하시는 거룩한 산 제물로 드리라 이는 너희가 드릴 영적 예배니라"라고 권면하고 있습니다.

저는 리빙스턴(David Livingstone)의 전기에 나오는 이 이야기를 좋아합니다. 리빙스턴이 아프리카의 한 추장을 전도했습니다. 그 추장은 예수님을 믿고 나니 너무나도 감사해서 자신의 마음을 표현하고 싶었습니다. 그는 리빙스턴의 집으로 찾아와서는, "선교사님, 예수님을 믿고 나니 정말로 기쁩니다. 제가 하나님께 감사드리고 싶어서 밀가루를 가지고 왔습니다"라고 말했습니다. 이에 리빙스턴은 대답했습니다.

"죄송하지만, 하나님께서는 밀가루 정도로는 만족하지 않으십니다."

이 말에 추장은 근심하며 돌아갔습니다.

얼마 후에 추장이 다시 백마를 끌고 찾아왔습니다.

"선교사님, 밀가루는 부족하다고 하시니 제가 백마를 드리려고 왔습니다."

리빙스턴은 다시 웃으며 "하나님께서는 백마 정도로 만족하지 않으십니다"라고 말했습니다. 밝고 기대에 찬 얼굴로 왔던 추장은 구겨진 얼굴로 돌아갔다가 또다시 리빙스턴 선교사를 찾아왔습니다.

"이번에는 머리에 꽂는 핀을 가지고 왔습니다. 이 핀은 추장의 권위와 명예를 상징하는 것입니다. 이것이 없으면 저는 시체입니다. 이 머리핀을 하나님께 드리면 될까요?"

그 말을 듣고도 리빙스턴 선교사는 "글쎄요. 하나님께서 그 정도로 만족하실까요?"라고 말했습니다. 그러자 추장은 화가 났습니다.

"이것 가지고도 안 됩니까? 그럼 도대체 무엇을 드릴 수 있단 말입니까? 이제 제게 남은 것은 아무것도 없습니다. 남은 것은 '나'라는 사람밖에 없어요. 나, 나, 나밖에는 남은 것이 없단 말입니다."

이때 리빙스턴 선교사가 말했습니다.

"맞습니다. 바로 말씀하셨어요. 하나님께서는 '자신'을 드리기를 원하십니다."

본문의 여인이 옥합을 깨기 전, 사랑의 주님은 이 여인을 위해서 당신의 옥합을 깨뜨릴 준비를 하셨습니다. 예수 그리스도의 죽으심은 그분의 옥합을 깨뜨리는 것이었습니다. 그분은 십자가에서 당신의 옥합을 아낌없이 깨뜨리셨습니다. 당신의 존재를 깨뜨리면서 우리의 죄를 짊어지셨고, 십자가에서 보배로운 피를 쏟으셨습니다. 우리는 그 피로 죄 사함을 받았고, 그 피로 깨끗함을 얻어 하나님을 아버지로, 예수님을 구주와 주님으로 모시고 살게 되었습니다.

이제는 우리가 우리의 옥합을 깨뜨려야 할 순간입니다. 당신의 옥합은 무엇입니까? 당신이 깨뜨리기를 주저하는 것은 무엇입니까? 시간의 옥합을 깨뜨려 당신의 시간을 주님 앞에 드리십시오. 당신의 이기적인 목적을 위해서만 사용되던 물질의 옥합을 깨뜨려 사랑하는 주님의 발에 부어 보십시오. 우리는 우리의 육신, 우리의 야망, 우리 인생의 목표를 위해서만 달려왔던 '나'라는 존재를 이제 주님 앞에 드리며 "사랑하는 주님, 저를 써 주십시오"라고 기도해야 합니다. 오늘 당신이 깨뜨려야 할 옥합은 무엇입니까?

-

"예수께서 제자들에게 이르시되 너희가 다 나를 버리리라 이는 기록된바 내가 목자를 치리니 양들이 흩어지리라 하였음이니라 그러나 내가 살아난 후에 너희보다 먼저 갈릴리로 가리라 베드로가 여짜오되 다 버릴지라도 나는 그리하지 않겠나이다 예수께서 이르시되 내가 진실로 네게 이르노니 오늘 이 밤 닭이 두 번 울기 전에 네가 세 번 나를 부인하리라 베드로가 힘있게 말하되 내가 주와 함께 죽을지언정 주를 부인하지 않겠나이다 하고 모든 제자도 이와 같이 말하니라 … 베드로는 아랫뜰에 있더니 대제사장의 여종 하나가 와서 베드로가 불 쬐고 있는 것을 보고 주목하여 이르되 너도 나사렛 예수와 함께 있었도다 하거늘 베드로가 부인하여 이르되 나는 네가 말하는 것이 무엇인지 알지도 못하고 깨닫지도 못하겠노라 하며 앞뜰로 나갈새 여종이 그를 보고 곁에 서 있는 자들에게 다시 이르되 이 사람은 그 도당이라 하되 또 부인하더라 조금 후에 곁에 서 있는 사람들이 다시 베드로에게 말하되 너도 갈릴리 사람이니 참으로 그 도당이니라 그러나 베드로가 저주하며 맹세하되 나는 너희가 말하는 이 사람을 알지 못하노라 하니 닭이 곧 두 번째 울더라 이에 베드로가 예수께서 자기에게 하신 말씀 곧 닭이 두 번 울기 전에 네가 세 번 나를 부인하리라 하심이 기억되어 그 일을 생각하고 울었더라"(막 14:27-31, 66-72).

20

베드로의
실패와 회복

말씀과 기도만이
다시 일어나게 한다

자식 문제는 모두 부모 탓?

자녀라는 존재는 부모에게 삶을 살아가는 보람을 주기도 하고, 고통을 주기도 합니다. 자녀들이 부모가 기대하고 기도하는 대로 자라지 않을 때, 부모는 마음속에 커다란 짐을 안게 됩니다. '내가 뭘 잘못해서 자녀들이 이렇게 자라 갈까' 하는 무거운 마음을 갖게 됩니다. 자녀 양육에 있어 부모의 책임이 상당히 중요하고 결정적인 영향을 끼친다는 사실을 새삼스럽게 강조할 필요는 없습니다. 그렇지만 자녀 양육에 실패했다면, 그것은 전적으로 부모만의 책임일까요? 저는 그렇게 생각하지 않습니다. 성경적으로도 그것은 진리가 아닙니다. 자녀는 부모에게 소속된 존재가 아니라 하나님 앞에서 독립된 존재이기 때문입니다.

에덴동산에서 처음 살았던 아담과 하와는 죄에 오염되지 않은 완벽한 환경 속에서 자랐다고 할 수 있습니다. 그들에게 있어서 부모와 같은 존재는 누구였습니까? 하나님입니다. 하나님께서 직접 아담과 하와를 기르셨습니다. 그럼에도 불구하고 아담과 하와는 타락했습니다. 그것은 누구의 책임입니까? 부모와 같은 하나님의 책임입니까? 전혀 그렇지 않습니다. 궁극적으로 자기들의 책임인 것입니다.

또 이런 경우도 있습니다. 예수님에게 교육받았던 제자들을 생각해 보십시오. 그들은 가장 완벽한 스승에게 교육을 받았습니다. 예수님과 직접 말씀을 공부하고, 예수님과 식사도 하고, 예수님과 같이 걸어 다닐 수 있다고 상상해 보십시오. 얼마나 놀라운 일입니까? 그럼에도 불구하고 그 제자 중에는 반역한 가룟 유다가 있었는가 하면, 타락한 제자 베드로도 있었습니다. 이 사실이 저에게 얼마나 위로가 되었는지 모릅니다. 누군가가 "이동원 목사의 설교를 듣는 교인들 가운데도 타락한 사람이 있더라"라고 말해도 저는 할 말이 있습니다. 예수님의 제자 가운데 가룟 유다와 베드로가 있었다는 사실이 얼마나 큰 위로가 되는지 모릅니다.

베드로의 타락과 유다의 반역, 이것은 누구의 책임입니까? 자신들의 책임입니다. 부모의 영향이 아무리 중요하다 해도 인생의 마지막 궁극적인 책임은 자신이 져야 합니다. 그렇다면 부모의 역할은 무엇입니까? 할 수 있을 때 가능한 방법으로 부모가 자녀들의 삶 속에 건강한 영향을 끼쳐 주는 것입니다.

자녀에게 창조 의식을 심어 주는 부모
- 비교 의식으로 인해 실패했던 베드로

우리는 베드로의 실패와 회복에 대해 생각해 보려고 합니다. 베드로를 보며 자녀가 신앙적으로 혹은 인생의 어떤 일에서 실패하게 될 때 그들의 회복을 어떻게 도와줄 수 있는지, 부모가 죄책감 안에 머무르지 않고 어떻게 자녀의 회복을 위해 바람직한 영향을 끼쳐 줄 수 있는지에 대해 알아보고자 합니다.

먼저, 베드로가 실패한 원인에 대해 생각해 보겠습니다. 완벽한 스승 밑에서 교육을 받았음에도 그가 실패하고 타락했던 원인은 어디에 있었을까요? 본문에는 적어도 두 가지 원인이 등장합니다. 첫째는, 비교 의식입니다.

> "베드로가 여짜오되 다 버릴지라도 나는 그리하지 않겠나이다"
> (막 14:29).

본문 27절에서 예수님은 "너희가 다 나를 버리리라"라고 예언하셨습니다. 그때 수제자인 베드로는 "다 버릴지라도 나는 그리하지 않겠나이다"(막 14:29)라고 말했습니다. 자신이 주님을 버리는 일은 있을 수 없는 일이라고만 말했어도 되는데, 베드로는 '다 버려도'라는 말을 강조했습니다. 다시 말하면, 요한은 주님을 버려도, 야고보나 안드레는 그런다 해도 자신은 주님을 버리지 않겠다는 말입니다. 그런데 베드로라는 인물을 성경에서 추적해 보면, 이번 한 번만 그런 것이 아닙니다. 그의 성격이라고 볼 수 있습니다. 베드로는 비교 의식에서 헤어나지 못했습니다.

요한복음 21장에 보면 부활하신 예수님이 나타나 베드로에게 물으시는 장면이 나옵니다.

"네가 아직도 나를 사랑하느냐?"

그러자 베드로는 대답했습니다.

"주님, 사랑합니다."

그때 예수님께서는 "내 어린양을 잘 돌봐다오"라고 부탁하셨습니다. 그리고 그 자리에서 베드로에게 "너는 최후에 영광스러운 죽음을 맞을 것이다"라고 예언하셨습니다. 이런 예언을 들었다면 "선생님, 그렇다면 제가 마지막까지 최선을 다해 살다가 죽겠습니다"라고 말씀드리면 좋은데, 베드로는 요한을 보면서 "이 사람은 어떻게 되겠습니까?"라고 물었습니다. 이처럼 베드로에게는 강한 비교 의식이 있었습니다.

사람이 살면서 비교 의식에서 완전히 자유로울 수는 없을 것입니다. 누구나 주변 사람들을 의식하면서 살아갑니다. 그러나 지나친 비교 의식은 삶을 피곤하게 만들고, 나아가 좌절하게 만듭니다. 비교하기 시작하면 한이 없습니다. 이 세상에 우리보다 잘생긴 사람, 우리보다 뛰어난 사람은 항상 있게 마련입니다. 그들과 계속 비교한다면, 우리는 항상 비참함을 느낄 수밖에 없습니다. 그렇게 되면 우리의 자아상이 병들게 됩니다.

병든 자아상에는 두 가지 현상이 따라옵니다. 열등감, 아니면 우월감입니다. 열등감과 우월감은 별개의 것이 아니라 동전의 양면과 같습니다. 지나친 우월감을 갖고 날뛸수록 열등감이 많은 사람입니다. 열등감이 있는 것을 숨기기 위해서 괜히 잘난 척하는 것입니다. 우월감은 열등감의 표현입니다. 베드로가 다른 제자들은 다 주님을 버려도 자신은 안 버린다고 강하게 이야기했던 것은, 주님을 버릴 수 있는 가능성이 그의 마음속에 있었기 때문입니다. 그 두려움을 덮어 버리기 위한 허세가 이러한 우월 의식으로 나타난 것입니다.

그렇다면 이러한 비교 의식을 어떻게 치료할 수 있을까요? 비교 의식을 극복해야 인생을 건강하게 살 수 있는데, 어떻게 비교 의식을 극복할 수 있을까요? 이것을 위해서는 비교 의식과 반대되는 것이 무엇인지를 알아야 합니다. 비교 의식과 반대되는 것은 창조 의식입니다.

자녀를 양육할 때 가장 부정적인 영향이 이러한 비교 의식을 갖게 하는 것입니다. '네 친구 ○○○ 좀 봐라, 옆집 집사님네 애들 좀 봐라' 하며 자녀와 다른 아이를 비교하면, 자녀들은 자신과 비교 대상인 아이를 미워하게 됩니다. 그리고 자신을 인정하지 않는 부모에 대한 섭섭함을 갖게 되어 이중으로 고통스러운 감정을 느낍니다. 이러한 비교 의식을 넘어서기 위해 필요한 것이 창조 의식입니다. 창조 의식은 하나님이 우리를 매우 독특하게 창조하셨다는 사실을 생각하는 것입니다.

세상에 우리 자신과 똑같은 사람은 한 명도 없습니다. 우리는 모두 살아 있는 작품으로, 똑같은 작품은 하나도 없습니다. 서로 다르다는 사실에서, 하나님께서 인생마다 다른 계획을 가지고 계신다는 것을 알 수 있습니다. 우리는 하나님이 주신 달란트와 개성을 가지고 인생의 길을 걸어가면 됩니다.

영어 표현에 'Be myself', 혹은 'Be yourself'라는 말이 있습니다. '나답게', 혹은 '너답게'라는 말입니다. 왜 다른 사람을 모방해야 합니까? 다른 사람처럼 되려고 할 필요가 없습니다. 나 자신이 되면 그것으로 충분합니다. 비교 의식을 벗어나지 못하면 항상 좌절감에 시달리는 인생을 살 수밖에 없습니다. 끊임없이 다른 사람을 의식하고 비교하기에 바빴던 베드로에게는 이미 타락하고 실패하게 되는 일이 준비되고 있었습니다.

자녀에게 적극적인 신앙을 가르치는 부모
- 소극적인 신앙으로 실패했던 베드로

베드로가 타락하게 된 또 다른 원인은 소극적인 신앙생활이었습니다. 베드로는 원래 아주 적극적인 사람입니다. 정열이 넘치고 적극적인 사람이었는데, 어느 순간 소극적인 신앙생활의 자리로 후퇴하기 시작했습니다. 이것이 결정적으로 베드로의 타락과 넘어짐을 준비하고 있었습니다. 베드로가 예수님을 부인하고 저주하기 직전의 상황을 보십시오.

> "베드로가 예수를 멀찍이 따라 대제사장의 집 뜰 안까지 들어가서 아랫사람들과 함께 앉아 불을 쬐더라"(막 14:54).

베드로가 예수님을 따라가는 모습을 성경 기자는 재미있게 묘사합니다. 베드로가 예수님을 멀찍이 따라가고 있었다고 표현했습니다. 예배드릴 때 앞자리에 앉아서 말씀을 열심히 듣는 사람들이 은혜를 제일 많이 받습니다. 신앙생활에는 적극성이 필요합니다. 멀어지다 보면 한 걸음씩, 한 걸음씩 점점 더 멀어지게 되고, 그러다가 타락하게 됩니다.

어떤 사람이 신앙생활을 잘하다가 갑자기 신앙을 떠나게 되면, "저 사람 왜 저래? 왜 갑자기 저렇게 되었어?"라고 말하지만, 갑자기 그렇게 된 것은 아닙니다. 과정을 보면 그는 점진적으로 서서히 무너져 간 것입니다. 간혹 잘 살고 있던 부부가 갑자기 파경에 이르는 것을 보게 됩니다. 주위 사람들은 "잘 살던 부부가 왜 저래? 어떻게 갑자기 저럴 수 있지?"라며 깜짝 놀라지만, 사정을 알고 보면 갑자기 그런 것이 아닙니다. 문제가 서서히 악화되어 가다가 어느 순간 결정적인 파경을 맞게 되는 것입니다.

우리는 서서히 멀어지는 것을 조심해야 합니다. 주님 앞에서 서서히 멀어지는 징조는 없는지 잘 살펴보아야 합니다. 특히 자녀를 신앙으로 교육할 때 자녀들이 주님과 멀어지는 징조가 없는지 주의 깊게 살펴보아야 합니다.

하지만 자녀가 주님과 멀어지도록 만드는 이상한 부모가 있습니다. 특별히 중·고등학교 시절을 보내는 십 대 자녀들의 교육에 부모들은 지대한 관심을 갖고 있습니다. 그런데 간혹 교회에 다니는 사람들, 심지어는 제직들까지도 상당히 이중적인 가치관을 가지고 있는 것을 보곤 합니다. 교회에 나와서 설교도 듣고 말씀도 듣지만, 어떠한 문제를 판단하고 결정할 때는 지극히 세속적인 가치관을 따라 결정합니다.

그 증거 중의 하나는 이렇습니다. 자녀들이 어릴 때는 교회에 다니는 것을 좋아합니다. 열심히 다니라고 격려합니다. 그런데 고등학생이 되어서도 여전히 교회에 열심히 다니면 부모가 긴장하기 시작합니다. "야, 교회 좀 웬만큼 다녀"라고 주의를 줍니다. 교회에 대충 다니다가 조금씩 멀어지기 시작하면 결국에는 어떻게 되겠습니까? 물론 대학에 간 후에 열심히 다니면 되지 않겠느냐고 부모 나름대로 합리화를 시킵니다. 그렇지만 그때 가서 열심히 다닌다는 보장이 있을까요?

물론 공부도 잘하고 신앙생활도 열심히 하는 것이 제일 이상적입니다. 그렇지만 둘 다 안 된다고 하면 어떻게 하겠습니까? 둘 중 하나를 선택해야 한다면, 저는 신앙을 선택하라고 권하고 싶습니다. 공부를 못하거나 혹 대학 진학에 어려움이 있다 해도, 한 사람에게 신앙적 가치관이 제대로 형성되는 것은 참으로 중요합니다. 하나님이 붙들어 쓰신다는 확신 가운데 제대로 서고 올바른 신앙적 가치관을 갖게 되면, 성적이 조금 떨어지는 일이 있다 해도 반드시 회복됩니다. 반드시 뒤떨어진 부분을 따라잡을 것입니다. 그리고 건강하게 설 것입니다.

하지만 결정적인 시기를 놓쳐 버리면 신앙을 만회하기는 대단히 힘듭니다. 자녀가 원했던 좋은 대학에 들어갔거나 좋은 직장을 갖게 되었습니다. 그러나 이런 광경을 상상해 보십시오. 자녀가 예수님에게서 점점 멀어지다가 결국 하나님을 등진 자로 신앙 없이 평생을 살고 어느 날 훌쩍 세상을 떠나가 버린다고 상상해 보십시오. 이런 사건이 당신의 가정에서도 일어날 수 있습니다.

적극적인 신앙의 격려는 매우 중요합니다. 신앙생활에 있어 어느 한순간 소극적으로 후퇴해 버리는 것이 결정적으로 신앙의 몰락을 가져올 수 있다는 교훈을 우리는 베드로를 보면서 깨닫게 됩니다.

자녀를 붙들어 주는 '말씀'
- 베드로를 일깨워 주었던 예수님의 말씀

다행히 베드로는 돌아왔고, 회복되었습니다. 이제 회복에 대해 생각해 보겠습니다. 베드로가 회복될 수 있었던 이유는 무엇이었겠습니까? 물론 가장 큰 이유는 하나님의 은혜입니다. 하나님의 은혜로 베드로는 다시 일어날 수 있었습니다. 그러나 베드로의 생애를 들여다볼 때 예수님과의 관계 속에 그가 회복될 수 있었던 요인들이 있다는 것을 알 수 있습니다. 적어도 두 가지의 요인을 발견할 수 있습니다.

첫째는, 말씀이 있었기 때문입니다.

"닭이 곧 두 번째 울더라 이에 베드로가 예수께서 자기에게 하신 말씀 곧 닭이 두 번 울기 전에 네가 세 번 나를 부인하리라 하심이 기억되어 그 일을 생각하고 울었더라"(막 14:72).

베드로가 예수님을 부인하고 저주까지 했지만, 울며 회개하고 돌아와 다시 설 수 있었던 이유는 무엇이었을까요? 예수님이 자신에게 하신 말씀이 생각나서였습니다. 이것은 대단히 중요합니다. 말씀이 생각났다는 것입니다. 그리스도인 부모가 자녀에게 해 줄 수 있는 중요한 역할 가운데 하나가 이것입니다. 말씀을 들려주는 것입니다. 어릴 때부터 말씀을 많이 들려주어야 합니다. 유대인 부모들은 말씀을 많이 읽어 주는 것으로 유명합니다. 어렸을 때부터 《탈무드》나 성경을 계속 읽어 줍니다. 그러면 안 듣는 것 같아도 그 말씀이 들어갑니다.

말씀을 들려주십시오. 말씀에 대해 토의하고 나누십시오. 말씀의 씨가 뿌려지게 하십시오. 성장하는 가운데 어느 순간 자녀들이 신앙에 회의가 생겨 머뭇거린다든지, 후퇴하는 때가 있습니다. 부모에게 물려받은 신앙을 자신의 신앙으로 삼기 위해서는 반드시 회의의 과정을 거칩니다. 그럴 때 자녀들 안에 떨어진 말씀이 있다면, 머뭇거리고 후퇴하는 때가 있다 해도 결국은 말씀을 붙들고 돌아옵니다. 말씀을 붙들고 회복되는 것입니다. 이를 위해 자녀의 마음에 말씀을 집어넣는 것은 부모의 역할입니다.

시편 119편 9절에는 "청년이 무엇으로 그의 행실을 깨끗하게 하리이까 주의 말씀만 지킬 따름이니이다", 119편 11절에는 "내가 주께 범죄하지 아니하려 하여 주의 말씀을 내 마음에 두었나이다"라고 되어 있습니다. 그 마음속에 말씀이 있게 하는 것은 부모의 책임입니다. 하나님의 말씀이 자녀의 마음속에 뿌려져서 말씀이 생각나고 말씀이 기억된다면, 그 말씀이 자녀를 지켜 주리라 믿습니다. 이 말씀을 붙들고 쓰러졌던 자녀들이 일어날 것을 믿기 바랍니다.

자녀에게 생명을 불어넣는 '기도'
- 베드로를 지켜 주었던 예수님의 중보 기도

둘째는, 기도가 있었기 때문입니다. 본문과 동일한 정황을 기록하고 있는 누가복음 22장 31-32절을 보십시오.

"시몬아, 시몬아, 보라 사탄이 너희를 밀 까부르듯 하려고 요구하였으나 그러나 내가 너를 위하여 네 믿음이 떨어지지 않기를 기도하였노니 너는 돌이킨 후에 네 형제를 굳게 하라."

예수님은 베드로에게 사탄의 공격을 경계하라면서, 그를 위해 기도하고 있다고 말씀하십니다. 예수님은 베드로가 후퇴하고 타락할 것을 아셨습니다. 그러나 그가 회복될 것도 아셨습니다. 그래서 "돌이킨 후에 네 형제를 굳게 해야 한다"고 하셨습니다. 본문에서 베드로가 회복될 수 있었던 이유 중 하나는, 예수님이 그를 위해 기도하셨다는 사실입니다. 더 정확히 말하면, 예수님의 중보 기도 덕분이었습니다.

자녀를 자신의 마음대로 할 수 없을 때, 부모의 한계를 느낄 때, 또는 지혜로는 더 이상 자녀를 설득할 수 없을 때 어떻게 해야 합니까? 그리스도를 따르는 부모는 그런 때에도 자녀를 축복할 수 있습니다. 그리고 자녀를 위해 기도할 수 있습니다.

고대에서 중세로 넘어올 무렵, 이탈리아 밀라노에 위치한 한 교회에서 있었던 일입니다. 예배 시간도 아닌데 예배당 한구석에서 어떤 부인이 기도를 하고 있었습니다. 그런데 기도를 시작하자마자 갑자기 어깨를 들썩이더니 통곡하기 시작했습니다. 5분이 지나고, 10분이 지났습니다. 15분, 20분, 거의 30분 가까이 통곡이 계속되었습니다. 그때 교회의 감독이었던 암브로시우스(Aurelius Ambrosius)가 교회당 구석에서 한 부인이 울고 있는 것을 보았습니다. 상처받은 일이 있나 보다 생각하고 그 곁으로 다가갔습니다. 어깨에 손을 얹고 "부인, 무슨 어려운 일이 생기신 모양입니다"라고 말을 걸었습니다. 부인은 "감독님, 우리 아이가 이단에 빠졌습니다"라고 대답했습니다. 이때 암브로시우스 감독은 이 부인에게 역사에 남을 유명한 말을 해 주었습니다.

"부인, 걱정하지 마세요. 기도하는 사람의 자식은 결코 망하지 않습니다."

기도하는 사람의 자식은 결코 망하지 않는다는 말을 들었던 그 부인은 모니카(Monica)라는 여인이었습니다. 바로 성 어거스틴(st. Augustine)의 어머니입니다. 그 후 어거스틴은 진리 앞으로 돌아왔습니다. 그리고 세계 역사와 기독교 역사에 남는 거목으로, 귀한 하나님의 일을 하는 종으로 설 수 있었습니다.

기도하는 사람의 자식은 망하지 않는다는 것을 믿으십시오. 기도하면 돌아옵니다.

늘 지켜보는 사랑

마땅히 할 수 있는 것이 없을 때는 지켜봐 주어야 합니다. 그렇게 기도하며 변함없는 시선으로 지켜봐 주십시오.

누가복음을 연구하다가 참 아름답다고 느낀 구절이 있습니다. 누가복음 22장 61절은 베드로가 돌아오는 장면을 이렇게 묘사했습니다.

　　"주께서 돌이켜 베드로를 보시니."

　이어지는 내용은 "베드로가 주의 말씀 곧 오늘 닭 울기 전에 네가
세 번 나를 부인하리라 하심이 생각나서 밖에 나가서 심히 통곡하
니라"(눅 22:61-62)라고 되어 있습니다. 주님은 베드로를 보고 계셨
습니다. 제자가 당신을 부인하고 저주까지 하는 모습을 보았음에
도 고개를 돌리지 않고 계속 그를 주목하셨습니다. 그때, 베드로와
주님의 시선이 부딪힌 그 순간, 주님의 변함없고 애정 어린 시선을
느낀 베드로는 그대로 거꾸러집니다. 무너지기 시작합니다. 그리
고 새롭게 변화됩니다.
　자녀를 계속해서 변함없는 시선으로 지켜본다는 것은 대단히 중
요합니다. 저는 20대에 알베르 카뮈(Albert Camus)를 좋아했습니다.
그의 《이방인》이라는 책을 좋아했습니다. 제가 이 책을 좋아했던
것은, 아무리 읽어도 이해가 되지 않았기 때문입니다. 대단히 난해
한 실존주의적 작품인데, 인간의 절망, 허무, 부조리 같은 것이 다
터져 나오는 이야기입니다. 매우 우울한 소설입니다. 아마 그때 제
가 우울해서 좋아했던 것 같습니다.
　노벨 문학상을 받은 카뮈에게 기자가 이런 질문을 했습니다.
　"당신의 소설에는 절망적인 우울함이 있지만, 그럼에도 불구하
고 당신이 노벨상을 받기까지 인생을 달려올 수 있었던 삶의 힘은

어디서 나왔습니까? 당신은 자살을 많이 묘사했지만 자살하지 않고 여기까지 견디게 한 힘이 무엇입니까?"

그러자 카뮈는 이렇게 대답했습니다.

"어머니지요. 나의 어머니 때문이었습니다."

카뮈는 태어난 지 한 달 만에 아버지를 여의고 홀어머니 밑에서 양육을 받았습니다. 어머니는 행상을 다니고 가정부로 일하면서 어렵게 아들을 키웠습니다. 그녀는 청각장애인이어서 자식의 말도 알아듣지 못했습니다. 그런데 20대의 카뮈가 고국인 알제리를 떠나 프랑스 파리로 향할 때, 어머니가 아들 카뮈에게 이 한마디를 해 주었다고 합니다. 이 말은 카뮈의 평생을 붙들었습니다.

"사랑하는 아들아, 엄마가 너를 지켜볼 거야. 아들아, 엄마가 너를 지켜볼 거야."

자녀가 흔들리고 방황할 때 당신의 애정 어린 시선을 거두지 마십시오. 지켜봐 주고 기도해 주십시오. 당신 외에 또 한 분이 당신의 사랑하는 자녀를 바라보고 계실 것입니다. 누구입니까? 전능하신 하나님입니다. 그분의 시선이 우리의 자녀들을 주목하시는 한, 그들은 마침내 회복되고 일어날 것이라 믿습니다. 자녀들은 돌아올 것입니다. 그리고 건강하게 세워질 것입니다. 당신의 기도하며 바라보는 그 애정 어린 시선이 당신의 자녀를 살릴 것입니다.

-

"그들이 겟세마네라 하는 곳에 이르매 예수께서 제자들에게 이르시되 내가 기도할 동안에 너희는 여기 앉아 있으라 하시고 베드로와 야고보와 요한을 데리고 가실새 심히 놀라시며 슬퍼하사 말씀하시되 내 마음이 심히 고민하여 죽게 되었으니 너희는 여기 머물러 깨어 있으라 하시고 조금 나아가사 땅에 엎드리어 될 수 있는 대로 이때가 자기에게서 지나가기를 구하여 이르시되 아빠 아버지여 아버지께는 모든 것이 가능하오니 이 잔을 내게서 옮기시옵소서 그러나 나의 원대로 마시옵고 아버지의 원대로 하옵소서 하시고 돌아오사 제자들이 자는 것을 보시고 베드로에게 말씀하시되 시몬아 자느냐 네가 한 시간도 깨어 있을 수 없더냐 시험에 들지 않게 깨어 있어 기도하라 마음에는 원이로되 육신이 약하도다 하시고 다시 나아가 동일한 말씀으로 기도하시고 다시 오사 보신즉 그들이 자니 이는 그들의 눈이 심히 피곤함이라 그들이 예수께 무엇으로 대답할 줄을 알지 못하더라 세 번째 오사 그들에게 이르시되 이제는 자고 쉬라 그만 되었다 때가 왔도다 보라 인자가 죄인의 손에 팔리느니라 일어나라 함께 가자 보라 나를 파는 자가 가까이 왔느니라"(막 14:32-42).

21

고통을 이기는
위로

주님의 임재하심이
고통의 다리를 건너게 한다

'고통의 바다'인 인생

우리의 인생은 어떤 의미에서 볼 때 고통의 연속이라 할 수 있습니다. 하나의 고통이 지나가면 또 다른 고통이 찾아옵니다. 하나의 고통을 피하면 또 다른 색깔의 고통이 우리 삶에 엄습합니다.

사람들이 경험하는 고통 가운데는 매우 일상적이고 보편적인 고통이 있는가 하면, 아주 예외적이고 충격적인 고통도 있습니다. 생각지도 못하게 밀려온 고통이 더 큰 아픔과 상처를 남길 수도 있지만, 어떤 경우에는 겪어야 할 고통을 미리 알고 있을 때 그 고통과 더불어 심리적인 긴장과 불안을 더욱 심하게 경험할 수도 있습니다. 우리가 겪는 고통은 순전히 육체적 고통일 수도 있고, 큰 정신적 아픔을 동반하는 고통일 수도 있습니다.

예수님에게 밀려온 고통

예수님은 아마도 인간이 겪을 수 있는 최악의 고통을 겪으셨던 것이 아닌가 생각합니다. 당신이 어떤 고통을 받을지 미리 알고 고통을 겪으셨기 때문입니다. 십자가의 고통이 무엇인지 이미 아셨고, 그 고통을 향해 다가가셨습니다. 그것은 육체적으로 최악의 고통이었을 뿐만 아니라, 정신적 고통까지도 동반하고 있었습니다.

"내 마음이 심히 고민하여 죽게 되었으니"(막 14:34).

우리는 여기서 예수님이 정신적인 고통을 함께 겪고 계셨다는 것을 알 수 있습니다. 그분이 바라보셨던 십자가는 단순히 신체적으로 극한 고통을 일으키는 것이었을 뿐만 아니라, 정신적으로도 엄청난 아픔을 동반하고 있었던 것입니다. 아마도 이 고통의 정체는 지금까지 죄를 모르고 살아오셨던 그분이 죄를 짊어진다는 사실이었을 것입니다. 그것은 그분이 마치 죄인처럼 십자가에 달리시는 것을 의미했습니다.

또 부끄러운 수치와 모욕을 겪으셔야 했을 뿐 아니라, 우리의 죄를 대신 짊어짐으로 인해 잠시나마 하나님께 버림받으셔야만 했습니다. 한 번도 끊어짐이 없었던 하나님과의 사랑의 교제가 끊어지면서 하나님 아버지에게 버림 받는 고통을 겪으셔야 했던 것입니다. 게다가 십자가 사건을 앞두고, 사랑으로 가르치고 길러 냈던 제자들에게 배신을 당하는 정신적 고통을 이미 겪으셨습니다. 예수님은 이 고통을 어떻게 극복하셨습니까?

곁에 있는 친구들의 위로

어떤 고통이 닥쳐올지 모르는 시대를 살면서 우리는 고통을 이길 수 있는 위대한 비밀을 배워야 합니다. 예수님은 하나님이었지만 동시에 사람의 몸을 입고 이 땅에 오셨기 때문에, 인간적으로 이런 고통을 당했을 때 그분 역시 위로를 구하고 찾으셨다고 생각합니다. 그분은 어떻게 고통을 이기는 위로의 비밀을 발견하셨을까요? 고통을 이기는 위로의 비밀은 무엇이었을까요?

먼저, '친구들과 함께하는 것'이었습니다. 예수님이 고통 속에서 찾으시고자 했던 첫 번째 위로는 친구들과의 함께함을 통한 것이었습니다. 본문은 이렇게 시작합니다.

"그들이 겟세마네라 하는 곳에 이르매 예수께서 제자들에게 이르시되 내가 기도할 동안에 너희는 여기 앉아 있으라 하시고 베드로와 야고보와 요한을 데리고 가실새 심히 놀라시며 슬퍼하사"

(막 14:32-33).

십자가 사건 전날 밤, 예수님은 겟세마네 동산으로 기도하러 가면서 왜 베드로와 야고보와 요한을 데리고 가셨을까요? 일반적으로 사람들은 너무나 심각한 고통을 받게 될 때 그 고통을 아무에게도 보이고 싶어 하지 않습니다. 그 고통을 숨기고 싶어 합니다. 특히 동양처럼 '수치 문화'가 강조되는 문화권에서는 고통이나 어려움을 당할 때 아무에게도 그것을 보이고 싶어 하지 않습니다. 그런데 예수님께서는 베드로와 야고보와 요한, 세 제자를 데리고 겟세마네 동산에 올라가셨습니다. 왜 그렇게 하셨을까요?

극한 상황에서 그 고통을 극복하는 하나의 모범을 제자들에게 보여 주시려는 의도가 있다고 생각할 수 있습니다. 그런데 저는 그러한 면과는 다른 각도에서 접근하고 싶습니다. 예수님도 인성을 지녔을 뿐 아니라 우리와 동일한 사람의 몸을 입고 이 땅에 오셨기 때문에 그날 밤 그분은 특히 외롭고 아팠을 것입니다. 내일이면 당해야 하는 십자가의 엄청난 고통을 앞에 둔 외로움과 아픔이 있는 그날 밤, 그분은 함께 지낼 친구들을 필요로 하셨을 것입니다.

고통을 만날 때 우리는 친구를 찾게 됩니다. '고통의 시간에 내 곁에 친구들이 머물러 있을 수 있는가?' 하는 것은 '우정의 시금석'이 된다고 생각합니다. "순경(順境)은 친구를 만들지만, 역경(逆境)은 우정을 시험한다"라는 영국 격언이 있습니다. 로마의 유명한 철학자 키케로(Marcus Tullius Cicero)도 "고난을 만날 때 우리는 진정한 친구를 알아본다"라는 말을 남겼습니다. 유명한 화학자였던 마리 퀴리(Marie Curie) 역시 "역경에 처할 때 비로소 우리는 참된 친구들의 수를 헤아려 볼 수 있다"라고 했습니다. 평소에 친구가 많다 해도, 고통과 역경을 만날 때 우리는 진실한 우정을 확인하고 헤아려 볼 수 있습니다. 잠언 17장 17절 또한 "친구는 사랑이 끊어지지 아니하고 형제는 위급한 때를 위하여 났느니라"라고 말씀합니다. 역경을 당하고 고통을 만날 때, 우리는 진정한 친구와 진정한 형제가 누구인지 알 수 있습니다.

제2차 세계대전에 관한 감동적인 일화를 읽은 적이 있습니다. 미국에서 같은 마을에 살면서 같은 학교에 다녔던 참으로 친했던 친구 둘이 함께 징집되었습니다. 그들은 함께 훈련을 받아 같은 부대에 배치되었고, 같은 전선에서 싸우게 되었습니다. 작전 도중 참호 속에 있다가 한 친구가 잠시 밖에 나간 사이, 적의 포탄이 떨어지는 바람에 둘 중 한 명이 고립되었습니다. 남은 한 명은 고립된 친구를 바라보면서 어떻게 해서든지 그를 구출하고 싶어 했지만, 계속 포탄이 날아와 위험한 상황이었습니다. 그런데도 친구를 구출할 생각을 하면서 자꾸만 참호 밖으로 나가려 하는 그를 부대장이 만류했습니다. 친구를 구하려다 죽을 수도 있으니 어리석은 짓은 하지 말라고 했습니다. 그러나 부대장이 잠시 시선을 돌린 사이 그는 참호 밖으로 나가 고립된 친구를 구출하기 위해 포복 자세로 기어가기 시작했습니다. 전 부대원이 숨을 죽이고 이 광경을 지켜보았습니다. 잠시 후에 고립된 친구 곁에 접근한 그는 쓰러져 있는 친구를 들쳐 엎고 다시 포복해서 참호로 기어왔습니다. 그 과정에 포탄 파편에 맞아 부상을 입었지만, 기어이 친구를 데리고 왔습니다. 참호에 도착했을 때, 불행히도 고립되었던 친구는 이미 숨이 끊어진 후였습니다. 이를 본 부대장이 소리쳤습니다.

"그것 보게. 자네가 한 일이 무슨 소용이 있었나? 자네 친구는 이미 죽었고, 자네도 죽어 가고 있지 않은가? 도대체 그런 만용이 무슨 의미가 있단 말인가?"

그러자 그는 말했습니다.

"부대장님, 제가 그 친구를 찾아갔을 때 그가 뭐라고 말했는지 아십니까? '짐, 나는 네가 올 줄 알았어'라고 말했습니다."

이것이 바로 우정입니다. 친구는 함께 있는 것입니다. 고독하고 고통스러운 순간에 함께할 수 있는 것이 진정한 우정입니다. 함께할 수 없다면 그것은 우정도 아니고, 친구도 아닙니다.

예수님은 제자들에게 우정과 친구 됨을 기대하셨지만, 제자들은 이 우정을 보이는 데 실패했습니다. 예수님은 그 외롭고 고통스러운 밤을 사랑하는 제자들과 친구가 되어 함께 보내기를 원하셨는데, 제자들은 어떻게 보내고 있었습니까?

"돌아오사 제자들이 자는 것을 보시고 베드로에게 말씀하시되 시몬아 자느냐 네가 한 시간도 깨어 있을 수 없더냐"(막 14:37).

그들은 자고 있었습니다. 친구가 무엇입니까? 친구는 한자로 '지기'(知己)라고 할 수 있습니다. 나를 알아주는 사람이 친구입니다. 내 마음을 알고, 내 고통을 알고, 내 좌절과 상처를 알고 내 눈물을 이해하는 사람이 친구입니다. 십자가를 앞둔 밤, 예수님의 마음이 얼마나 슬프셨겠습니까? 그래서 한 시간이라도 제자들과 더불어 대화하고 기도하려 동반했건만, 그들은 잠들어 있었습니다. 제자들은 우정에 있어서 실격자들이었습니다.

그러나 여기서 보게 되는 놀라운 사실은, 그들이 주님을 실망하게 해 드렸음에도 불구하고 예수님은 그들을 여전히 친구로 인정하고 싶어 하셨다는 것입니다. 요한복음 17장에는 본문과 같은 상황에서 예수님이 하셨던 기도의 내용이 나옵니다. 그런데 17장에 이르기 전, 소위 다락방 대화 가운데 한 부분인 15장에서 예수님은 "친구를 위해서 목숨을 버리는 것이 진정한 우정이다"라고 하면서 제자들을 향해 이렇게 말씀하십니다.

"이제부터는 너희를 … 친구라 하였노니"(요 15:15).

서로에게 힘이 되는 기쁨

당신에게 만약 좋은 친구가 없다면 어떻게 해야겠습니까? 방법이 하나 있습니다. 당신이 친구가 되어 주는 것입니다. 당신이 그들의 친구가 되어 보십시오.

저는 종종 장례식을 집례합니다. 어떤 장례식에서는 무척 가슴이 답답할 때가 있습니다. 대단히 쓸쓸했던 장례식을 기억합니다. 조문객이 몇 사람 없는 아주 쓸쓸한 장례식이었습니다. 물론 알리지 않아서 그랬을 수도 있습니다. 저는 장례식이 끝난 후에 장례식에 관한 뒷이야기를 동역하는 목사님들에게 물어보곤 합니다. 그러면 거의 틀림없이 이런 이야기가 나옵니다. 평소에 다른 사람들을 전혀 찾지 않았거나 남들의 고통에 무관심했던 사람들의 장례식은 쓸쓸하기 그지없었다는 것입니다. 그래서 성경은 우리에게 이렇게 말씀합니다.

"초상집에 가는 것이 잔칫집에 가는 것보다 나으니"(전 7:2).

스위스에서 의사 생활을 하면서 많은 이웃의 좋은 상담자가 되어 주었고 유익한 책을 많이 썼던 폴 투르니에(Paul Tournier)의 책에서 감동을 받은 내용이 있습니다.

"만약 배우자와 마음이 통할 수 있는 부부의 애정이 살아 있다면, 그리고 동성(同性) 친구 가운데 내가 무슨 말을 해도 나를 비판하지 않고 내 이야기를 경청해 줄 수 있는 친구 몇 사람만 있다면, 인생에 아무리 무서운 폭풍우가 밀려온다 해도 우리는 그 폭풍우를 뚫고 지나갈 수 있다."

인생의 고통이 아무리 무섭다 해도 사랑하는 배우자와 마음으로 통하는 애정이 있다면, 무슨 이야기를 해도 비판하지 않고 경청하며 고통의 자리에 함께 머물러 줄 수 있는 친구 몇 사람만 곁에 있다면 인생의 무서운 폭풍우를 뚫고 지나갈 수 있다는 것입니다. 이 얼마나 감동적인 이야기입니까? 당신에게는 그런 친구가 있습니까?

교회는 이런 친구를 만날 수 있는 가장 좋은 자리라고 생각합니다. 한 교회에 모이는 사람의 숫자가 많다 보면 친구를 사귀기가 쉽지 않습니다. 그래서 소그룹이 필요합니다. 가까운 지역에 살고 있는 사람들과 함께 모여 말씀과 우정을 나누는 것, 또는 비슷한 나이의 사람들로 구성된 선교회 모임에 참여하여 그리스도 안에서 그들과 진실한 만남을 갖는 것은 참으로 소중한 일입니다.

주 안에서 이런 좋은 친구들을 사귀어 보십시오. 이런 친구가 없다고 생각된다면, 당신이 먼저 그들의 친구가 되어 주십시오. 어떤 이야기를 해도 받아 줄 수 있고, 특별히 고독하고 고통스러운 순간에 함께 있을 수 있는 친구들이 있다면 우리는 고통을 이길 수 있습니다. 고통을 이기는 첫 번째 비결은 좋은 친구들의 위로를 누리는 것입니다.

함께하시는 하나님의 위로

두 번째 비밀은, 하나님과 함께하는 삶을 배우는 것입니다. 친구는 매우 소중하고 필요한 존재지만, 사람이 사람을 돕는 일에는 한계가 있다는 것을 인정해야 합니다. 어떤 경우에는 위로할 목적으로 다가갔다가 결과적으로 오히려 이웃에게 피해와 상처를 주기도 합니다. 그 전형적인 모델이 바로 욥의 친구들입니다. 위로하려고 했는데 나중에는 비판하고 있습니다. 이것이 인간의 한계입니다. 우리는 위로의 기술을 다시 배울 필요가 있습니다. 어쩔 수 없는 인간 됨의 한계를 겸허히 수용해야 합니다.

친구 역시 위로가 되지 못할 때는 어떻게 해야겠습니까? 아내도, 남편도 위로가 되지 못하는 상황이 있을 수 있습니다. 친구도, 배우자도 함께 가 주지 못하는 곳이 있습니다. 인생에 있어 마지막 죽음의 다리를 건널 때입니다. 마지막 죽음의 길은 부부도 함께 갈 수 없는 외로운 길입니다. 대단히 예외적으로 부부가 함께 죽음의 길을 갈 수도 있지만, 사람들은 각자 죽어야 하는 고독한 길을 걷고 있습니다. 그럴 때 누구를 찾겠습니까?

예수님은 제자들의 위로를 기대하고 마지막 고독한 순간에 그들을 동반하셨지만, 제자들은 잠들어 있었습니다. 이때 예수님은 어떻게 하십니까?

"조금 나아가사 땅에 엎드리어"(막 14:35).

누가복음 22장 41절에는 "그들을 떠나 돌 던질 만큼 가서 무릎을 꿇고 기도하여"라고 기록되어 있습니다. 제자들이 위로가 되지 못하는 상황에서 주님은 엎드려 기도하십니다. 본문 36절에서 그 기도의 첫마디는 "아빠 아버지여"로 시작됩니다. '아빠'란 어린아이들이 아버지에게 기대고 싶은 마음이 들 때 아버지를 부르는 호칭입니다.

사람들이 위로가 되지 못할 때, 친구가 위로가 되지 못할 때, 예수님은 무릎을 꿇으셨습니다. 그리고 기도를 시작하셨습니다. '아버지, 아빠'라고 부르며 그 마음속에 있는 좌절과 고통을 그대로 쏟아 내기 시작하셨습니다. 이것이 바로 기도입니다.

기독교 철학자 키르케고르(Søren Aabye Kierkegaard)는 "기도는 하나님 앞에 홀로 서는 단독자의 체험이다"라고 했습니다. 또한 리젠트 칼리지의 초대 학장이었던 제임스 휴스턴(James M. Houston)은 "기도는 하나님과의 우정이다"라고 했습니다. 사람들과의 우정에서 진정한 힘을 얻지 못할 때, 우리는 하나님을 의지할 수 있습니다. 그리고 우리를 알고, 이해하고, 용납하는 분, 우리 마음속에 진정한 위로가 될 수 있는 그분을 감히 "아빠!"라 부르며 나아갈 수 있습니다. 아름다운 우정 관계를 유지하는 부자, 부녀 사이에서는 자녀들이 아버지가 늙게 되었을 때도 "아빠!"라고 부르며 매달릴 수 있는 것처럼, 우리는 하나님 앞에 엎드려 그분을 "아빠!"라고 부를 수 있습니다. 그러기 위해서는 하나님과 교제하는 습관이 필요합니다.

하나님과 교제하는 습관

본문의 내용을 기록한 누가복음의 말씀 중 '예수님이 습관을 따라 감람산에 가서 기도하셨다'라는 내용이 있습니다. 마지막 순간에만 하나님을 부른 것이 아니라, 하나님을 부르는 것이 예수님의 습관이었습니다. '좋은 습관은 좋은 습관'입니다. 이 말은 이런 뜻입니다. 날마다 새벽 기도를 드리는 것이 습관이 된 사람에게 새벽마다 참여하는 기도회는 은혜가 되지 못할 수도 있습니다. 어떤 날은 새벽에 일어나 기도하는 것이 피곤하기만 할 수도 있습니다. 그래도 새벽 기도하는 습관은 참 좋은 것입니다. 참으로 하나님의 위로를 필요로 하는 날에 은혜로운 새벽을 맞을 수 있게 하기 때문입니다. 하나님의 임재가 충만하고 하나님의 감동이 지배하는 체험을 할 수 있게 하기 때문입니다. 그래서 매일 이른 아침에 기도하는 습관을 통해 삶에 대한 새로운 힘과 소망을 품고 밝게 일어서는 은혜를 체험할 수 있습니다. 그럴 때 우리는 이렇게 말할 수 있습니다.

"기도하기를 참 잘했지. 기도하는 습관은 귀한 것이야."

날마다 아침에 일어나 성경을 읽고 기도하는 경건의 시간을 갖는 것은 좋은 습관입니다. 물론 경건의 시간이 날마다 감동을 주는 것은 아닙니다. 어떤 때는 '내가 왜 경건의 시간을 시작해서 날마다 이렇게 성경을 읽으면서 고민하고 있는 걸까?' 하는 생각이 들 수도 있습니다. 그러나 이런 좋은 습관을 가지고 있다면, 인생에서 절실하게 하나님의 도움이 필요한 날에 갖는 경건의 시간은 큰 감동으로 다가올 수 있습니다. 하나님의 음성을 듣고 하나님의 손길을 체험하며 벌떡 일어설 수 있습니다. 그러면서 이렇게 고백할 것입니다.

"경건의 시간을 갖는 것은 정말로 좋은 습관이야. 하나님께서 나에게 좋은 습관을 주신 것을 감사해."

중요한 것은 하나님과의 교제입니다. 사랑하는 제자들이 하나둘 떠나가고 가장 가까웠던 세 제자마저 예수님의 심정을 모른 채 잠들어 있던 깊은 고독의 밤, 예수님은 무슨 생각을 하셨을까요? 요한은 이때 예수님이 이렇게 말씀하셨다고 전합니다.

"보라 너희가 다 각각 제 곳으로 흩어지고 나를 혼자 둘 때가 오나니 벌써 왔도다"(요 16:32a).

이 말씀에서 마음 깊은 곳으로부터 솟아오르는 예수님의 고독감을 느껴 보십시오. 그러나 여기서 그치지 않습니다. 뒤이어 이렇게 말씀하십니다.

"그러나 내가 혼자 있는 것이 아니라 아버지께서 나와 함께 계시느니라"(요 16:32b).

사람이 위로와 격려가 되지 못하고 곁에 아무도 없이 혼자라 느낄 때, 우리를 둘러싸고 있는 하나님의 따뜻한 임재가 있습니다.

하나님이 함께하신다면 극복하지 못할 고통이 무엇일까요? 그렇습니다. 고통을 이기는 비밀은 하나님과 함께하는 것입니다. 이것을 배우기 바랍니다.

하나님의 뜻을 발견한 후의 평안

고통을 이기는 세 번째 비밀은, 하나님의 뜻을 확인하고 확신하는 것입니다. 우리가 고통을 만날 때 가장 고통스러운 것은 고통 그 자체보다 '내가 왜 이 고통을 당해야 하나? 이 고통이 어떤 의미가 있을까?'라는 생각들입니다. 만일 고통 속에 어떤 의미가 있다는 것을 안다면, 우리는 고통을 견딜 수 있는 힘을 얻습니다. 그러나 고통의 뜻을 알지 못해 무의미한 고통을 겪고 있다고 느끼면, 그때는 견딜 수 없어 좌절합니다. 그래서 사람들은 고통 속에서 의미를 발견하려 합니다. 그리스도인이라면 고통 속에서 하나님의 뜻을 찾을 것입니다. 예수님께서도 그러셨습니다.

> "이르시되 아빠 아버지여 아버지께는 모든 것이 가능하오니 이 잔을 내게서 옮기시옵소서 그러나 나의 원대로 마시옵고 아버지의 원대로 하옵소서 하시고"(막 14:36).

예수님은 지금 하나님의 뜻을 생각하고 계십니다.

'십자가에 아버지의 뜻이 있을까?'

'그렇다. 내가 이 땅에 온 것은 아버지의 뜻을 이루기 위함이다. 십자가는 아버지의 뜻이다.'

예수님은 아버지와 대화하며 그 뜻을 이렇게 확인하셨을 것입니다. 본문을 다른 복음서와 대조하며 자세히 읽어 보면, 예수님께서 이 기도를 세 차례에 걸쳐 하신 것으로 되어 있습니다. 한 번만 하신 것이 아니었습니다. 그 뜻을 세 번씩, 세 차례에 걸쳐 확인하는 기도를 하셨습니다.

그런데 한 번 기도를 끝내고 와서는 제자들을 보십니다. 그들은 무엇을 하고 있었습니까? 자고 있었습니다. 예수님은 베드로를 흔들어 깨우면서 "시몬아 자느냐"라고 말씀하십니다. 그러고는 두 번째로 가서 기도하십니다. 한참 기도하고 와 보니 제자들은 아직도 자고 있습니다. 이번에는 전보다 훨씬 심각한 어조로 깨우셨을 것 같습니다. 그런데 세 번째 기도하고 와서는 예수님의 태도가 완전히 변하셨습니다.

> "세 번째 오사 그들에게 이르시되 이제는 자고 쉬라 그만 되었다 때가 왔도다 보라 인자가 죄인의 손에 팔리느니라"(막 14:41).

조금 전에는 '어찌하여 자느냐'라고 하셨는데, 이제는 '자고 쉬라'고 하십니다. 왜 이렇게 주님의 태도가 변하셨을까요? 아마도 세 번째로 기도한 후에는 십자가를 완전한 하나님의 뜻으로 받아들일 것을 작정하신 듯합니다. 우리가 하나님의 뜻을 발견한 후 그것을 온전히 받아들이고 나면 마음이 어떻습니까? 평안합니다. 그렇게 받아들이기까지가 힘든 것이지, 일단 받아들이고 나면 평안합니다. 예수님의 마음이 이러셨을 것입니다.

사람은 마음이 평안하면 옆에 있는 사람을 몰아세우지 않습니다. 옆 사람을 몰아세우는 것은 마음이 평안하지 않기 때문입니다. 우리 마음이 평안하면 주변 사람들에 대한 여유가 생깁니다. 이제 예수님은 하나님의 뜻을 완전히 받아들이셨습니다.

'그렇다. 내가 십자가를 짊어짐으로 사람들의 죄가 사함 받아 구원을 얻고, 하나님의 복음이 온 세상에 전파된다. 내 죽음은 하나님의 뜻이다. 십자가에서의 나의 죽음으로 인해 사람들은 죄 사함을 받고 하나님의 자녀가 되어 새 삶을 살 것이다.'

이 사실을 확신했을 때, 예수님의 마음에는 놀라운 평안이 임했을 것입니다. 그때도 제자들은 여전히 자고 있었지만, "됐다. 너희는 자라. 괜찮다. 나는 준비됐다"라고 말씀하신 것입니다. 그 후 예수님은 일어나 당신을 십자가에 매달기 위해서 찾아온 사람들에게 몸을 맡기며 십자가를 향해서 담담하게 걸어가십니다.

하나님의 뜻을 아는 것이 중요합니다. 인생의 고통 가운데서도 우리를 향한 하나님의 뜻을 알 수 있다면, 우리는 달라집니다. 그래서 로마서 8장 28절에서 사도 바울은 "우리가 알거니와 하나님을 사랑하는 자 곧 그의 뜻대로 부르심을 입은 자들에게는 모든 것이 합력하여 선을 이루느니라"라고 했습니다.

‘우리가 알거니와.’ 우리는 오늘의 고통이 하나님의 선하신 뜻을 궁극적으로 이룰 수 있다는 것을 알아야 합니다. 이 사실만 알 수 있다면 지금 깨어지고 넘어져도, 삶이 고통이어도 우리는 일어날 수 있습니다. 그리고 고통을 향해 오히려 담대하게 나아갈 것입니다. 이러한 사람은 마침내 고통을 극복하게 될 것이라 믿습니다.

유명한 아프리카의 선교사 데이비드 리빙스턴은 정글에서 여러 차례 목숨을 잃을 뻔한 위기를 겪으면서도 선교를 포기하지 않았습니다. 그렇게 할 수 있었던 비결이 무엇이냐고 묻는 사람에게 리빙스턴은 늘 이렇게 대답했습니다.

"한 가지입니다. 저는 늘 이것을 생각하고 선교를 진행했습니다. 제가 위험할 때마다, 어려울 때마다 저는 이것을 생각했습니다. '하나님이 나를 이곳에 보내셨다면, 나를 향한 하나님의 사명이 다할 때까지 나는 결코 죽지 않는다. 나의 사역, 나의 사명이 다할 때까지 나는 결코 죽지 않는다'. 저는 이것을 믿었습니다. 그리고 그것이 저를 견디게 만들었습니다."

인도 선교의 아버지이자 현대 선교의 아버지인 윌리엄 캐리 (William Carrey)는 세계 교회가 선교를 몰랐을 때 선교의 문을 열었습니다. 그는 서른두 살의 젊은 나이에 모든 것을 포기하고 영국을 떠나 인도로 갔습니다. 그리고 40년 동안 그곳에서 자신의 모든 것을 헌신했습니다. 위험이 많았습니다. 희생이 컸습니다. 아내는 거의 정신병자가 되었습니다. 수많은 선교 활동과 더불어 식구들을 먹여 살리기 위한 책임 때문에 엄청난 경제적 어려움을 겪었습니다.

그의 꿈이자 평생의 과제는 성경을 인도의 언어로 번역하는 것이었습니다. 그러나 인도에는 수많은 방언이 있기 때문에 도무지 불가능해 보였습니다. 그렇지만 그는 끊임없이 도전하고 다시 도전하여 인도 선교의 문을 열었습니다. 사람들은 윌리엄 캐리에게, "그토록 많은 위험, 그 많은 희생, 그 많은 어려움을 견딜 수 있었던 비결이 도대체 무엇입니까?"라고 물었습니다. 이 질문을 받을 때마다 그는 이렇게 대답했습니다.

"하나님의 뜻 그 이상도, 그 이하도, 그 밖의 무엇도 아닙니다."

하나님의 뜻, 오직 그는 하나님의 뜻을 붙들었습니다. 그리고 주님의 뜻이 있다면 그는 그곳에서 살아야 하고, 일해야 하며, 마침내 그 뜻을 이루게 될 것이라고 믿었습니다. 그리고 그러한 일이 가능했던 것도 하나님의 뜻이었다는 것을 분명히 믿었습니다.

우리가 지금 고통을 당한다 해도 우리 삶에 대한 하나님의 뜻이 분명하다면 참아 낼 것입니다. 승리할 것입니다. 폭풍우를 뚫고 나아갈 것입니다. 그리고 담대하게 일어설 것입니다. 십자가를 받아들이기로 결심한 예수님께서 그 놀라운 여유와 평안 속에 힘차게 일어서며 실망을 주었던 제자들을 오히려 축복하고 십자가를 향해 당당히 나아가셨던 것처럼, 우리도 고통을 향해 걸어갈 것입니다. 그리고 마침내 고통을 극복할 것입니다. 우리에게 하나님의 뜻이 확실히 알려졌고 우리가 준비되었다면, 우리는 그렇게 할 수 있습니다. 고통을 이기는 놀라운 비밀, 이 비밀이 우리 삶의 비밀이 될 수 있기를 바랍니다.

사람이 위로와 격려가 되지 못하고
곁에 아무도 없이 혼자라 느낄 때,
우리를 둘러싸고 있는 하나님의 따뜻한 임재가 있습니다.
고통을 이기는 비밀은 하나님과 함께하는 것입니다.

-

"새벽에 대제사장들이 즉시 장로들과 서기관들 곧 온 공회와 더불어 의논하고 예수를 결박하여 끌고 가서 빌라도에게 넘겨주니 빌라도가 묻되 네가 유대인의 왕이냐 예수께서 대답하여 이르시되 네 말이 옳도다 하시매 대제사장들이 여러 가지로 고발하는지라 빌라도가 또 물어 이르되 아무 대답도 없느냐 그들이 얼마나 많은 것으로 너를 고발하는가 보라 하되 예수께서 다시 아무 말씀으로도 대답하지 아니하시니 빌라도가 놀랍게 여기더라 명절이 되면 백성들이 요구하는 대로 죄수 한 사람을 놓아주는 전례가 있더니 민란을 꾸미고 그 민란 중에 살인하고 체포된 자 중에 바라바라 하는 자가 있는지라 무리가 나아가서 전례대로 하여 주기를 요구한대 빌라도가 대답하여 이르되 너희는 내가 유대인의 왕을 너희에게 놓아주기를 원하느냐 하니 이는 그가 대제사장들이 시기로 예수를 넘겨준 줄 앎이러라 그러나 대제사장들이 무리를 충동하여 도리어 바라바를 놓아 달라 하게 하니 빌라도가 또 대답하여 이르되 그러면 너희가 유대인의 왕이라 하는 이를 내가 어떻게 하랴 그들이 다시 소리 지르되 그를 십자가에 못 박게 하소서 빌라도가 이르되 어찜이냐 무슨 악한 일을 하였느냐 하니 더욱 소리 지르되 십자가에 못 박게 하소서 하는지라 빌라도가 무리에게 만족을 주고자 하여 바라바는 놓아주고 예수는 채찍질하고 십자가에 못 박히게 넘겨주니라"(막 15:1-15).

22

빌라도의
선택

곧은 중심이
흔들림 없는 신앙을 만든다

무엇을 선택할 것인가

이 세상을 살아가고 있다는 사실은 세상에서 무엇인가를 선택하고 있다는 의미입니다. 우리는 살아가면서 끊임없이 선택합니다. 그러한 선택들 속에서 인생이 형성되어 갑니다. 비교적 커다란 영향을 미치지 않는 선택도 있지만, 평생의 삶의 질을 결정할 수 있는 선택도 있습니다. 어떤 배우자와 더불어 한평생을 살아갈 것인가? 어떤 직업을 선택할 것인가? 이러한 것은 인생의 보람과 의미의 질과 양을 결정할 수 있습니다.

그런데 본문에는 이보다도 훨씬 심각한 것에 대한 선택이 나와 있습니다. 일생뿐 아니라 영원한 운명을 좌우하는 문제에 대한 선택입니다. 본문은 영원한 운명의 기로에서 치명적으로 그릇된 결정을 내렸던 한 사람의 이야기를 보여 주고 있습니다. 잘 아는 대로 빌라도는 다음과 같은 유명한 말을 남겼습니다.

"너희가 유대인의 왕이라 하는 이를 내가 어떻게 하랴"(막 15:12).

마태복음에서는 빌라도가 "그리스도라 하는 예수를 내가 어떻게 하랴"(마 27:22)라고 말했습니다. '예수를 살릴 것인가, 죽일 것인가? 예수의 편에 설 것인가, 예수를 거절할 것인가?'를 고민한 것입니다. 우리는 그 고민의 결과를 잘 알고 있습니다. 결국 그는 예수님 편에 서지 않고 십자가에 내어 주기로 결정합니다. 이런 선택 때문에 그는 기독교 역사 속에서 그리스도인의 입을 통해 영원히 부정적인 인물로 회자될 수밖에 없게 되었습니다. 우리는 사도신경을 암송할 때마다 "본디오 빌라도에게 고난을 받아"라고 말합니다. 그의 '그릇된 선택'에서 우리는 역설적으로 교훈을 얻을 수 있습니다.

군중 심리적인 선택

우선 그의 선택은 군중 심리를 근거로 한 것이었습니다. 본문 마지막 절을 보십시오.

"빌라도가 무리에게 만족을 주고자 하여 바라바는 놓아주고 예수
는 채찍질하고"(막 15:15).

성경은 빌라도의 결정에 있어 그 중요한 배경을 설명합니다. 그
는 무리에게 만족을 주고자 그러한 결정을 내린 것입니다. 그의 선
택, 그의 결단은 자기의 확신에 근거하지 않았습니다. 군중의 압
력, 자신을 둘러싼 사람들의 견해를 비판 없이 따랐습니다. 그러고
는 자기 확신과 반대되는 결단을 내리고 말았습니다. 그는 자기를
둘러싸고 있는 군중을 맹목적으로 따랐습니다.

그러나 빌라도만 그렇습니까? 우리는 어떻습니까? 세상이 말하
니까 우리도 따라 말하고, 세상이 선택하니까 우리도 그대로 선택
하며 세상이 보여 주는 것을 비판 없이 맹목적으로 추종하는 일이
없습니까? 성경은 이 세상에 우리가 경계해야 할 가치관의 함정이
도사리고 있다고 가르칩니다. 그래서 그리스도인의 삶에 있어 가
장 중요한 원리 중 하나로, "너희는 이 세대를 본받지 말고"(롬 12:2)
라고 가르칩니다.

콘스탄티노플 초대 교회의 유명한 설교자이자 교부였던 크리소
스토무스(Johannes Chrysostomus)는 교회 지도자로 있을 때 사회의
미풍양속을 해치는 부도덕한 일을 거부하기로 결정했습니다. 그
러나 그 일은 많은 사람에게 중요한 것으로 받아들여지고 있었기
에 격렬한 반대에 부딪히게 되었습니다. 참모 한 사람이 "큰일 났
습니다. 온 세상이 우리를 반대하고 있습니다"라고 보고했을 때 크

리소스토무스는 교회 역사에 길이 남을 유명한 대답을 했습니다.

"온 세상이 우리를 반대한다고? 좋다. 그러면 우리가 온 세상을 반대하면 되지. 내가 온 세상을 반대하리라."

당신은 이러한 신앙의 선배처럼 결단하며 살고 있습니까? 세상과 적당하게 타협하면서 살아가지는 않습니까? 결과적으로 너무나 쉽게, 또 너무나 신속하게 우리가 생명처럼 여기는 기독교적 가치관을 포기하거나 타협하지는 않습니까?

자녀를 기를 때도, 가치관 교육이 제대로 되지 않으면 자녀가 몹시 흔들리는 것을 볼 수 있습니다. 특히 사춘기를 맞은 자녀의 가장 큰 문제가 무엇입니까? 친구 관계에서 비롯되는 문제입니다. 사춘기는 친구들에게 많은 압력을 받기도 하고, 친구들에 대한 강한 모방 심리를 갖는 시기이기도 합니다. 주변에 좋은 친구들이 있다면 다행이지만, 그렇지 않을 때는 쉽게 그릇된 친구들의 행동과 삶을 모방하게 됩니다. 만일 자녀에게 '너희는 이 세상을 본받지 말라'는 교훈을 가르치고 세상과 맞설 수 있는 용기와 가치관을 심어 줄 수 있다면, 자녀가 인생의 중요한 시기를 잘 극복해 갈 것입니다.

이것은 십 대들만의 문제가 아닙니다. 어른들도 전혀 다를 것이 없습니다. 이 시대를 살고 있는 그리스도인들의 삶의 모습을 보십시오. 세상을 모방하고 있지는 않습니까? 세상을 바꾸고 변화시키기는커녕, 오히려 세상의 영향을 일방적으로 받고 있지는 않습니까? 세상 사람들처럼 말하고 행동하기에, 주일에 교회에서 예배드리는 모습만 제외하면 세상 사람들과 전혀 다를 것이 없는 모습이 바로 우리의 모습은 아닙니까?

출세를 위한 선택

두 번째로, 빌라도의 선택은 출세 지향적 선택이라 할 수 있습니다. 왜 빌라도가 무리의 의견을 따랐습니까? 무리를 기쁘게 하고자 했기 때문입니까? 정말 그들을 기쁘게 하려 했다기보다는, 무리의 의견을 따르는 것이 안전하고 자신에게 이익이 된다고 판단했기 때문이었을 것입니다. 빌라도가 가장 중요하게 여긴 것은 '출세'였습니다. 출세를 위해서라면 수단과 방법을 가리지 않았습니다.

빌라도가 예수님을 재판하는 사건은 모든 복음서에 다 기록되어 있습니다. 본문에는 예수님과 빌라도만 대화하는 것처럼 나오지만, 다른 복음서에는 빌라도가 다른 사람들과도 많은 대화를 나눈 것으로 기록되어 있습니다. 사두개인과 바리새인, 서기관 및 제사장들과 산헤드린 공의회와 더불어 의논을 하고 질문을 던집니다.

올바른 결정을 내리기 위해 질문하는 것은 필수적입니다. 결정을 내리기 전에 올바른 '사실 정보'를 갖는 것이 중요하기 때문입니다. 그러나 본문을 깊이 들여다보면, 빌라도가 많은 사람에게 많은 질문을 하는 더 중요한 이유는 다른 데 있다는 것을 알 수 있습니다. 그것이 무엇입니까? 빌라도는 다른 사람들의 눈치를 보고 있는 것입니다. 그에게는 '하나님께서는 나에게 무엇을 바라시는가'를 생각하는 의식이 없습니다. 사람들이 자신을 어떻게 생각할까 하는 것이 전부였습니다. 사람들의 눈치만 보고 있는 것입니다.

바라바를 선택할 것인가, 예수를 선택할 것인가 하는 문제에 직면했을 때 그는 예수를 놓아주고 싶은 마음이 없잖아 있었습니다. 그런데도 여전히 바라바와 예수 중에 누구를 놓아주어야 하는가에 대한 선택을 사람들에게 요구했습니다. 마태복음 27장 24절 이하에서는, 예수님을 내어 주었다가는 민란이 일어날 가능성이 있음을 알고 물러나 버렸다는 사실을 보여 주고 있습니다. 요한복음에는 좀 더 자세한 정황 배경이 설명되어 있습니다.

"이러하므로 빌라도가 예수를 놓으려고 힘썼으나 유대인들이 소리질러 이르되 이 사람을 놓으면 가이사의 충신이 아니니이다 무릇 자기를 왕이라 하는 자는 가이사를 반역하는 것이니이다"(요 19:12).

빌라도가 예수를 놓으려고 힘썼다고 했습니다. 분명 그에게는 예수님을 놓아주고 싶은 마음이 있었습니다. 그러나 그렇게 하지 않은 이유가 무엇이었습니까? 유대인들이 소리를 지르기 시작했기 때문입니다.

"이 사람을 놓아주면 당신은 로마 황제의 충신이 아니다. 그것은 바로 로마의 황제를 반역하는 것이다."

무리의 이러한 함성이 들리자마자 그가 마음을 바꾸는 모습이 성경에 기록되어 있습니다. '큰일 나겠다. 내가 황제의 반역자로 몰려서는 안 되지' 생각하고는 예수님을 내어 주기 위한 재판 과정을 밟기 시작합니다.

그에게는 출세가 훨씬 더 중요했습니다. 자신의 입지와 안전과 이익을 계산하지 않는 사람이 어디 있겠습니까? 그러나 더욱 중요한 것이 있습니다. 하나님께서 어떻게 생각하시는지가 다른 무엇보다도 중요합니다. 자신의 행동이 하나님 앞에서 옳은지에 대한 생각이 결여된 빌라도의 선택은 출세만을 위한 것이었습니다.

빌라도의 인생관에 대해 볼 수 있는 흔적들은 역사 속에도 남아 있습니다. 빌라도는 유대 땅의 다섯 번째 총독이었습니다. 그는 로마의 티베리우스와 칼리쿨라(Caligula, Gaius Julius Caesar Augustus Germanicus) 황제가 집정하던 시대 중 A.D. 26부터 36년까지 약 10년간 유대 총독을 지냈습니다. 유명한 유대인 역사가였던 요세푸스의 책에서 그는 잔인한 총독으로 기록되어 있습니다. 그리고 로마 황제에 대한 지나친 아부와 충성으로 일관했던 사람이었다고 역사는 말합니다.

출세를 위해서라면 못 할 일이 없었던 빌라도는 어떠한 삶을 살았을까요? 다른 사람들보다는 비교적 오래 유대 땅에서 총독으로 남을 수 있었습니다. 대부분 5, 6년 후에는 총독이 바뀌는데, 빌라도는 10년간 총독으로 있었습니다. 그의 아부는 확실히 효과가 있었습니다. 그러나 그것이 정말 그의 인생을 유익하게 만들었을까요? 역사를 계속 살피다 보면 사마리아 학살 사건을 보게 됩니다. 빌라도가 수많은 사마리아인을 학살한 것입니다. 이것이 로마 정부에 보고되어 그는 소환 명령을 받습니다. 로마 중앙 정부가 소환하자 자신의 정치적 생명이 끝났다고 판단한 그는 자살을 하고 맙니다. 이것이 그의 최후였습니다.

빌라도의 출세는 그를 파멸시켰습니다. '자기 목숨을 잃는 자는 얻을 것이고, 자기 목숨을 얻고자 하는 자는 잃을 것이다'라는 기독교의 역설적 진리는 빌라도의 삶을 통해서 웅변처럼 증거됩니다. 출세를 소원하는 자체가 나쁜 것은 아니라 해도, 우리는 자신을 지배하고 있는 가치관 전체가 출세였던 빌라도에게서 출세 지향적 선택이 가져오는 비극적 결말을 보게 됩니다.

양심을 외면한 선택

세 번째로, 빌라도의 선택은 양심 회피적이었습니다. 본문에서 그는 이렇게 소리칩니다.

"빌라도가 이르되 어찜이냐 무슨 악한 일을 하였느냐"(막 15:14).

그는 예수가 악한 일을 하지 않았다는 분명한 심증을 갖고 있었습니다. 예수가 선한 사람이라는 것을 알고 있었습니다. 본문 10절에 그 증거가 나타납니다.

"이는 그가 대제사장들이 시기로 예수를 넘겨준 줄 앎이러라"(막 15:10)

그는 대제사장들이 '시기' 때문에 예수님을 넘긴 것을 알고 있었습니다. 그 당시 제사장 계급의 종교인들은 예수님의 출세를 시기하고 있었습니다. 예수님이 사람들의 인기를 얻고 많은 사람이 그분을 추종하고 존경하자, 자신들의 입지가 좁아질 거라 판단한 제사장들은 예수를 죽이고자 하는 음모와 압력을 빌라도에게 넣고 있었습니다. 그리고 빌라도는 이 압력 앞에 굴복하고 말았습니다.

마태복음 27장은 재판 중에 그에게 메모 한 장이 전해지는 모습을 보여 줍니다. 그것은 빌라도의 아내가 보내온 메시지였습니다.

"여보, 이 옳은 사람에 대해서 잘못된 결정을 내리지 마세요. 내가 어젯밤에 꿈을 꾸었습니다."

빌라도는 아내의 충고가 일리 있다고 판단했을 가능성이 큽니다. 그도 예수님의 옳음을 알고 있었기 때문입니다. 누가복음 23장에는 보다 자세한 정황히 묘사되어 있습니다. 빌라도는 세 번이나 예수님을 놓아주려고 합니다. 그러나 끝내 예수님을 십자가에 내어 주었습니다. 자신의 양심을 거스르는 판단을 하고 말았습니다. 왜 그랬습니까? 양심을 따라갈 수 있는 용기가 없었던 것입니다.

양심이란 무엇입니까? 도스토옙스키(Fyodor Mikhailovich Dostoevskii)는 양심을 이렇게 정의했습니다.

"양심은 내 존재의 내면에 들려오는 신의 목소리다."

양심은 빌라도 안에서 소리치고 있었을 것입니다.

'빌라도, 너는 잘못하고 있어. 예수는 의인이야!'

아니, 그의 양심은 이렇게 소리치고 있었을지도 모릅니다.

'빌라도, 예수는 그리스도야!'

마태복음에 보면 빌라도가 "그리스도라 하는 예수를 내가 어떻게 하랴"(마 27:22) 하고 소리쳤다는 것을 알 수 있습니다. 그는 심지어 '예수가 그리스도라는 구세주일지도 모른다. 유대인의 구세주일 뿐 아니라 전 인류에 영향을 끼치는 놀라운 스승일지도 모른다'는 판단까지 했습니다. 그럼에도 불구하고 그는 양심의 목소리를 짓밟았습니다. 그리고 마침내 하나님의 목소리를 거스르는 불순종의 결단을 내리고 말았습니다.

오늘도 얼마나 많은 사람이 이 거룩한 소리를 거스르고 있습니까? 심지어 얼마나 많은 그리스도인이 양심의 목소리를, 하나님의 인도하심을 어기고 그리스도인답지 않은 결정과 행동 가운데 인생을 살아가고 있습니까?

진리를 선택해야 할 책임

이러한 시대에 살면서 윤동주의 시가 그리워지는 때가 있습니다. 일제 말기, 고독한 그리스도인 시인이었던 지성인 윤동주는 시대를 뛰어넘는 감동적인 고백을 우리에게 남겨 주었습니다.

죽는 날까지 하늘을 우러러

한 점 부끄럼이 없기를,

잎새에 이는 바람에도

나는 괴로워했다.

별을 노래하는 마음으로

모든 죽어가는 것을 사랑해야지

그리고 나한테 주어진 길을

걸어가야겠다.

오늘 밤에도 별이 바람에 스치운다.

하나님이 주신 길, 그 길이 옳은 길이라면 아무리 피곤하고 외롭고 괴로워도, 비록 삶에 고통을 수반한다 해도 마땅히 그 길을 걸어가겠다는 고백입니다.

오래전, 성지 순례 팀 인도를 마치고 귀국하는 비행기에서 미국 신문을 보다가 이런 충격적인 내용의 기사를 본 적이 있습니다. 기독교 신문이 아닌 미국의 대표적인 일반 신문이었습니다. 'Christian'이라는 단어가 눈에 띄어서 보게 되었는데, 그 기사 중에 "17세 소녀의 마지막 말이 그리스도인들을 감동시켰다"라는 내용이 있었습니다. 기사와 함께 소녀의 사진도 실려 있었습니다. 내용을 보니 우리가 알고 있는 사건에 관한 기사였습니다.

미국 콜로라도주 덴버시의 남서쪽에 리틀턴이라는 지역이 있습니다. 인구 3만 5천 명 정도가 거주하는 평화로운 소도시인데, 이곳의 콜럼바인 고등학교에서 발생한 총기 난사 사건에 관한 보도가 실려 있었습니다. 그 사건으로 가해 학생 두 명을 포함한 열네 명의 학생과 한 명의 교사가 죽고 스물네 명이 큰 부상을 당한 엄청난 비극이었습니다. 그런데 이 비극 가운데 놀라운 이야기가 있었습니다.

이 학교의 불량 서클이었던 '트렌치코트' 마피아 단원 두 명이 총기를 가지고 들어와 학생들을 난사하고 있을 때, 그곳에는 캐시 버넬(Cassie Rene Bernall)이라는 17세의 소녀가 있었습니다. 총을 들고 있던 학생 하나가 그녀의 목에 총구를 겨누고는 "너는 하나님을 믿냐?"라고 물었습니다. 하나님을 믿지 않는다고 했다면 살 수 있었을지도 모르는 상황에서 그녀는 그를 똑바로 쳐다보며 말했습니다.

"나는 하나님을 믿어"(Yes, I believe in God).

그러자 그는 성난 목소리로 소리를 지르며 총구를 가슴팍에 겨누고는 "하나님은 없어"라고 소리쳤습니다. 캐시는 그 소리를 들었고, 총구가 자신을 더욱 깊이 파고 들어오는 것을 느꼈습니다. 그렇지만 그녀는 이렇게 대답했습니다.

"아니야, 하나님은 살아 계셔. 너도 그분의 길을 따라야 해."

이 말에 성난 학생은 마구 총을 쏘았고, 피투성이가 된 캐시 버넬의 생명은 끊어졌습니다. 그러나 이것이 이 이야기의 끝은 아닙니다. 이 사실이 살아남은 학생들을 통해 알려지기 시작하면서 미국 그리스도인 십 대들 사이에서 'Yes, I believe in God'이라고 적

헌 티셔츠를 입고 다니는 운동이 일기 시작했습니다. 플로리다주의 한 도시에서는 2천5백 명의 십 대가 모여서 감동적인 신앙 고백 집회를 가졌습니다. 이 집회의 이름 역시 'Yes, I believe in God'이었습니다. 이 소식은 도시마다 불길처럼 번져 갔습니다. 이것을 통해 마약 속에 찌들어 죽어 가던 미국 그리스도인 십 대들의 양심이 깨어나게 되었습니다. 한 도시에서 또 다른 도시로, 한 집회에서 새로운 집회로 번져 가며 십 대들을 일깨우는 살아 있는 운동으로 불붙기 시작했습니다.

오늘 우리는 교회 안에서도 수많은 빌라도의 후예를 볼 수 있습니다. 소위 그리스도인이라고 하면서, 장로, 집사, 권사라고 하면서 빌라도와 조금도 다르지 않은 사람들을 볼 수 있습니다. 이 시대의 순교자인 캐시는 오늘을 살고 있는 우리가 어떤 선택을 해야 하는지를 자신의 삶과 죽음을 통해 말해 주었습니다. 지금, 이 순간 총부리가 우리의 목을 겨누고 있다면 우리도 캐시처럼 고백할 수 있을까요?

자신의 목숨을 드릴 수 있는 그리스도인이 얼마나 될까요? 하나님을 선택하고, 예수 그리스도를 선택하고, 성경의 가치관을 선택했다는 사실이 우리의 출세와 경제적인 이익을 앗아간다 해도, "나는 하나님을 믿는다"라고 세상을 향해 담대히 외칠 수 있는 그리스도인들은 어디에 있습니까?

-

"이날은 준비일 곧 안식일 전날이므로 저물었을 때에 아리마대 사람 요셉이 와서 당돌히 빌라도에게 들어가 예수의 시체를 달라 하니 이 사람은 존경받는 공회원이요 하나님의 나라를 기다리는 자라 빌라도 는 예수께서 벌써 죽었을까 하고 이상히 여겨 백부장을 불러 죽은 지가 오래냐 묻고 백부장에게 알아본 후에 요셉에게 시체를 내주는지라 요셉이 세마포를 사서 예수를 내려다가 그것으로 싸서 바위 속에 판 무덤에 넣어 두고 돌을 굴려 무덤 문에 놓으매 막달라 마리아와 요세의 어머니 마리아가 예수 둔 곳을 보더라"(막 15:42-47).

23

아리마대 요셉의
선택

믿음의 선포가
삶의 기준을 바꾼다

최선을 선택할 수 있는 자유

'의미 요법'을 창안한 유명한 심리학자 빅터 프랭클(Viktor Frankl)은
제2차 세계대전 때 독일에 의해서 수용소 생활을 하게 되었습니다.
그는 감옥에서 비참한 일들을 경험했습니다. 동료들이 줄줄이 가스
실로 가서 처형되는 광경을 보았고, 심지어 부모마저 그렇게 처참
히 사라지는 모습을 보았습니다. 곧이어 사랑하는 아내도 그보다
앞서서 가스실로 들어가게 되었고, 자식들까지도 떠나보내는 엄청
난 아픔을 경험했습니다. 그러나 그는 이런 비참한 일을 당하면서
도 감옥 안에서 크게 흔들리지 않고, 일상을 고요한 가운데 보내고

있었다고 합니다.

이런 그의 모습이 미웠던지, 어느 날 나치의 게슈타포가 그를 끌어내어 옷을 벗긴 채 알몸인 그를 하루 종일 끌고 다녔습니다. 그때 그는 온종일 자기 자신에게 이렇게 말했다고 합니다.

'당신들은 나에게서 부모를 빼앗아 갔다. 또 내 아내를 빼앗아 갔고, 내 자식들까지 빼앗아 갔다. 그러나 당신들이 나에게서 빼앗아 갈 수 없는 한 가지가 있다. 그것은 이러한 상황에 대해 내가 어떻게 반응할 것인가를 선택할 수 있는 자유다.'

사실 게슈타포들은 그가 흥분해서 고함을 지르고 반항하는 모습을 보고 싶었는지도 모릅니다. 그러나 그는 여전히 평상심을 유지했습니다. 그는 선택의 자유는 아직도 자신에게 있고, 최악의 상황 속에서도 선택의 자유를 지킬 수 있다는 것을 확인한 것입니다.

아리마대 요셉의 공개적인 선택

우리는 앞에서 예수 그리스도의 십자가 사건을 둘러싸고 최악의 상황에서 최악의 선택을 했던 빌라도에 대해 함께 생각했습니다. 이 장에서는 반대로, 최악의 상황 속에서 최선의 선택을 했던 사례를 살펴보고자 합니다. 그것은 바로 아리마대 요셉의 선택입니다. 그의 선택은 어떤 것이었을까요?

첫째, 그의 선택은 공개적이었습니다. 아리마대 요셉이 그 사람의 이름이라고 생각하는 경우가 종종 있는데, 아리마대는 지명입니다. 유대의 중앙 산지, 예루살렘에서 북서쪽으로 약 32킬로미터 떨어진 곳에 위치한 작은 마을로서 구약 시대에는 라마다임소빔이라 불렸는데, 사무엘의 고향이기도 합니다. 그에게 아리마대 사람 요셉이라는 표현이 필요했던 것은, 요셉이 너무나 보편적이고 흔한 이름이었기 때문입니다. 길에서 "요셉아" 하고 부르면 여러 사람이 한꺼번에 대답할 정도였습니다. 그래서 구별할 필요가 있었습니다.

이 사건 또한 모든 복음서에 기록되어 있는데, 특히 요한복음에는 이 사람에 관한 흥미로운 정보가 나옵니다.

> "아리마대 사람 요셉은 예수의 제자이나 유대인이 두려워 그것을 숨기더니 이 일 후에 빌라도에게 예수의 시체를 가져가기를 구하매 빌라도가 허락하는지라 이에 가서 예수의 시체를 가져가니라"(요 19:38).

아리마대 요셉이 예수님의 제자라고 했습니다. 예수님을 메시아로 믿고 따르던 예수님의 제자였습니다. 그런데 위의 말씀을 보면, 그는 예수님의 제자였지만 유대인을 두려워해서 자신을 숨기면서 살아왔습니다. 그래서인지, 지금까지 마가복음을 살피는 동안 우리는 그 안에서 아리마대 요셉이라는 이름을 볼 수 없었습니다. 그는 예수님이 십자가에서 죽으신 후에 갑자기 등장했습니다. '007 시리즈'의 주인공 제임스 본드처럼 자신의 정체를 숨기고 있었던 것 같습니다. 저는 현대에도 이러한 아리마대 요셉 같은 스타일을 지닌 예수님의 제자가 많이 있다고 생각합니다. 교회 안에도 얼마든지 있을 수 있습니다.

아리마대 요셉은 자신의 존재를 숨긴 사람이었습니다. 그러나 그가 그리스도의 제자임을 나타낼 수밖에 없는 순간이 찾아왔습니다. 무엇이 그의 마음을 변하게 했을까요? 아마도 십자가 사건을 전후한 상황 때문에 이러한 심경의 변화를 일으켰을 가능성이 큽니다.

십자가에 달려서도 사람들을 원망하기보다 오히려 "아버지여, 저들은 자기들이 하는 것을 모르니 용서해 주십시오" 하며 기도하시는 예수님의 모습이 그에게 감동을 준 것일까요? 아니면 같이 십자가에 매달린 강도의 "내 주여, 당신의 나라에 임할 때 나를 기억하소서" 하며 호소하는 소리를 듣고 "그래, 오늘 네가 나와 함께 낙원에 있을 것이다" 말씀하시던 모습이 그의 마음을 움직이게 했을까요? 아니면 그분이 십자가에 달려 있던 시간의 한 정점에 캄캄한 흑암이 온 세상을 덮었을 때 당신의 영혼을 부탁하며 의연하게 돌아가시는 그분 앞에서 로마의 백부장조차 "그는 진실로 하나님의 아들이었다"라고 말하는 것을 들으며 감동한 것일까요?

어쨌든 그는 변했습니다. 더 이상 침묵할 수 없다고 생각했습니다. 어쩌면 주님 앞에 죄송했는지도 모릅니다. 예수님이 십자가에 달리시는 순간까지 숨어서 따라왔던 자신의 모습이 부끄러웠는지,

그는 빌라도 앞에 나타났습니다. 그러고는 예수님의 시체를 달라고, 자기가 장사하겠다고 선언했습니다. 아마 사람들은 "아리마대 요셉이 예수님의 제자였나?" 하며 깜짝 놀랐을 것입니다. 드디어 그는 자신의 신분을 노출합니다.

공개적인 고백이 필요한 이유

그리스도인임을 드러내고 정체성을 고백하는 공적인 고백이 왜 필요할까요? 이러한 고백은 여러 가지로 유익한데, 우선 그것은 다른 사람들에게 영향을 끼칠 수 있습니다. 우리가 그리스도인이라는 것을 선언하면 우리 행동의 동기가 설명되고, 그것이 다른 사람들에게 복음적 영향을 끼칠 수 있습니다.

참으로 놀라운 사실은, 아리마대 요셉이 자신의 믿음을 선언하자 그 영향이 즉각적으로 나타나기 시작했다는 것입니다. 요한복음 19장 38절을 보십시오.

> "아리마대 사람 요셉은 예수의 제자이나 유대인이 두려워 그것을 숨기더니 이 일 후에 빌라도에게 예수의 시체를 가져가기를 구하매 빌라도가 허락하는지라 이에 가서 예수의 시체를 가져가니라."

여기서 끝나지 않습니다. 아리마대 요셉이 이렇게 하자마자 그다음 절에서 이루어지는 일을 주목해 보십시오.

> "일찍이 예수께 밤에 찾아왔던 니고데모도 몰약과 침향 섞은 것을
> 백 리트라쯤 가지고 온지라"(요 19:39).

아리마대 요셉의 행동이 누구에게 영향을 끼쳤습니까? 니고데모
에게 영향을 주었습니다. 요한복음 3장에서 볼 수 있듯이, 그는 밤
중에 예수님을 찾아와 함께 대화를 나누었고, "물과 성령으로 나지
아니하면 하나님의 나라에 들어갈 수 없느니라"(요 3:5)라는 말씀을
들었습니다. 저는 그때 니고데모가 예수님을 믿었을 것이라고 생
각합니다. 그때 거듭나게 되었다고 생각합니다. 그가 예수님을 만
나 대화하며 그분을 믿게 되었을 가능성에도 불구하고, 그 이후에
는 니고데모의 모습을 별로 찾아볼 수 없습니다. 니고데모도 아마
'007 제자단'의 일원이었을 것입니다. 예수님을 믿기는 하지만 자
기의 사회적 신분 때문에 신앙을 숨기고 있었을 가능성이 큽니다.
그가 밤중에 예수님을 찾아왔던 이유도 아마 신분 노출을 꺼렸기
때문일 것입니다.

그리스도인이라고 말하는 것이 사회적 신분을 유지하는 데 어려
움이 된다고 느끼는 사람은 지금도 많습니다. 성경 속의 상황도 동
일합니다. 그런데 아리마대 요셉이 자기를 대담하게 공개한 것이
니고데모에게 영향을 끼쳤습니다. 니고데모도 이 장례 행렬의 당
당한 일원이 되었습니다. 이렇듯 공개적인 신앙 고백은 사람들에

게 선한 영향을 끼칩니다. 뿐만 아니라 자신의 신앙에도 유익합니다. 자신이 그리스도인이라는 것을 선언하면 그에 대한 책임을 져야 하기 때문입니다. 그것은 우리의 신앙과 영적 성숙에 도움이 될 수 있습니다.

당신은 직장 동료들과 식사할 때 공개적으로 기도합니까, 아니면 속으로 '감사합니다' 하고는 예수님과는 아무런 상관도 없는 것처럼 천천히, 여유 있게 식사합니까? 식사 자리에서 공개적으로 기도하면 다른 사람들의 눈이 우리를 주목합니다. '저 사람, 그리스도인이구먼' 하고 생각합니다. 그때부터 우리의 행동은 감시받을지도 모릅니다. 그러다 보면 우리는 그리스도인답게 행동하기 위해 더욱 정직하게 행합니다. 이것이 영적 성숙에 도움이 됩니다. 만약 기도는 열심히 하는데 회사 생활은 불성실하게 하고 있다면, '007 제자단'으로 들어가십시오. 차라리 그렇게 하는 것이 낫습니다.

저는 자동차 범퍼에 물고기 모양을 달고 다니는 사람들을 존경합니다. 그들은 자신들이 그리스도인이라는 사실을 알리면서 다니는 이들입니다. 그런데 그들 중에서 빨간 신호인데도 그냥 지나치거나 새치기하는 사람이 있습니다. 그런 경우를 보면 '차라리 저 물고기 스티커를 떼어 버리든가 하지' 하는 생각이 듭니다. 물고기 모양을 달고 다니는 사람답게 빨간 불 앞에서는 정차하고 다른 사람에게 양보하며 여유 있게 운전하는 좋은 태도를 보이면 사람들은 '아, 그리스도인은 다르구나' 생각할 것이고, 그러한 노력을 기울이는 것은 자신의 성숙에도 도움이 될 수 있습니다. 그래서 저는 공개적인 신앙 고백이 매우 중요하다고 생각합니다.

공개적인 고백을 방해하는 두려움

그런데 왜 그렇게 하지 못합니까? 많은 이유가 있겠지만, 아리마대 요셉이 그랬던 가장 큰 이유는 그가 유대인을 두려워했기 때문입니다.

오래전에 전도자 학교를 하면서 이런 조사를 한 적이 있습니다. '그리스도인들이 왜 전도하지 않는가?'라는 질문에 '전도하기 싫어서'라고 한 사람은 거의 없었습니다. 극소수도 찾아보기 어려웠습니다. 9퍼센트가 '바빠서'라고 답했습니다. 그리고 14퍼센트가 '그리스도인으로서 삶의 본을 보이지 못하기 때문에'라고 대답했습니다. 이유 있는 명분입니다. 그다음 28퍼센트는 '전도 방법을 몰라서'라고 했습니다. 그래서 전도 훈련이 필요합니다. 훈련을 받으면 잘할 수 있습니다.

그런데 나머지 49퍼센트의 대답은 무엇이었을까요? '두려워서'였습니다. 전도할 때 상대방의 반응이 두려워서, 전도를 그 사람이 받아들이지 않을까 두려워서, 혹은 전도하려 했다가 주변 사람들에게 왕따를 당할까 걱정되어 못 한다고 했습니다. 두려움은 그리스도인들이 정체성을 노출하지 못하게 하는 가장 중요한 이유가 될 수 있습니다. 그러나 이것을 극복하고 전도하면, 그것으로 우리의 영적 성장이 촉진됩니다. 우리의 삶이 새롭게 변할 수 있고, 주변에 영향을 끼칠 수 있습니다.

저는 아리마대 요셉이 자신의 신분을 노출한 그때부터 본격적인 신앙생활을 시작하면서 제2의 인생을 살지 않았을까 생각합니다. 그의 공개적 신앙 고백이 당장 니고데모에게 영향을 끼치지 않습니까? 우리가 그리스도인이고 그리스도의 생명이 우리 안에 있다면, 그 생명력은 당연히 영향력을 발휘합니다. 당신은 지금 어떤 영향을 끼치고 있습니까?

예수님은 뭐라고 말씀하셨습니까? "누구든지 사람 앞에서 나를 시인하면 나도 하늘에 계신 내 아버지 앞에서 그를 시인할 것이요 누구든지 사람 앞에서 나를 부인하면 나도 하늘에 계신 내 아버지 앞에서 그를 부인하리라"(마 10:32-33)라고 하셨습니다. 이러한 공개적인 고백, 공개적인 시인, 신앙에 대한 공개적 선택은 우리를 신앙인답게 만드는 중요한 첫 번째 결단입니다. 당신은 삶에서 이러한 공개적 선택과 공개적 결단을 해 보았습니까?

모험적인 선택

둘째, 그의 선택은 모험적이었습니다. 본문에서 마가는 요셉의 결단을 이렇게 소개하고 있습니다.

"아리마대 사람 요셉이 와서 당돌히 빌라도에게 들어가 예수의 시체를 달라 하니"(막 15:43).

'당돌하다'라는 표현은 좋은 번역이라고 생각되지 않습니다. '담대하다'라는 표현이 더 적절합니다. 이를 다른 말로 표현하면 모험적인 결단이었다고 할 수 있습니다. 왜 모험입니까? 그가 예수의 제자라는 것이 알려지면 얼마든지 불이익을 겪게 될 수 있습니다.

그 당시 수많은 군중이 "예수 대신 바라바를 놓으소서, 바라바를 놓으소서. 예수를 십자가에 못 박으소서"라고 외쳤습니다. 예수님은 군중에게 배척받으셨습니다. 그리고 마침내 십자가에서 처형되어 죽은 사람이었습니다. 이러한 예수의 편에 서는 일은 지금까지 그가 쌓아 올린 사회적 지위를 한꺼번에 잃어버릴 수 있는 모험이었습니다.

본문 43절 뒷부분에는 아리마대 요셉이 존경받는 공회원이라고 나와 있습니다. 그 당시 이스라엘에는 70명으로 구성된 산헤드린이라 불리는 공의회가 있었는데, 그는 그 의회의 일원이었습니다. 국회의원과 비슷한 사람이었습니다. 자신이 예수의 제자라는 사실을 선포하는 순간 그는 불이익을 당하고, 사람들에게 따돌림을 당하며, 심지어는 지위를 잃어버릴 수도 있었습니다. 지금까지 쌓아 올린 인생의 모든 명예와 기득권을 상실할 수 있는 위험이 있었습니다. 그는 또한 부자였습니다. 마태복음 27장에는 '부자 요셉'이라고 나와 있습니다. 그는 이 부요함을 잃게 될 수도 있었습니다.

그러나 그는 자기가 그리스도의 제자임을 공개적으로 선언하기로 결심했습니다. 이것이 바로 모험입니다. 혹시 신앙생활의 매너리즘에 빠져 있습니까? 교회에 와서 예배드리는 것을 제외하면 신앙생활에 감격이 없지 않습니까? 믿지 않는 사람들과 비교해서 다른 것이 '예배드리러 왔다 갔다 하는 것'밖에 없는 사람에게는 신앙의 기쁨이 없습니다. 신앙의 흥분이 없습니다. 신앙의 환희가 없습니다. 신앙의 보람이 없습니다. 신앙생활에서 느낄 수 있는 절대적인 감격이 없습니다. 왜 그럴까요? 그런 사람들은 헌신이 없기 때문에, 곧 인생을 주님 앞에 드려 보지 못했기 때문입니다.

오엠국제선교회의 창립자인 조지 버워(George Verwer)는 전 세계적으로 선교적인 영향을 끼쳤던 인물입니다. 그가 예수님을 믿고 난 후 한 집회 석상에서 자기 일생을 주 앞에 바치겠다고 결심했을 때, 한 친구가 "소감이 어떠냐?"라고 물었습니다. 그는 그때 이렇게 말했습니다.

"나는 오늘 돌아올 수 없는 다리를 건넜다. 나는 이제 뒤로 돌아서지 않겠다."

그리고 그 후로 전투적인 인생, 복음 선교를 위해 인생을 바치는 위대한 생애를 살기 시작했습니다.

카이사르(Gaius Julius Caesar)가 브리타니아(오늘날의 영국)를 공격할 때 도버 해협을 건너자마자 제일 먼저 한 일은 그와 병사들이 타고 온 배를 불태워 버리는 것이었습니다. 그것은 모든 군사에게 '우리에게 돌아갈 곳은 없다. 전진만이 있을 뿐이다'라는 메시지를 주었습니다.

그런데 예수님도 동일한 메시지를 주셨습니다. 주님은 "손에 쟁기를 잡고 뒤를 돌아보는 자는 하나님의 나라에 합당하지 아니하니라"(눅 9:62)라고 말씀하셨습니다. 십자가의 복음을 들고 따라오는 사람들에게 주님은 이러한 완전한 헌신을 요구하십니다. 또한 "무릇 내게 오는 자가 자기 부모와 처자와 형제와 자매와 더욱이 자기 목숨까지 미워하지 아니하면 능히 내 제자가 되지 못하고"(눅 14:26)라고 말씀하셨습니다. 예수님의 말씀을 따라 모험적인 선택을 하는 사람에게는 세상의 부가 보장되지 않을 수도 있습니다. 그러나 그는 하늘의 보화를 향해서 걸어가는 인생을 살게 될 것입니다.

아리마대 요셉은 지위를 잃었을지도 모릅니다. 그러나 그에게는 이런 마음이 있었을 것입니다.

'주님만 나를 알아주시면 된다. 십자가에 달려 돌아가시던 예수님을 바라보면서도 침묵했던 나는 더 이상 침묵할 수 없다.'

그분 앞에 떳떳이 서기 위해, 메시아를 보내신 살아 계신 하나님 앞에 인정받는 삶을 살기 위해 그는 모든 것을 걸어야 했을 것입니다. 이러한 모험적 선택이 바로 아리마대 요셉의 선택이었습니다.

영원을 향한 선택

셋째, 그의 선택은 영원을 향한 선택이었습니다. 본문 43절 마지막 부분에는 그의 삶을 소개하는 인상 깊은 대목이 있습니다.

"이 사람은 존경받는 공회원이요 하나님의 나라를 기다리는 자라"(막 15:43).

'하나님 나라를 기다리는 자'라는 말씀을 주목하십시오. 과거에 하나님 나라를 기다렸던 자가 아닙니다. 원문에는 '하나님 나라를 지금도 기다리고 있다'라고 되어 있습니다.

예수님의 죽음으로 모든 상황이 끝났거니 하면서 그저 장례나 잘 치러 드리려 하는 사람의 이야기가 아닙니다. 아리마대 요셉은 지금 하나님 나라를 기다리고 있다고 말씀합니다.

예수님은 하나님 나라를 가지고 이 땅에 오셨습니다. 그분은 공생애 사역을 어떤 메시지로 시작했습니까? "때가 찼고 하나님의 나라가 가까이 왔으니 회개하고 복음을 믿으라"(막 1:15)였습니다. 그러던 예수님이 돌아가셨습니다. 그러나 그것으로 모든 것이 끝난 것은 아닙니다. 요셉은 아직도 하나님 나라를 기다린다고 했습니다.

그에게 어떤 믿음이 있었을까요? 그는 예수 그리스도의 말씀을 먼 발치에서 들으면서 부활의 신앙을 갖게 되었는지도 모릅니다. '저분이라면 말씀하신 그대로 다시 부활할 것이다. 그리고 반드시 하나님 나라를 이 땅에 가져오실 것이다. 그의 나라는 이루어지고 말 것이다'라는 믿음을 갖고 있었을 것입니다. 그리고 그분의 나라가 실현되고 이루어지는 날, 그분 앞에 떳떳이 서기를 바라는 것이 그의 진심이었을 것입니다. 그가 치른 장례식에는 그러한 의미가 담겨 있었다고 생각됩니다.

마태복음에서는 정결한 세마포와 새 무덤을 준비하는 그의 모습을 볼 수 있습니다. 예수님을 위해 아무도 쓰지 않은 새 무덤을 예비합니다. 이사야 53장은 "그가 찔림은 우리의 허물 때문이요 그가 상함은 우리의 죄악 때문이라"(사 53:5)라는 말씀과 더불어 고난받는 메시아에 대한 예언이 있는데, 이 예언 중에는 "그의 무덤이 악인들과 함께 있었으며 그가 죽은 후에 부자와 함께 있었도다"(사 53:9)라는 내용이 있습니다. 아리마대 요셉이 이 말씀을 알았다면 아마도 이런 생각을 가졌을 것입니다.

'이 예언이 실현되기 위해서 주님은 내 무덤에 안치되실지도 모른다. 주님이 내가 예비한 무덤을 쓰시는 것이다.'

그는 흥분과 감격으로 그 무덤을 예비했을 것입니다.

'성경의 예언처럼, 그분이 말한 것처럼 그분은 다시 일어나 부활하실 것이다. 그리고 하나님의 나라를 이루실 것이다.'

그는 이런 흥분과 감격으로 지금까지 예비하고 모아 두었던 자신의 재산, 재능, 지식, 달란트, 그 모든 것을 주님의 발 앞에 내려놓았을 것입니다.

'주님, 저를 써 주십시오. 이제라도 저를 써 주십시오. 주님 앞에 부끄러움이 없이 설 수 있기를 원합니다.'

이것은 영원을 향한 선택이었습니다. 더 이상 그는 지상의 순간적인 것에 가치를 부여하지 않았습니다. 이 땅의 명예가 아닌 하늘의 명예, 하나님이 인정하시는 명예가 소중했습니다. 이 땅의 부요보다 하늘의 보화가 더욱 소중했습니다.

"이 세상도, 그 정욕도 지나가되 오직 하나님의 뜻을 행하는 자는 영원히 거하느니라"(요일 2:17).

영원하신 하나님 앞에 인정받을 수 있는 삶의 결산을 위해 모든 것을 걸고 모험적인 결단을 했던 아리마대 요셉의 선택은 영원을 향한 후회 없는 선택이었습니다.

그런 선택을 한 또 한 사람이 있습니다. 그는 스물두 살의 젊은 나이에 매력적인 저음과 바리톤의 목소리를 가지고 있었습니다. 많은 사람은 그에게 매혹되었고, NBC 방송국은 막대한 금액을 제안하며 전속 계약을 원했습니다. 그러나 그 시기에 그는 자기와 비슷한 또래인 한 젊은이의 설교를 듣고 피가 끓기 시작했습니다. 그래서 그는 그 설교자와 함께 다니면서 복음의 노래를 부르는 사람이 되기로 결심했습니다. 그의 결심대로 그는 그 설교자와 함께 전세계 도시를 다니며 노래하다가 104세에 주의 부름을 받았습니다. 그는 빌리 그레이엄과 평생을 동역하면서 바리톤의 저음으로 복음의 은혜를 노래한 조지 베벌리 쉐아(George Beverly Shea)입니다.

방송국의 제안을 거절하고 집으로 돌아왔을 때 피아노 건반 위에 올려진 어머니가 늘 애송하던 성시 한 편이 눈에 들어왔습니다. 그 성시를 읽다가 이 젊은이의 눈에서 눈물이 흐르기 시작했습니다. 그는 펜을 꺼내서 작곡을 시작했습니다.

"주 예수보다 더 귀한 것은 없네. 이 세상 부귀와 바꿀 수 없네. 영 죽을 내 대신 돌아가신 그 놀라운 사랑 잊지 못해. 세상 즐거움다 버리고 세상 자랑 다 버렸네. 주 예수보다 더 귀한 것은 없네. 예수밖에는 없네."

1983년, 암스테르담에서 열린 전도대회에 수많은 전도자가 모였습니다. 빌리 그레이엄의 설교 직전, 노인이 된 그가 백발을 휘날리면서 이 찬양을 부르기 위해 강단에 올라섰습니다. 그 순간, 전 세계에서 모여든 기독교 지도자들이 그에게 기립 박수를 보내고 있었습니다. 그는 박수 소리를 가라앉히면서 이렇게 말했습니다.

"여러분이 제게 보내 주는 박수갈채보다 저는 예수님이 더 좋습니다. 주 예수보다 더 귀한 것은 없습니다."

그는 영원을 선택한 사람이었습니다.

공개적인 고백, 공개적인 시인,

신앙에 대한 공개적 선택은

우리를 신앙인답게 만드는 중요한 결단이 됩니다.

"안식일이 지나매 막달라 마리아와 야고보의 어머니 마리아와 또 살로메가 가서 예수께 바르기 위하여 향품을 사다 두었다가 안식 후 첫날 매우 일찍이 해 돋을 때에 그 무덤으로 가며 서로 말하되 누가 우리를 위하여 무덤 문에서 돌을 굴려 주리요 하더니 눈을 들어본즉 벌써 돌이 굴려져 있는데 그 돌이 심히 크더라 무덤에 들어가서 흰옷을 입은 한 청년이 우편에 앉은 것을 보고 놀라매 청년이 이르되 놀라지 말라 너희가 십자가에 못 박히신 나사렛 예수를 찾는구나 그가 살아나셨고 여기 계시지 아니하니라 보라 그를 두었던 곳이니라 가서 그의 제자들과 베드로에게 이르기를 예수께서 너희보다 먼저 갈릴리로 가시나니 전에 너희에게 말씀하신 대로 너희가 거기서 뵈오리라 하라 하는지라 여자들이 몹시 놀라 떨며 나와 무덤에서 도망하고 무서워하여 아무에게 아무 말도 하지 못하더라 [예수께서 안식 후 첫날 이른 아침에 살아나신 후 전에 일곱 귀신을 쫓아내어 주신 막달라 마리아에게 먼저 보이시니 마리아가 가서 예수와 함께하던 사람들이 슬퍼하며 울고 있는 중에 이 일을 알리매 그들은 예수께서 살아나셨다는 것과 마리아에게 보이셨다는 것을 듣고도 믿지 아니하니라"(막 16:1-11).

24

예수 부활의
첫 증인들

평범한 인생을 통해
비범한 역사가 이뤄진다

"큰일을 할 사람입니다"

교인들이 가끔 전도를 부탁하거나 혹은 교회로 새 교우를 데리고 와
서 소개하면서 이렇게 말하는 경우가 있습니다.

"목사님, 이분이 예수를 제대로 믿기만 하면 아주 큰일을 할 사람
입니다. 특별히 관심 좀 가져 주세요."

잘못된 부탁은 아닙니다. 그러나 이런 부탁을 하는 사람의 마음
속에 어떤 세속적인 전제가 있다는 것을 부인할 수는 없습니다. 주
로 학식이 많거나 높은 사회적 지위, 혹은 재력을 지닌 사람일 경우
에 그런 소개를 하기 때문입니다. 즉 '하나님께서도 이것들을 무척

귀하게 여기실 것이고, 하나님도 이러한 것들이 없이는 큰일을 하실 수 없다'는 생각이 전제되어 있다고 할 수 있습니다. 목회 초기에는 이런 말을 들은 후에 그러한 분들에게 특별한 시간을 내기도 했고, 관심을 가지려 하기도 했습니다. 그러나 그들이 별다르게 큰일을 하지 않는 것을 보았습니다. 어느 순간 제가 철이 든 후로는 그런 소개를 받을 때 그저 웃고 넘기게 되었습니다. 물론 친절하게 대답하기는 하지만, 큰 기대는 갖지 않습니다.

평범한 사람들에 의해 이루어지는 특별한 역사

제가 목회를 하면서 알게 된 한 가지는, 하나님이 쓰시는 사람들은 아주 평범하다는 사실입니다. 이는 명백한 사실입니다. 기독교 역사를 살펴보아도 그렇습니다. 기독교 역사 속에서 하나님께 쓰임 받았던 사람들은 세상에서 쟁쟁한 사람이 아니었습니다. 세상의 칭송을 받던 사람들은 하나님 나라를 위해 크게 기여하지 않았습니다. 지극히 평범한 사람들이 하나님 나라의 귀한 제목으로 쓰임 받는 것을 볼 수 있습니다. 기독교 역사, 복음의 역사는 '평범한 사람이 이루어 놓은 비범한 역사'라고 할 수 있습니다. 링컨(Abraham Lincoln)이 비슷한 이야기를 했습니다.

"나는 하나님이 대단히 평범한 사람을 좋아하신다고 생각한다. 하나님께서 세상에 평범한 사람을 많이 만들어 놓으신 것을 보면 알 수 있다."

본문은 마가복음의 마지막 장입니다. 그러나 이 마지막 장은 끝이 아닙니다. 마가복음은 새로운 복음의 시대의 막이 오른다는 것을 예고합니다. 마가복음이 어떻게 시작되었습니까?

"하나님의 아들 예수 그리스도의 복음의 시작이라"(막 1:1).

예수님이 이 땅에 내려와 복음을 선포함으로 복음의 역사, 하나님 나라가 시작되었습니다. 그러고 나서 예수님은 십자가에 달려 돌아가셨습니다. 그리고 부활하셨습니다. 그러나 예수님의 십자가의 죽음과 부활이 복음의 역사의 마지막은 아닙니다. 그것은 새로운 시작입니다.

부활한 주님이 제자들에게 나타나 복음을 부탁하십니다. 그러면서 신약 시대의 막이 오릅니다. 새로운 역사의 무대가 펼쳐지기 시작합니다. 그런데 그 부활한 주님이 누구에게 나타나셨고, 누구에게 복음을 부탁하셨습니까? 부활한 주님이 제일 먼저 당신을 보여 주신 대상이 누구였습니까? 제가 주님의 입장이라면 아마도 베드로에게 제일 먼저 나타났을 것 같습니다. 제자들 가운데서 수제자가 베드로이기 때문입니다. 그러나 예수님은 베드로에게 제일 먼저 나타나지 않으셨습니다. 본문 1절을 보십시오.

"안식일이 지나매 막달라 마리아와 야고보의 어머니 마리아와 또 살로메가 가서 예수께 바르기 위하여 향품을 사다 두었다가"
(막 16:1).

그리고 본문 9절을 보십시오.

"예수께서 안식 후 첫날 이른 아침에 살아나신 후 전에 일곱 귀
신을 쫓아내어 주신 막달라 마리아에게 먼저 보이시니"(막 16:9).

여기서 주목해야 할 중요한 부분이 있습니다. '먼저 보이셨다'는
대목입니다. 누구에게 먼저 보이셨습니까? 부활한 주님이 제일 먼
저 당신을 보여 주신 대상은 막달라 마리아였습니다. 막달라 마리
아는 일곱 귀신에게 사로잡혀 어두운 인생을 살아온 여인이었습니
다. 사회로부터 소외되어 다른 사람들의 주목을 받지 못하던 평범
한 여인이었습니다. 그런데 부활한 주님은 가장 먼저 그 여자에게
나타나셨습니다. 그리고 그녀에게 복음을 부탁하셨습니다.
　주님은 왜 이렇게 평범한 사람들을 쓰셨을까요? 그들이 단지 평
범하기 때문에 쓰임 받게 된 것은 아닙니다. 분명 어떤 이유가 있
었을 것입니다. 그 이유를 함께 추적해 보고자 합니다.

주님의 은혜를 체험한 사람들

첫째, 그들은 주님의 은혜를 체험했기 때문에 쓰임 받을 수 있었습니다. 막달라 마리아를 포함한 여인들이 어떤 사람이었는지, 그들이 예수님을 처음에 어떻게 만났고 그분과 어떤 관계를 맺었는지에 대해서는 누가복음 8장에 기록되어 있습니다.

"그 후에 예수께서 각 성과 마을에 두루 다니시며 하나님의 나라를 선포하시며 그 복음을 전하실새 열두 제자가 함께하였고"(눅 8:1)

열두 제자가 예수님의 대표적인 제자였으므로 예수님이 이들만 사용하셨다는 오해를 할 수도 있지만, 결코 그렇지 않았습니다. 이어지는 말씀을 보십시오.

"또한 악귀를 쫓아내심과 병 고침을 받은 어떤 여자들 곧 일곱 귀신이 나간 자 막달라인이라 하는 마리아와 헤롯의 청지기 구사의 아내 요안나와 수산나와 다른 여러 여자가 함께하여 자기들의 소유로 그들을 섬기더라"(눅 8:2-3)

이 복음서는 처음부터 하나님 나라의 역사를 감당한 사람이 결코 열두 제자만은 아니었다는 것을 보여 주며, 여인들의 역할이 있었다는 것을 강조합니다. 3절에서는 그들이 자기의 소유와 물질로 열두 제자를 도우며 복음 사역을 위해 함께 헌신했다는 사실을 역설합니다. 그들이 어떻게 그러한 첫 출발을 할 수 있었습니까?

2절을 통해 그들이 은혜 받은 사람들이었다는 것을 알 수 있습니다. 귀신이 그들에게서 나갔고, 그들은 자유를 얻었습니다. 눌려 있던 상태에서 영혼의 자유와 정신적 새로움을 체험한 사람들과 병 고침을 받은 사람들, 즉 육체의 질병에서 자유를 얻은 사람들에게는 한 가지 공통점이 있습니다. 주의 은혜를 체험했다는 것입니다.

그 은혜는 대단히 값비싼 것이었습니다. 무슨 의미입니까? 값비싼 은혜라는 표현에는 은혜를 베풀어 준 주님이 대가를 지불하셨다는 의미가 담겨 있습니다. 여인들을 만나 치유해 주신 후 주님은 '세리와 죄인의 친구'라는 별명을 갖게 되었습니다. 그뿐 아니라 이 여인들에게 온전한 자유와 새로운 삶을 주기 위해 십자가를 지셔야만 했습니다.

그런데 이러한 사실, 즉 자신들을 자유롭고 새롭게 하기 위해 주님께서 대가를 지불하셨고, 자신들 때문에 십자가로 가신다는 사실을 이 여인들은 알고 있었습니다. 그것을 알았기 때문에 십자가까지 예수님을 따라간 것입니다. 마가복음 15장을 보십시오. 이 장은 예수님이 십자가에 달리시는 사건의 전후 상황을 보여 주고 있습니다.

"멀리서 바라보는 여자들도 있었는데 그중에 막달라 마리아와 또 작은 야고보와 요세의 어머니 마리아와 또 살로메가 있었으니"(막 15:40).

예수님이 십자가에 매달리는 마지막 순간에 그분을 찾아 그 현장에 있었던 여인들의 이름이 모두 기록되어 있습니다. 마가복음 15장 41절은 "이들은 예수께서 갈릴리에 계실 때에 따르며 섬기던 자들이요"라고 말씀합니다. 이곳 십자가까지 왔다는 말입니다. 그리고 "또 이 외에 예수와 함께 예루살렘에 올라온 여자들도 많이 있었더라"라고 했습니다. 그런데 남자들은 다 어디로 갔습니까? 수제자 베드로는 예수님을 부인한 후 떠나 버렸고, 다른 많은 제자도 다 물러갔습니다. 그러나 평범했던 여인들, 가난한 마음을 가졌던 여인들, 단순한 정서를 지녔던 이 여인들은 십자가까지 예수님을 따라왔습니다. 그들은 예수님의 은혜를 알고 있었기 때문입니다. 그 은혜를 저버릴 수 없다고 생각했기 때문입니다.

15장의 마지막 절인 47절은 "막달라 마리아와 요세의 어머니 마리아가 예수 둔 곳을 보더라"라고 말씀합니다. 예수님이 십자가에 달려 돌아가신 후에 그 시체가 어디에 뉘어졌는지를 잘 보아 둔 것입니다. 그리고 안식일에는 장례를 치를 수 없었기에, 그들은 안식일이 지난 그 이튿날 이른 새벽에 무덤으로 간 것입니다. 본문 2절에서 이 장면을 볼 수 있습니다. 예수님의 시체에 향유를 발라 드리기 위해 여인들은 향품을 들고 이 동산에 올라왔습니다. 그들은 은혜를 아는 여인들이었습니다. 그 은혜를 위해 얼마나 값비싼 대가

431

가 지불되었는지를 알고 있었습니다. 예수님이 자신들 때문에 십자가에 달려 돌아가셨다는 것을 알고 있었습니다.

닉슨(Richard Nixon) 대통령의 보좌관이었던 찰스 콜슨(Charles Colson)의 저서, 《누가 하나님을 대변하는가?》(정경사 역간)를 읽던 중 한 대목에서 매우 깊은 감동을 받았습니다. 미국의 대법관 자리까지 올라갔던 윌리엄 본 트레이저라는 판사의 이야기입니다. 그가 한 강도를 심리하게 되었습니다. 대법원까지 올라온 사례였는데, 죄질이 매우 악한 해리 팔머라는 유명한 강도였습니다. 이 판사는 나이가 많이 들어서 예수님을 믿게 된 사람이었습니다. 늦게 신앙을 받아들였지만, 아주 진지하게 신앙생활을 하고 있었습니다. 그런데 이 강도 역시 교도소에서 복음을 듣고 예수 그리스도를 영접함으로 인해 삶이 변화되었습니다. 이 판사는 자신이 그리스도인이었기 때문에 이 강도를 심리하는 중에 그가 최근에 예수님을 영접함으로 인해 삶이 변화되었다는 것을 직감적으로 알았습니다. 이 사람의 변화가 거짓이 아니라 진정한 것이라는 사실을 알 수 있었습니다. 그래서 어떻게 해서든 그를 돕고 싶은 마음이 생겼습니다. 그러나 그의 죄질을 고려해 볼 때 적어도 10년형은 선고해야 했습니다. 판사는 고민했습니다. 심지어 금식 기도까지 했습니다. 그리고 마침내 1년형을 선고했습니다. 10년형을 선고해야 할 사람에게 1년형을 선고하고, 몇 년간의 사회 봉사를 명령했습니다.

그러나 이것이 법조계에서 문제가 되었습니다. 물론 이 판사는 이러한 상황이 벌어질 것을 각오하고 그러한 판결을 내린 것입니다. 이것은 매우 공평하지 못한 판단이라는 문제가 제기되어 법관을 심리하기 위한 특별 위원회가 소집되었습니다. 그 자리에서 본 트레이저는 자신의 판단이 법 상식에 어긋났다는 것을 시인하며 사표를 제출하고는 대법관이라는 영광스러운 자리에서 내려왔습니다. 이것은 많은 사람을 놀라게 한 충격적인 소식이었습니다.

그리고 1년 후, 본 트레이저는 1년의 형기를 마치고 출소한 해리 팔머를 마중하러 교도소까지 찾아왔습니다. 해리 팔머는 자기 때문에 본 트레이저가 법관의 자리에서 물러났다는 것을 알고 있었습니다. 팔머가 걸어 나오자 본 트레이저는 그를 끌어안았습니다.

"형제님, 당신을 기다렸습니다."

팔머는 눈물을 흘리면서 전직 판사 앞에 무릎을 꿇고 말했습니다.

"판사님, 죄송합니다. 그렇지만 이렇게까지 하실 필요는 없었습니다."

이때 본 트레이저는 팔머를 향해서 이렇게 말했습니다.

"무슨 말입니까? 주님은 형제와 저를 위해 십자가에서 목숨을 버려 주셨는데요."

그러자 해리 팔머는 자리에서 일어나면서 본 트레이저의 손을 잡고 말했습니다.

"바르게 살겠습니다. 바르게 살겠습니다."

그리고 그 말대로 그는 진실하고 올바른 삶을 살았습니다.

이것이야말로 진정한 은혜를 체험했다는 것이 무엇인지를 보여 주는 이야기라 생각합니다. 그 누구도 은혜를 체험하지 않고는 증인이 될 수 없습니다. 체험하지 않은 사람이, 보지 않은 사람이, 경험하지 않은 사람이 사건에 대한 증인이 될 수는 없습니다. 본문의 여인들은 예수의 은혜를 체험했기에 비로소 부활의 증인 된 자리에 설 수 있었습니다.

주님의 부활을 믿은 사람들

둘째, 그들은 예수의 은혜를 체험했을 뿐만 아니라 예수의 부활을 믿었기 때문에 쓰임 받을 수 있었습니다. 그러나 여인들이 처음부터 이러한 부활이 있을 것이라 기대한 것은 아니었습니다. 사실 여인들은 부활을 기대한 것이 아니라 단순한 애정, 단순한 충성심으로 예수님의 시체에 향유를 발라 드리고자 올라왔던 것입니다. 예수님의 부활 소식을 접했을 때 보인 반응을 통해 그것을 알 수 있습니다.

> "여자들이 몹시 놀라 떨며 나와 무덤에서 도망하고 무서워하여 아무에게 아무 말도 하지 못하더라"(막 16:8).

만약 예수님의 부활을 기대했다면 부활의 소식을 들었을 때 "그럴 줄 알았어. 주님, 정말 기대한 대로 부활하셨군요. 할렐루야" 이런 반응을 보였을 것입니다. 그런데 전혀 그렇지 않았습니다. 그들은 심히 놀라 떨었고, 아무 말도 할 수 없었으며, 두려워 도망갔다고 했습니다. 전혀 기대하지 않았던 충격적인 사건이었음이 분명합니다. 그럼에도 불구하고 그들은 이러한 부활의 사건과 소식을 접하면서 불신과 회의를 넘어서서 믿는 자의 자리에 서게 됩니다. 이것은 여인들뿐만이 아니라 다른 제자들도 마찬가지였습니다. 다른 제자들의 모습을 보아도 그들이 이러한 부활을 기대했다는 흔적이 별로 없습니다.

> "그들은 예수께서 살아나셨다는 것과 마리아에게 보이셨다는 것을 듣고도 믿지 아니하니라"(막 16:11).

처음에 이 엄청난 사건을 대하며 여인들은 놀라고 두려워했습니다. 어쩔 줄 몰라 했습니다. 그러나 거기서 그치지 않았습니다. 놀라고 두려웠음에도 불구하고 막달라 마리아는 어떤 반응을 보였다고 성경은 기록합니까?

> "마리아가 가서 예수와 함께하던 사람들이 슬퍼하며 울고 있는 중에 이 일을 알리매"(막 16:10).

이것이 순종입니다. 가서 전하라는 말씀 그대로 막달라 마리아는 두려움 중에도, 어쩌면 주저함 속에서도 순종을 결단하고 나아갑니다. 그리고 가서 '새로운 시대가 밝아 온다'고 말합니다. 그녀가 순종하자마자 하나님은 그녀를 부활의 첫 번째 증인으로 삼아 주셨습니다. 그리고 신약의 시대, 새로운 역사의 무대가 이 여인들을 통해서 밝아 오는 놀라운 모습을 보여 주셨습니다.

주님은 순종하는 자를 사용하신다는 사실을 믿으십시오. 단지 믿는 자가 된 것으로 족하지 않습니다. 믿고 순종하는 것이 중요합니다. 당신이 믿은 그 사실이 참된 것이라면, 진정으로 그 말씀을 붙들고 살겠습니까? 이것이 더 중요합니다. 마리아는 가서 전하기 시작했습니다. 그리하여 마리아와 그 여인들은 부활의 증인으로 쓰임 받기 시작했습니다. 이것은 마리아만을 향한 명령이 아닙니다. 이것은 다른 제자들을 향한 명령이기도 했습니다. 그리고 오늘 이 시대를 살고 있는 우리에게도 여전히 동일하게 주어진 명령인 것을 기억하십시오.

가장 중요한 명령을 따르며 기적을 체험하는 사람들

우리는 이것을 주님의 지상 명령이라고 부릅니다. 마가복음에 나타난 지상 명령을 읽어 보십시오.

> "또 이르시되 너희는 온 천하에 다니며 만민에게 복음을 전파하라"(막 16:15).

원문의 내용은 이렇습니다.

436

"모든 곳, 네가 가는 곳은 어디나 복음을 전해야 할 장소다. 그러니 네가 만나는 모든 사람에게 복음을 전해라."

그다음 말씀에는 복음을 전하는 사람들에게 주어진 놀라운 약속이 나옵니다.

> "믿는 자들에게는 이런 표적이 따르리니 곧 그들이 내 이름으로 귀신을 쫓아내며 새 방언을 말하며 뱀을 집어 올리며 무슨 독을 마실지라도 해를 받지 아니하며 병든 사람에게 손을 얹은즉 나으리라 하시더라"(막 16:17-18).

종종 매스컴에는 이 말씀을 보고 그대로 실험을 하는 이상한 그리스도인에 대한 기사가 나옵니다. 어떻게 보면 순진하다 할 수 있지만, 말씀을 잘못 이해했기 때문에 그러한 행동을 하는 것입니다.

우리는 이 말씀을 주신 상황을 전체적으로 이해해야 합니다. 이 말씀은 특별한 이유도 없이 주님을 시험해 보라는 것이 아닙니다. 참으로 주님의 말씀에 순종하고 가는 자들에게 그 말씀이 실현되도록 하기 위해서 주신 약속입니다. 또한 복음을 전하는 자들을 보호하고 하나님 나라가 영광스럽게 확장되도록 이 약속을 주신 것입니다.

전도 중에 사역을 방해하는 어떤 귀신을 만날 때, 주의 이름으로 말하면 그 귀신은 쫓겨날 것입니다. 그리고 여러 문화의 장벽을 극복하고 복음을 전하기 위해서 새로운 방언의 역사가 나타날 것입니다. 심지어 뱀을 집으며 독을 마실지라도 이러한 것들을 극복하는 놀라운 기적이 함께할 것입니다. 이것을 믿으십시오. 이것은 분명 복음을 전하는 순종의 과정에서 있을 수 있는 하나님의 기적에 대한 약속입니다. 실제로 이런 일이 어떻게 일어나는지를 마지막 절에서 볼 수 있습니다.

> "제자들이 나가 두루 전파할새 주께서 함께 역사하사 그 따르는 표적으로 말씀을 확실히 증언하시니라"(막 16:20).

말씀하신 그대로 제자들이 순종하고 나가서 전할 때 표적이 나타나기 시작했습니다.

오늘날에도 기적이 제일 많이 일어나는 곳은 선교지입니다. 왜 그럴까요? 주의 말씀 그대로 순종하여 땅끝까지 나아가는 사람들을 하나님이 보호하며 함께하심을 알려 주기 위함입니다. 또 아직은 발전되지 않은 문화권의 사람들에게 하나님이 살아 계심을 강권적으로 보여 주시기 위해 기적이라는 수단이 사용될 수 있습니다.

우리는 선교 현장의 기적을 종종 볼 수 있습니다. 그러나 그것은 우리의 호기심을 만족시키기 위한 주술적인 현상이 아닙니다. 하나님의 말씀에 순종하고 세계를 복음화하기 위해 이 명령에 순종하는 사람들을 통해 하나님의 살아 계심과 역사하심을 보이는 표적입니다.

꽤 오래전, 90년대 후반에 만났던 한 선교사님의 이야기입니다. 공산주의가 무너지기 전에 독일에 갔다가 그때까지 동구권에서 성경을 전하며 전도하는 한국인 선교사였는데, 그분은 늘 비밀리에 성경을 가지고 가서 나누어 주곤 했습니다. 그러던 어느 날, 기도하는 중에 갑자기 이런 마음이 생겼다고 합니다.

'하나님, 제가 하나님의 일을 하는데, 당당하게 성경을 가지고 들어가면 안 되나요?'

그랬더니 하나님이 '그렇게 해라' 하고 말씀하시는 것 같았다고 합니다. 그래서 '하나님, 이제는 숨기지 않고 당당하게 가지고 들어가겠습니다'라고 기도하고 가방에 성경을 잔뜩 넣었습니다. 그러고는 헝가리 변경 지대를 넘는데 세관원이 물었습니다.

"신고할 것이 있습니까?"

"네."

"뭐가 있습니까?"

"성경입니다."

그러면서 성경을 꺼내어 보여 주었다고 합니다. 그랬더니 그 사람이 희한하다는 듯이 쳐다보면서 "이것이 왜 신고할 물품입니까?" 하고 물었다고 합니다. 그래서 "이게 워낙 비싸서요"라고 대답했다고 합니다. 그랬더니 "얼마큼 비쌉니까?"라고 물었다고 합니다. 이에 선교사님은 이렇게 대답했다고 합니다.

"이것은 값으로 따질 수 없을 만큼 고가입니다. 이 책에 있는 말씀을 읽는 사람마다 영원한 생명을 얻습니다. 마음이 불안했던 사람들이 평안을 얻고, 죄 속에 있던 사람들이 용서를 받고 하나님의 자녀가 되는 놀라운 기적이 일어납니다."

그랬더니 세관원이 "그 책, 나 하나 주세요"라고 말했다고 합니다 그래서 성경 한 권을 주고는 "나머지는 어떻게 할까요?" 하고 물어 보자 "그냥 가지고 들어가세요"라고 말했다고 합니다. 그 선교사님 은 흥분하면서 "목사님, 20세기에도 이런 기적이 일어나는 것을 체 험했습니다"라고 말했습니다.

복음을 전하며 순종하는 사람에게는 언제나 하나님의 놀라운 표 적이 일어날 수 있다고 믿습니다. 그러나 순종해야 기적이 일어납 니다. 반드시 순종해야 합니다.

지금도 순종할 때 하나님의 기적은 일어납니다. 믿으십시오. 주 님의 성령이 역사하십니다. 그러나 그저 믿기만 해서는 안 됩니다. 진실로 순종해야 합니다.

"제자들이 나가 두루 전파할새 주께서 함께 역사하사 그 따르는 표적으로 말씀을 확실히 증언하시니라"(막 16:20).

순종하는 그리스도인을 통해서 하나님은 오늘 우리 가운데서도 성령의 놀라운 능력으로 역사하고 다스리시는 것을 믿기 바랍니다.

하나님은 지극히 평범한 사람들을 쓰십니다. 그러나 은혜를 체험 하고, 말씀을 붙들고 순종하기 위해 나아가는 사람들과 함께하실 것입니다. 그들로 말미암아 새로운 역사가 시작될 것입니다. 그들 을 사용하실 것이기 때문입니다. 주님께 쓰임 받는 우리가 되기를 주님의 이름으로 간절히 바랍니다.